SÉRIE MONDE N° 38

ANDALOUSIE

Dirigé par
MAURICE LEMOINE
avec la participation de
NICOLE CZECHOWSKI

D1537420

AUTREMENT REVUE : 4, RUE D'ENGHIEN, 75010 PARIS.
TÉL. : (1) 47.70.12.50.

Directeur-rédacteur en chef : Henry Dougier. *Rédaction :* Nicole Czechowski. Maurice Lemoine. Brigitte Ouvry-Vial. Lucette Savier. *Fabrication/Secrétariat de rédaction :* Bernadette Mercier, assistée de Hélène Dupont. *Maquette :* Anne Panaget. *Conception de couverture :* Harri Peccinotti.

Services financiers : Florence Aupay. *Gestion et administration :* Anne Allasseur. Agnès André. Hassina Mérabet. Jean-François Platet.

Service de presse : Karine Mallet-Belmont.

ÉDITORIAL   **6**
PAR MAURICE LEMOINE

9   LE VOYAGE ANDALOU

   FERNANDO QUIÑONES
   Le regard d'un des écrivains les plus talentueux de sa
   génération.

15   SOMBREROS ET MANTILLES

   FRÉDÉRIC DEVAL
   L'Andalousie dans l'imaginaire des Français.

1. CORDOUE   **19**

   20   LE CALIFAT DE CORDOUE

      PIERRE GUICHARD
      Le Califat de Cordoue ne représente qu'une période assez
      brève, mais la plus prestigieuse de l'Histoire de l'Espagne
      musulmane.

   30   **Photographies de Michel Dieuzaide**

2. AU RYTHME DU FLAMENCO   **35**

   36   LE FLAMENCO, UNE CULTURE CONTEMPORAINE

      FRÉDÉRIC DEVAL
      L'un des phénomènes les plus intéressants de la vie musicale
      que le recyclage fréquent du flamenco entre musique
      « savante » et musique populaire, qui se poursuit encore
      aujourd'hui.

   46   LE CHANT DE LA PEINE ERRANTE

      FRANÇOIS ZUMBIEHL
      Quand on chante, il faut chercher le tronc noir de Pharaon.

   49   MÉMOIRE DE GITANS

      MAURICE LEMOINE
      Souvenirs d'un vieux Gitan qui chante le flamenco depuis sa
      plus tendre enfance.

3. GRENADE   **61**

   62   RECONQUISTA

      BERNARD VINCENT
      La chute de Grenade marque la fin de la souveraineté
      musulmane dans la péninsule ibérique. Que se passe-t-il
      alors ?

   69   GRENADE, 1948-1988 SUR LES TRACES DE LORCA

      CLAUDE COUFFON
      Sur les pas du grand poète assassiné.

81 FLÂNER À GRENADE
BERNARD VINCENT

89 LES CROIX ET LE CALVAIRE
PEDRO CORDOBA
Le 1er février et le 3 mai ont lieu à Grenade deux fêtes que tout oppose.

99 PAX CHRISTIANA A BAZA-GUADIX
PEDRO CORDOBA
Depuis la reconquête du Royaume Islamique de Grenade, une bruyante hostilité oppose Baza à sa voisine, Guadix.

103 **Photographies de Michel Dieuzaide**

4. DES TAUREAUX ET DES HOMMES   **109**

110 PETIT LEXIQUE TAUROMACHIQUE

111 LA CORRIDA DANS TOUS SES ÉTATS
PEDRO CORDOBA ET ARACELI GUILLAUME
Le taureau, le public. Tous deux imposent leur présence. Mais le torero reste seul.

121 LE SENTIMENT ANDALOU DU TOREO
FRANÇOIS ZUMBIEHL
Tauromachie rime presque avec Andalousie.

127 LE CHEVAL, UNE CULTURE POPULAIRE
MARIE-CHRISTINE REVERTE
Le cheval a bien sûr disparu des campagnes andalouses. Il n'en a pas pour autant disparu d'Andalousie.

5. SÉVILLE   **133**

134 LA PASSION SELON SÉVILLE
FRANÇOIS ZUMBIEHL ET ALAIN LAVAUD
La semaine sainte sévillane.

141 LA COLOMBE ET LE CHASSEUR
ALAIN LAVAUD
La plus grande procession de l'Occident chrétien, de Séville à Almonte.

151 JE SUIS SÉVILLAN

LUIS OYONARTE MOLINA
De l'honneur d'être Sévillan.

6. SOLEIL ET OMBRES 161

167 TERRE RICHE, PROVINCE PAUVRE

CHRISTIAN RUDEL
De la fin de l'Espagne musulmane à Franco.

174 UN VILLAGE BLANC DU CÔTÉ DE L'ATLANTIQUE

MARIANA EICHELBAUM
Vie quotidienne loin des grands circuits touristiques.

179 DE LA TERRE ET DU PAIN

MAURICE LEMOINE
La vie difficile des ouvriers agricoles en période de modernisation.

190 ANDALOUSIE ET EUROPE

BERNARD DUBOSCQ
Un défi réciproque.

196 EL EJIDO

BERNARD DUBOSCQ
On a parfois comparé El Ejido à une ville du Far-West.

197 CHÔMAGE CONTRE-NATURE ?
NATURE CONTRE CHÔMAGE

CARMEN ELIAS
Reportage sur une initiative de lutte contre le chômage des jeunes.

7. RETOUR AU SUD 202

203 MARBELLA

IGNACIO RAMONET
Une vision personnelle du siège de la jet-set.

207 LA CRÉATION DU MYTHE ROMANTIQUE MÉRIDIONAL

ALBERTO GONZALEZ TROYANO
Carmen, le Barbier de Séville et les autres...

212 AU RYTHME D'UNE MÉMOIRE OBSCURE

XAVIER-RUIZ PORTELLA
Quelque chose de sacré bat dans l'émotion andalouse. Mais si ce sacré ne signifiait pas forcément religieux ?

218 RETOUR AU SUD

JUAN GOYTISOLO
A l'inverse de la trajectoire des grandes migrations, quitter le nord pour revenir vers le sud.

• **Abonnements au 1ᵉʳ janvier 1989** : *Abonnement à la Revue Autrement, « série Mutations »,* consacrée à des faits de société, 1 an, 7 numéros : 490 F (France) ; 565 F (étranger) — *Abonnement hors-série, « série Monde »,* centrée sur les villes et pays étrangers, 1 an, 7 numéros : 495 F (France) ; 570 F (étranger) — *Abonnement couplé,* 1 an, 7 numéros + 7 numéros hors-série : 950 F (France) ; 1 100 F (étranger). Établir votre paiement (chèque bancaire ou postal, mandat-lettre) à l'ordre d'Autrement et l'envoyer à Autrement, Service abonnements, 99, rue d'Amsterdam, 75008 Paris. Tél. : (1) 42.80.68.55. Les virements postaux sont à effectuer à l'ordre de Nexso (C.C.P. Paris 1-198-50 C). Le montant de l'abonnement doit être joint à la commande. Veuillez prévoir un délai de un mois pour l'installation de votre abonnement, plus le délai d'acheminement normal. Pour tout changement d'adresse, veuillez nous prévenir avant le 15 du mois et nous joindre votre dernière étiquette d'envoi. Un nouvel abonnement débute avec le numéro du mois en cours.
• **Vente individuelle des numéros déjà parus** : revue Autrement, 4, rue d'Enghien, 75010 Paris.
• **Diffusion en librairie** : Éditions du Seuil.

ÉDITORIAL

PAR MAURICE LEMOINE
journaliste

C'est de Palos, en Andalousie, que s'élança le 3 août 1492 un certain amiral — Christophe Colomb pour ne pas le nommer — vers ce qu'il ne savait pas encore être l'Amérique. Santa-Maria, Niña *et* Pinta, *ainsi s'appelaient les trois caravelles composant sa modeste flotte. C'est à Séville, toujours en Andalousie, mais cette fois sous le signe du TGV, que s'ouvrira le 20 avril 1992 l'Exposition Universelle intitulée : l'ère de la découverte. Ces deux événements, certes dissemblablement considérables et inégaux dans leur conséquences — on peut tout au moins le supposer — auraient en soi justifié le voyage que nous vous proposons dans le présent numéro.*

Mais quand bien même ce prétexte n'eut pas existé, nous vous aurions quand même convié à la découverte de cet extrême confin de l'Europe, point de rencontre séculaire des cultures et des grandes civilisations : « De bleu et de blanc se vêt le village, de blanc et de bleu... Du passé arabe ne perd sa saveur, mais depuis des siècles est chrétien fervent », a écrit bien avant nous le poète, évoquant les étonnantes épousailles musulmane, judaïque et chrétienne qui fécondèrent ces terres de soleil aux temps du Califat.

À l'évidence, et comme il se doit, le passé s'enfonce dans le passé ; à l'évidence l'image rurale et archaïque de l'Andalousie s'estompe peu à peu, laissant place à un équilibre de traditions et de modernité. Il n'en demeure pas moins que dans une Europe de plus en plus standardisée, fast-foodisée, soumise à la loi des séries — télévisées — et au rythme omniprésent du disco, la plus grande des dix-sept communautés autonomes espagnoles possède aujourd'hui l'une des rares cultures à n'être pas devenue simple objet d'études ethnographiques mais demeurée authentiquement populaire.

Comment, s'offusquera-t-on ? On va nous resservir cet exotisme de pacotille, sombreros et mantilles, castagnettes et fiers hidalgos, guitares pour touristes béats et Gitanes de cinéma ? Une culture authentiquement populaire, avons-nous averti : tauromachie, ferias, flamenco, semaine sainte, sans nul doute, mais dépouillés du pittoresque de mauvais aloi, envoûtantes manifestations de l'authentique génie d'un peuple.

Sous le « sacré » affleurera tout de même le profane : que l'on soit Andalou ou non, la semaine sainte ne dure qu'une semaine et on ne passe pas sa vie sur les gradins de l'arène ou dans la chaude complicité des peñas. Tout autant que par la Vierge et ses larmes de sang ce sauvage et rude paysage humain a été façonné, ne l'oublions pas, par l'anarcho-syndicalisme et ses poings levés.

Riche de ses racines et entraînée à folle allure dans le train espagnol, l'Andalousie vit à l'heure de l'intégration à La Communauté Économique Européenne. Mille-neuf-cent-quatre-vingt-douze, de nouveau. Plus encore que dans nos régions industrialisées — mais néanmoins en crise — apparaît dans cette zone éloignée de l'Europe marginale, toute l'ampleur du défi. Un taux de chômage de 30 pour cent vu se trouver confronté à la féroce concurrence des autres régions européennes, au libre jeu de la concurrence et à l'implacable logique des capitaux. Dès lors, fi des discours incantatoires tout autant que volontaristes : l'Europe, l'Europe, l'Europe ! L'espoir n'a d'égal que la crainte. Sans dimension sociale, sans stratégie de coopération pour la croissance et l'emploi, celle-ci — l'Europe — ne demeurera qu'un mot, définitivement étranger à la misère des hommes. La mise en place d'une Communauté ne se préoccupant structurellement d'autres impératifs que ceux de la rentabilité, ne pourrait qu'aggraver le sort de centaines de milliers d'Andalous. Que sous les sortilèges du flamenco cette vérité première ne soit pas oubliée.

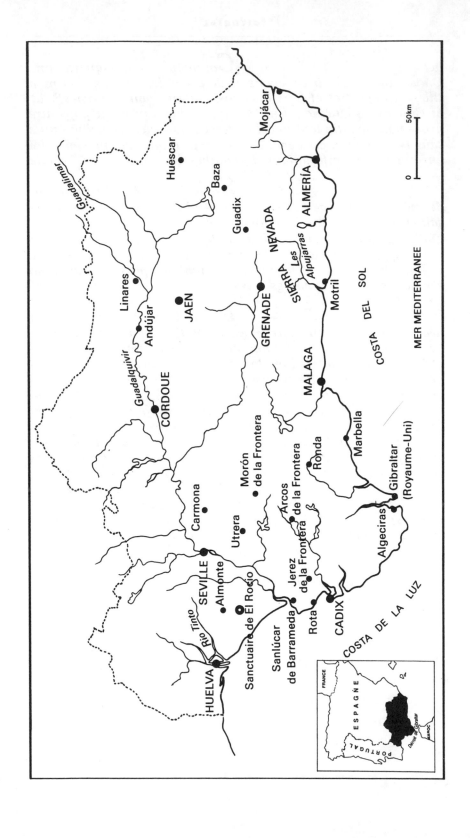

FERNANDO QUIÑONES

LE VOYAGE

ANDALOU

« Toujours fruit d'ambition, désirée, violée par tous les
peuples historiques, les dominant cependant par sa
célébrité et ses abondances. l'Andalousie jouit de la
supériorité des pays de culture millénaire comme la
Grèce ou la Chine, exerçant sa séduction sur Rome.
Nous trouvons en Andalousie le noyau de civilisation
le plus vénérable de l'Europe Occidentale. » (Jean
Sermet)

DE DIMENSIONS ÉGALES À CELLES DU PORTUGAL OU DE LA HONGRIE, OU
TROIS FOIS SUPÉRIEURES À CELLES DE HOLLANDE ET D'ISRAËL, LES
87 628 KM2 D'ANDALOUSIE PEUVENT OFFRIR AU VOYAGEUR D'AUJOURD'HUI
— SANS EXCLUSION DES PROPRES ANDALOUS — AUTANT DE SURPRISE, UNE
PLURALITÉ DE SENSATIONS, D'EXPÉRIENCES PARTICULIÈRES, IDENTIQUES
À CELLES PROVOQUÉES CHEZ LES VOYAGEURS ROMANTIQUES DES SIÈCLES
PASSÉS.

La variété, non seulement climatologique mais aussi hydrographi-
que, orographique ou géologique d'Andalousie semble parallèle aux
brûlants contrastes de son histoire et de son caractère. Réellement,
on ne peut pas s'étonner que, sur un territoire dilaté où alternent
jardins et déserts, neiges éternelles et cultures tropicales, ou bien
de grandes villes populeuses accolées à des villages cachés, foison-
nent différences et contradictions.

De façon accentuée, l'Andalousie est en même temps riante et dramatique, sous-développée et riche, vivace et parcimonieuse, conser-
vatrice et progressiste. Cet enchaînement de diversités compose peut-
être la note la plus profonde et la plus remarquable de son caractère différent et identique à la fois, et cela peut expliquer le fait
que tant de volontés soient intéressées ou éprises de ses terres ou
de son peuple.

Aucune portion d'Espagne n'est moins conventionnelle ni en même
temps plus exploitée sous forme de clichés conventionnels : la *bai-
laora*, le toréador, le contrebandier — des tabacs et à cheval hier,
de drogue et en hors-bord aujourd'hui.

Précisons que la division de l'Andalousie en une partie Orientale
(Grenade, Jaén, Malaga, Alméria), et une autre Occidentale (Cadix,
Séville, Huelva, Cordoue), n'est peut-être pas moins conventionnelle
que le précédent défilé de personnages ; même le morcellement provincial de l'Andalousie semble moins logique que sa scission en espaces naturels. Les intérêts administratifs et l'« homo-burocraticus »

ont eu et ont toujours leurs raisons que le peuple accepte sans les éprouver, et en tout cas, pas plus les Andalous de l'ouest que ceux de l'est ne considèrent leurs voisins comme des gens d'une « autre » Andalousie, ce qui se produit par contre dans bien d'autres autonomies espagnoles.

Par ailleurs, considérer les provinces — prenons celle de Cadix comme exemple — comme un seul bloc unitaire, ne compte pas autant dans le sentiment populaire ni dans la pratique quotidienne que leur structuration nationale en régions différenciées et concrètes, comme le sont la baie de Cadix (le plus grand « musée naval » submergé dans ses fonds, dépôt millénaire de bateaux), la baie d'Algésiras avec son camp annexe de Gibraltar, la campagne de Jerez, la *sierra* au nord-est de la province, etc. Cependant, non plus dans celle de Cadix, mais dans n'importe quelle autre province andalouse, les changements de tout ordre qui s'offrent aux yeux du voyageur sont assez spectaculaires. Je me montre particulièrement emphatique sur ce point en sachant que ces notes s'adressent à une revue de France, pays prodigue en vastes espaces aussi fertiles, affables et agréables, que semblables entre eux.

Sans quitter encore la plus méridionale des provinces européennes, nous commencerions notre voyage par les nombreux charmes de sa capitale, Cadix, « le bassin d'argent », qui traverse des moments positifs de restauration et d'offre touristico-culturelle-estivale basée sur ses plages, dans son gracieux cadre ancien — balcon maritime du XVIIIe siècle — et dans les localités de sa façade atlantique prodigues en attraits, comme le Port de Santa Maria, Sanlucar de Barrameda ou Chiclana. À très peu de kilomètres, Jerez de la Frontera, apparaît comme une ancienne mecque universelle des vins, et très récemment, des rallies automobiles, tout comme un berceau substantiel de l'art flamenco, avec deux autres noyaux proches : Cadix elle-même, et le quartier sévillan de Triana. De Jerez vers l'est, la sierra gaditaine recèle tout un chapelet de petites agglomérations suggestives, depuis Arcos, nichoir d'aigles, jusqu'à Zahara de la Sierra, Olvera et Grazalema, où l'on voit déjà la limite avec la province de Malaga.

Mais nous ne pouvons pas abandonner Cadix sans nous attarder sur la longue frange côtière qui, foisonnant de superbes plages ainsi que de villages artistiques contigus (Vejer, par exemple), débouche sur la baie d'Algésiras et le Peñon de Gibraltar, au-delà des ruines romaines de Bolonia. Les jours de grand attrait de la baie d'Algesiras — vaste site maritime ayant de multiples liaisons avec l'Afrique — sont comptés, face à la menace et aux bénéfices d'un futur macro-port industriel, le plus important peut-être de tous ceux des zones immédiates, tant côté atlantique que méditerranéen.

*

Au nord de Cadix, Séville fait jalousement et légitimement flotter sa bannière. À mi-chemin entre la grande ville qu'elle n'est pas encore, et la simple capitale de province qu'elle n'est plus, Séville s'érige en point de références indispensable pour une connaissance — aussi superficielle soit-elle — d'une grande partie de la réalité andalouse. Rendues puissantes aujourd'hui par les moyens de diffusion massive, les images traditionnelles de Séville exercent un charme comparable à celui qu'exerçait la Séville musulmane du Moyen-Age, bien que de nos jours, avec les réminiscences colorées survivant de la « Carmen » de Mérimée, avec sa semaine sainte, sa *Feria* d'avril et ses corridas, l'industrie et la technologie engendrent, loin de la Cathédrale et de la Giralda, une autre Séville qui s'étend entre son fleuve, ses proches collines et ses plaines côtières.

C'est cette Séville qui, en dépit des habituelles imprécisions et retards andalous, se penche déjà sur l'éphéméride polémique nationale de 1992, cinquième centenaire de la découverte de l'Amérique, qui rétablira dans la ville des lauriers, les améliorations urbaines, et aussi les problèmes économiques de sa dernière Exposition Universelle — avec des dettes toujours pas soldées depuis 1929...

Rome impériale dans ses majestueuses ruines d'Itálica, et des localités aussi riches que Carmona et Alcalá de Guadaira, très proches de la capitale, ou un peu plus éloignée comme Ecija, doivent être obligatoirement citées dans ce « mini-tour » sévillan.

*

Limitrophe avec le Portugal et l'Extrémadure, mieux vaut chercher les notoriétés ou les charmes nourris de Huelva dans sa province que dans sa capitale, agressée de surcroît par une contamination qui pourrit sa rivière et afflige de façon intense son atmosphère. Au contraire, la séduction de la côte de Huelva (abondant en belles plages, de Punta Umbria à Ayamonte et, comme celles de Cadix, encore peu exploitées) a pour complément l'intérêt et la beauté archaïque de ses espaces montagneux intérieurs, peut-être la sierra la moins touchée d'Espagne, en dépit de la renommée de villes comme Aracena, ou comme Jabugo et Cumbres Mayores, considérés comme les saints-sièges du *jamón serrano*.

Près de la localité minière de Riotinto, on distingue la Corta Atalaya : la plus grande entaille exécutée par la main de l'homme dans l'écorce terrestre. Et, en tant que rareté de Huelva, mérite également une citation spéciale, ce territoire de litiges, de convoitises, et d'extraordinaire intérêt naturel et écologique qu'est le Coto Donana avec Moguer ; auprès de ses virginités désormais relatives, se déroule tous les ans à Almonte le superbe éclatement de fanatisme religieux qu'implique la Romeria del Rocío.

*

Bien que sa splendeur monumentale ait été en partie endommagée sous le mandat de Franco, Cordoue compte néanmoins une telle accumulation historique de cultures, qu'elle reste toujours une source de beauté, un centre des points de référence andalous, et de dégustation, auxquels on ne renonce pas. La présence romaine — voilée mais puissante — la Renaissance espagnole, le Baroque, l'empreinte hébraïque et surtout, l'islamique — basée particulièrement sur la grandeur de sa mosquée-cathédrale — intègrent dans ses quartiers séculaires un ensemble urbain de classicisme non contrarié par toute une éclosion de modernité, prodigue en succès, comme celui qui fait aujourd'hui de Cordoue un centre oncologique de premier ordre, ou le lieu de résidence de certains noms prestigieux espagnols dans le domaine de la psychiatrie.

Cette Cordoue du présent entoure la ville historique, de forte empreinte agraire, qui a rendu proverbiaux un sentiment lent de la vie et un stoïcisme modéré dont le versant le plus profond et serein s'identifie traditionnellement avec la philosophie de Lucio Anneo Séneca, fils de Cordoue. Un prestige immémorial de bons poètes, joint à celui de ses toréadors et de ses vins — surtout ceux que l'on situe dans la région de Montilla et Moriles — sont, avec sa gastronomie variée et rénovée, d'autres signes vigoureux de l'identité cordobaise, dont la mosaïque culturelle arabo-judéo-chrétienne abrite des noms aussi illustres dans le domaine de la science, de l'art et de la pensée, que ceux d'Averroes, Maimonides, Ibn Hazm ou Gongora.

*

Passons maintenant à l'Andalousie de l'est. Le port de Málaga, gai et populeux, a payé un prix très élevé en tant que capitale de la Costa del Sol et de son boum touristique accéléré. Depuis les années 50, les excès des agences immobilières et de spéculation du sol ont détérioré en grande partie la saveur de la ville de Picasso, bien que sa vitalité dynamique soit restée intacte, et inchangés les plaisirs de sa tradition accueillante, favorisée par un climat privilégié.

De Torremolinos à Estepona en passant par Marbella et sa faune *jet*, toute la côte jusqu'à Gibraltar est une construction continue chère au tourisme, fidèle au cours des décennies précédentes aux modèles importés, et aujourd'hui plus attentive à une architecture d'inspiration autochtone et remise à jour, qui impose la chaux et le ciment, ainsi que le tracé andalou, à l'inadéquate ligne des USA.

On peut observer un changement favorable identique, et peut-être une densité d'urbanisation moindre, sur la côte orientale de la Costa del Sol de Málaga. Loin de la mer, deux villes historiques bien entretenues peuvent captiver le voyageur de culture : Ronda, penchée sur son abîme, et Antequera, proche d'une surprise en pierre, étrange et dilatée : El Torcal.

*

Grenade est, avec Séville, le plus grand gisement d'images andalouses aux yeux de l'extérieur ; sa province partage avec celle de
Cadix, les contrastes géographiques les plus frappants : neiges éternelles à deux heures des chaudes plages — Almuñecar, Motril, Salo-
brena — et des cultures tropicales que l'on voit presque de Treve-
lez, le village situé à la plus haute altitude de toute l'Espagne.

Quant à la capitale, les derniers arabes espagnols, les *nazarís* grenadins, ont construit avec leurs vainqueurs, les Rois Catholiques Isabel et Fernando, la très illustre et rentable Grenade d'aujourd'hui
et de toujours, celle d'Ibn-Al-Jatib, Washington Irving, Ganivet ou
Federico Garcia Lorca : Generalife et Alhambra, par où l'eau musulmane coule auprès de palais chrétiens comme celui de Carlos V.

La Cathédrale de Grenade et sa chapelle royale près de l'ancienne
université arabe, le quartier élevé de l'Albaicín, patios populaires
et seigneuriaux, arcades, demeures et murailles, petites places et
ruelles aux alentours de la Alcaicería et de sa place contiguë, Bib
Rambla, sont des points de séduction assurée, tout comme l'est, à
l'est de Grenade, la très haute et étrange région de la Las Alpujarras, entre les sierras de Gador et de Contraviesa.

*

Almería, capitale et province, peuvent avoir un effet étonnamment
bénéfique sur des sensibilités saturées de clichés et de stéréotypes
autour de l'Andalousie. Non moins andalouse cependant que
n'importe laquelle de ses provinces sœurs, Almería et ses terres ainsi
que ses côtes, s'éloignent assez des habituelles « images typiques »
qui représentent l'Andalousie dans l'esprit des propres Andalous et
des étrangers.

Il n'y a une Almería désertique, apte aux tournages de westerns-
spaghettis ou à la rédaction de pages désolées, mais aussi une autre
Almería, nouvelle et fertile, aux cultures récentes qui transforment
ses horizons côtiers et ont élevé l'économie locale à des niveaux de
prospérité jamais connus jusque-là.

À l'est de la capitale, le voyageur curieux se heurtera à un océan
de paysages, d'ambiances et de tonalités lunaires : le Cabo de Gata,
dont les solitudes et puretés, encore défendues mais déjà convoitées,
contrastent avec le mouvement de la ligne maritime occidentale, un
appendice ou début de la Costa del Sol, avec Roquetas comme point
remarquable — tout comme l'est Mojacar sur le littoral nord de la
province, près de Murcia. J'insiste, Almería, il faut savoir la découvrir et la parcourir. Ce qu'elle possède n'est pas typiquement, mais
bien strictement andalou, depuis la maison avec *patio du luces*,
jusqu'à l'architecture fin de siècle, en passant par la cuisine rudimentaire et excellente.

*

Proverbiale Cendrillon andalouse, Jaén semble entamer un processus d'indispensable *aggiornamento*, qui aurait tout intérêt à préserver bon nombre de valeurs d'environnement, protégées par sa mer d'oliviers et ses montagnes sauvages et belles, comme celle de Cazorla, réserve riche en faune et en flore, ou la Sierra Morena, scène de la *romería* la plus ancienne d'Espagne, mentionnée par Cervantes et Calderón.

Les surprises que présente l'Andalousie s'accentuent peut-être à Jaén, où nul n'espère trouver grand chose, et découvre des réalités aussi insolites que celles mentionnées, ou le musée du peintre Rafael Zabaleta à Quesada, les villes-monuments de Ubeda et Baeza, et encore, la résonance des tournois internationaux d'échecs (!) qu'organise l'ancien centre minier de Linares.

La capitale, Jaén, est souvent oubliée par le voyageur distrait, incapable de soupçonner qu'à quelques pas du centre moderne se trouve un autre Jaén au tracé et à l'arrière-goût arabes, dont la porte est cependant l'admirable architecture Renaissance — cathédrale, palais de la députation — de Andrés de Vandelvira (XVIe siècle) : un prologue chrétien à l'atmosphère maure du Jaén qui arrive jusqu'à la Magdalena et la petite place du Cadiato.

Dans la ville authentique, le charme singulier de la taverne *El Gorrión*, dans la minuscule calle Consuelo, va de pair avec celui de la Peña Flamenca de Jaén, éditeur de la seule revue consacrée à l'art gitan-andalou : Candil.

L'Andalousie est une et plusieurs, par extension et caractère, davantage pays que région, bien que sans velléités ni prétentions séparatistes. Impossible d'avoir rendu dans ces brèves pages une idée, fût-elle minime, de ses complexes réalités régionales. *(Traduit par Christine Dermanian.)*

——————— *FERNANDO QUIÑONES* ———————

Né à Cadix en 1931 ; il est l'auteur d'une cinquantaine d'ouvrages : poésie, romans, essais. Jorge Luis Borges a écrit de lui : « Un grand écrivain de la littérature hispanique de notre temps, ou simplement, de la littérature. »

FRÉDÉRIC DEVAL

SOMBREROS
ET MANTILLES

ATTRACTION D'UNE PART, MÉCONNAISSANCE DE L'AUTRE. AUCUN PAYS VOI-
SIN DE LA FRANCE, COMME L'ESPAGNE, N'EST AUTANT DÉSIRÉ EN ÉTANT
SI MAL CONNU.

En remontant vers la mer la Calzada de Sanlucar de Barrameda, je regarde s'écouler la foule des *sanluqueños* et des vacanciers — surtout sévillans —, de ce pas si lent et si peu lourd à la fois qu'ont les Andalous à l'heure du *paseo*.

Et je vois soudain que toutes les filles, en plus d'une coiffure en friselis décolorés, portent les robes à volants et à pois chères à Christian Lacroix. L'effet de billard est parfait : comme « *España esta de moda* » pour les Français et que l'Europe est aujourd'hui à l'Espagne ce que Rodrigue est à Chimène, et la France étant *le pais vecino*[1], la France est par excellence l'Europe. À Sanlucar, dans les bistrots à *tapas* de poisson comme El Bigote, les Sévillanes branchées vous glissent qu'en septembre elles sont invitées à Nîmes pour la Feria des Vendanges. On a beau écarquiller les yeux, il faut se rendre à l'évidence : il y a l'amorce d'une mode réciproque Andalousie/Midi français.

Ce n'est pas la première fois que l'Andalousie est à la mode en France depuis 1800 ; mais c'est la première fois qu'on en constate si vite et à si grande échelle le *feed back* sur place, en Andalousie. S'il a fallu attendre 1987-1988, c'est parce que jusqu'en 1975, la trace de la guerre d'Espagne inhibait en France tout flirt avec l'Espagne : on s'y bronzait à la rigueur, mais il ne pouvait pas y avoir d'enti-chement collectif des Français pour des *façons d'être* espagnoles, ni aucun emprunt culturel d'aucune sorte.

Une fois la *transición*[2] passée, et à partir de l'avènement de Felipe Gonzalez, sous l'ombrelle protectrice d'un souverain mondialement respecté, l'Espagne redevient regardable et désirable : elle devient, pour la France, à son tour, un *pais vecino*.

Le premier, Chateaubriand va en Andalousie en 1807[3], au cours de son *Itinéraire de Paris à Jérusalem*. Mérimée y va six fois de 1830 à 1864 — *Carmen* est de 1834 — Théophile Gautier y est en 1839 et en tire une bonne partie de son *Voyage en Espagne* (1843) — lecture indispensable à tous les hispanophiles. Charles Davilliers et Gustave Doré font le leur en 1862, et les illustrations de Doré sur l'Andalousie « modé-lisent » en quelque sorte l'image-rie hispano-andalouse.

Ces grands romantiques fran-çais, avec quelques Anglais (Henry Swinburne en 1775, George Bor-row en 1835, Richard Ford en 1845), jouent un rôle décisif dans la création en Europe d'une ima-ge andalouse hypertrophiée qui va masquer en partie l'importance des autres régions d'Espagne.

La fascination pour les Gitans, abondamment illustrée chez Gus-tave Doré, est l'élément qui achève d'enrober l'Andalousie dans une aura pittoresque pour cent cinquante ans. Le succès de la *Carmen* de Mérimée, amplifié par l'engouement hispanique de Eugénie de Montijo et de Napoléon III (qui mettent Biarritz à la mode, car proche de l'Espagne), les premiers *tablaos* flamencos découverts aux expositions universelles, ou sur place[4], le processus d'identification de l'Espagne à l'Andalousie, de l'Andalousie au flamenco, et du flamenco aux Gitans s'achève quelque part vers le tournant du siècle. L'équation s'écrit désormais Espagne = Andalousie = flamenco = Gitans, équation dont chaque terme, également faux, s'ancre en profondeur dans l'imaginaire français.

Après la guerre de 14-18, c'est en 1921 que la *SEITA* lance ses fameux paquets de Gitanes, sur une thématique qu'elle ne cessera de décliner. Depuis soixante-cinq ans, les Français fumeurs ont donc des Gitanes dans la poche de leur veste, et les non-fumeurs des boîtes d'allumettes Gitanes dans leur cuisine. Toute une imagerie de l'incandescence (Andalouses aux yeux de braise...) et de l'évanescence va ainsi partir de la danse flamenca, de ses formes flamboyantes et changeantes.

DICTIONNAIRE DES IDÉES REÇUES

Force des images, force des sons : le pendant musical français part lui aussi de *Carmen*, celle de Bizet (1873). La piste qui s'ensuit est facilement traçable avec des titres de noblesse divers. *España*, de Chabrier (1896), dont la quincaillerie pittoresque fait encore le bonheur en 1988 de la publicité de la carte de crédit Visa.

Iberia, de Debussy (1905), ou *Alborada del Gracioso*, *l'Heure espagnole* (1907), et surtout le *Bolero* (1928) de Ravel, dénotent chez les musiciens français une fascination hispanique continue.

On assiste rapidement à un amalgame hispano-andalou indistinct qui donnera, version populaire : *Sombreros et Mantilles*, chanson chantée par Rina Ketty dans les années 30, ou l'opérette de Luis Mariano (années 1940 à 1960) ; Fandango devient synonyme de flamenco et d'Espagne, et l'opérette « espagnole » type Châtelet prospère pendant les quarante années d'hibernation franquiste faute de comparaison possible avec l'original.

Cette « Andalousie de leurs rêves » atteint une sorte de perfection dans le stéréotype avec le « phénomène » Manitas de Plata (à partir de 1962). Le schéma Espagne = Andalousie = flamenco = Gitans fonctionne à plein : la Camargue sert d'Andalousie, la rumba et le talent rythmique de Manitas sert de flamenco et les Gitans de Camargue remplacent ceux de Gustave Doré et du Sacromonte, difficilement accessibles. La caution de Picasso, et c'est l'Espagne !

En 1987, les Gypsy Kings, à vingt-cinq ans de distance rééditent l'exploit de Manitas. Ce sont d'ailleurs ses neveux. Les ingrédients sont les mêmes : Gitans de Montpellier, rumbas et Camargue. Le look bien sûr a changé : le nom est anglais, les arrangements musicaux riches de l'expérience des trente dernières années en musique de studio, et le public qui déferle dans les bodegas nîmoises à l'heure de la Feria est aujourd'hui bien plus avide de sevillanas et de rumbas. Mais le mythe reste identique et fonctionne à plein.

On peut avec Manuel Bernal Rodriguez esquisser une typologie de l'Andalousie romantique[5], à la façon du *Dictionnaire des Idées Reçues* de Flaubert et constater qu'elle est toujours largement d'actualité. Tous ces stéréotypes ont été transposés par les Français à l'Espagne entière.

Le contrebandier andalou, type

El Tempranillo, est la référence : sur l'image de la guérilla contre Napoléon vient se superposer celle des bandits andalous, violents, cruels, mais dotés d'un honneur et d'une noblesse qui forcent le respect. La guerre d'Espagne (1936-1939) renforcera ce dernier trait.

Toreros : depuis Carmen, il n'en est de bon que de Séville et d'Andalousie — les autres traditions taurines espagnoles — basco — navarraise, castillane... n'ont longtemps été connues que des seuls *aficionados*.

Sensualité : voici ce qu'écrit Théophile Gautier des œillades andalouses : « Les femmes de Séville justifient leur réputation de beauté ; elles se ressemblent presque toutes, ainsi que cela arrive dans les races pures et d'un type marqué : leurs yeux fendus jusqu'aux tempes, frangés de longs cils bruns, ont un effet de blanc et de noir inconnu en France. Lorsqu'une femme ou jeune fille passe près de vous, elle abaisse lentement ses paupières, puis elle les relève subitement, vous décoche en face un regard d'un éclat insoutenable, fait un tour de prunelle et baisse de nouveau les cils. La bayadère Ammany, lorsqu'elle dansait le pas des Colombes peut seule donner une idée de ces œillades incendiaires que l'Orient a léguées à l'Espagne ; nous n'avons pas de termes pour exprimer ce manège de prunelles ; *ojear* manque à notre vocabulaire. Ces coups d'œil d'une lumière si vive et si brusque, qui embarrassent presque les étrangers, n'ont cependant rien de précisément significatif, et se portent indifféremment sur le premier objet venu : une jeune Andalouse regardera avec ces yeux passionnés une charrette qui passe, un chien qui court après sa queue, des enfants qui jouent au taureau. Les yeux des peuples du Nord sont éteints et vides à côté de ceux-là ; le soleil n'y a jamais laissé son reflet. » On reconnaîtra là le type même de la femme espagnole.

Le marquis de Custine écrivait à propos des Espagnols que « le banditisme est une passion naturelle chez les races de sang arabe ». L'image hypertrophiée de l'influence arabe en Espagne est l'un des stéréotypes les plus pesants et les plus difficiles à déraciner.

En découlent : la violence espagnole, « arabe », avec l'art de la navaja, les règlements de compte amoureux...

L'imaginaire français attribue souvent à l'Andalousie et, donc à l'Espagnol, les mêmes traits que l'imaginaire espagnol attribue à l'Arabe. Juan Goytisolo démonte admirablement le mécanisme de l'imaginaire arabe chez les Espagnols dans ses *Chroniques sarrasines*[6].

L'orientalisme : Giralda de Séville, mosquée de Cordoue, Alhambra de Grenade, au-delà de l'apport arabe, c'est « l'Orient » qu'évoquent ces illustres monuments, abondamment décrits par les Romantiques. Aucune autre architecture espagnole n'a eu le même succès français : ni la cathédrale de Burgos ni le roman catalan ou castillan, de Ripoll à Zamora ou Santo Domingo de Silos. Seule, Tolède rivalise dans un même « orientalisme ». L'architecture « mauresque », « arabe », « orientale » des grandes villes andalouses symbolise encore et toujours l'Espagne tout entière. L'oisiveté : « l'Espagnol (l'Andalou), qui pourtant a des dons, ne fait rien, rien de justifié. La sieste est l'heure espagnole. D'ailleurs ceci explique un taux de chômage élevé. »

UNE TERRE PROMISE

On remarquera que ces images qu'ont volontiers

les Français sur l'Espagne reflètent encore une réalité andalouse *déformée*. A peu de choses près, cette opinion des Français sur l'Espagnol, est parfois celle des Espagnols du Nord sur les Andalous (*Son Moros* : des Arabes).

Le climat ? toujours beau ! Espagne = soleil. C'est aussi l'invariant des campagnes touristiques espagnoles en France car chaque fois qu'ils y ont trouvé leur profit, les Espagnols ont largement contribué à alimenter l'image pittoresque que les Français ont aimé se faire de l'Espagne. L'Espagne, là aussi, est assimilée à l'Andalousie. Les pluies du Pays basque, de la Cantabrique, de la Galice (un tiers du territoire) ; ou les hivers des deux tiers du territoire situés au-dessus de 600 mètres, sont simplement ignorés.

Soleil, oranges : L'Andalousie apparaît aux Romantiques comme une Terre Promise. En 1988, les planificateurs de la Commission de Bruxelles voient en elle « la Californie de l'Europe » de demain.

L'engouement actuel pour l'Andalousie repose, comme par le passé, sur l'empilement des confusions entre l'Espagne et l'Andalousie. L'isolement espagnol explique largement que se soient reproduits pendant cent cinquante ans les stéréotypes dont Carmen est le parangon.

Au moins, dit-on, cette mode est latine ; elle contrebalancerait la culture américaine prépondérante et permettrait à ceux qui veulent aller au-delà, de découvrir une Andalousie moins superficielle.

Débat ancien, et assertion douteuse : doit-on préférer une mode « espagnole » parce que « espagnole », à n'importe quel prix ?

En revanche l'explosion depuis 1980 du volume des échanges commerciaux entre la France et l'Espagne, la connaissance des œuvres majeures d'essence andalouse comme la Trilogie Gades-Saura, les créations musicales de Paco de Lucia ou d'Enrique Morente, *La Célestine* de Maurice Ohana, la peinture d'un Carlos Pradal, donnent de l'espoir.

Le vent de 1992 pourra bien apporter le meilleur comme le pire : le fait est que les Français vont apprendre à mieux connaître l'Andalousie. Et peut-être serons-nous davantage à préférer, à l'Andalousie du stéréotype, l'Andalousie des archétypes.

1. Traditionnellement, le *pais vecino*, le pays voisin, est unique pour les Espagnols : c'est la France ; Portugal et Maroc ne sont *jamais* qualifiés de « voisins » ; mais cela change.
2. *Transición* : 1976-1983.
3. Il y a dès 1793 un *Guide d'Espagne* écrit en français par l'Allemand Hans Ottokar Reichard, réédité aux Éditions de la Courtille, Paris, 1971.

4. Davillier, *Voyage en Espagne* (1862) ; *L'Espagne flamenco*, Lecomte (1896) ; *in Los Cafes Cantantes de Sevilla*, Jose Blas Vega Ed. Cinterco, 1984.
5. Cf. Manuel Bernal Rodriguez « Tipologias literarias de la Andalucia Romantica » *in La imagen romantica en los viajeros romanticos*, Diputacion Provincial de Malaga, 1987.
6. Fayard, 1985.

FRÉDÉRIC DEVAL

1

CORDOUE

PIERRE GUICHARD

LE CALIFAT

DE CORDOUE

LE CALIFAT DE CORDOUE NE REPRÉSENTE QU'UNE PÉRIODE ASSEZ BRÈVE, MAIS LA PLUS PRESTIGIEUSE, DE L'HISTOIRE DE L'ESPAGNE MUSULMANE.

C'est en 929 que se produit l'un des faits majeurs de l'histoire du monde musulman médiéval : la proclamation du califat de Cordoue au profit de l'émir 'Abd al-Rahman III. Cet événement est la résultante de plusieurs facteurs favorables, habilement exploités par le huitième souverain omeyyade andalou. Le premier est sans doute le prestige acquis par celui-ci pendant ses dix-sept premières années de règne du fait du rétablissement de l'autorité du *sultan* ou pouvoir central cordouan sur l'ensemble du territoire de l'émirat andalou, lequel avait sombré dans l'anarchie depuis un demi-siècle. Le second est la situation générale du monde musulman au début du Xe siècle, où le lointain califat abbasside de Bagdad, censé diriger l'ensemble de la communauté musulmane étendue sur l'espace islamisé ou *Dar al-Islam*, n'exerce plus en fait qu'une autorité vacillante sur la partie centrale de ce dernier, principalement l'Iraq, alors que des pouvoirs de fait, plus ou moins vaguement reliés à la capitale théorique du monde musulman, se sont constitués dans la plupart des autres provinces comme l'Iran, la Syrie ou l'Égypte.

Surtout, et c'est sans doute le facteur décisif qui permit à l'omeyyade de Cordoue de relever en Occident le titre califal jadis porté par ses ancêtres de Damas, vient de se constituer au Maghreb un califat dissident, chiite, celui des Fatimides de Kairouan. Apparu en 910 comme l'un des effets du grand mouvement d'expansion du chiisme qui affecte tout le monde musulman au tournant des IXe et Xe siècles, ce califat se pose en adversaire du pouvoir déclinant des Abbassides qu'il prétend abattre et remplacer à la tête du *Dar al-Islam*. Dans leur vaste programme d'expansion, les Fatimides se sont déjà étendus à tout le Maghreb, et menacent sérieusement, par leur propagande aussi bien que par leur force militaire, l'Égypte qu'ils parviendront à conquérir quelques décennies plus tard, mais de façon encore plus évidente l'Espagne, cette province extrême-occidentale du monde islamique, politiquement indépendante de Bagdad depuis le milieu du VIIIe siècle, mais fermement attachée au sunnisme oriental du point de vue culturel et religieux. En se proclamant calife à Cordoue l'émir omeyyade ne faisait que tirer la conclusion de l'incapacité où se trouvait le califat abbasside de défendre le sunnisme contre les entreprises fatimides et d'une façon plus générale contre la grave menace que représentait la progression du chiisme.

Ce califat de Cordoue, instauré en 929, allait durer environ un siècle sous 'Abd al-Rahman III, mort en 961, son fils al-Hakam II (961-976), et son petit-fils Hisham II, qui règne de 976 à 1009. À cette date, le califat, miné de l'intérieur par les contradictions du pouvoir politique propres aux régimes musulmans du Moyen Âge où l'autorité réelle tend à être accaparée, aux dépens du calife, par un tout-puissant ministre ou vizir (qui est dans la Cordoue de la fin du Xe siècle, le célèbre *hadjib* ou chambellan amiride al-Mansur), entre dans une phase de crise aiguë. Pendant une vingtaine d'années, divers prétendants se disputent le pouvoir, soutenus par les différents groupes sur lesquels s'était appuyé le gouvernement califal, principalement les contingents de mercenaires berbères recrutés au Maghreb dans le cadre de la mainmise sur le Maroc réalisée par le pouvoir cordouan à son apogée, et les nombreux affranchis « esclavons », anciens esclaves de provenance européenne éduqués au palais pour remplir les tâches militaires et administratives, qui constituaient l'armature de l'appareil étatique califal. Durant cette période d'anarchie, l'affaiblissement du pouvoir central provoque l'apparition de nombreux centres de pouvoir locaux, établis dans chacune des grandes villes de province.

C'est ainsi que naissent les « royaumes de taifas » de Séville, Almeria, Valence, Saragosse, Tolède, etc. Ceux-ci se définissent surtout comme tels après la disparition complète du califat de Cordoue en 1031. Culturellement brillants mais affaiblis par leurs divisions, ces petits États sont incapables de faire face à la pression des royaumes chrétiens du nord qui entament dans la seconde moitié du XIe siècle la première phase de la Reconquête. A la fin du siècle, les Andalous font appel pour les défendre au puissant régime politico-religieux réformateur des Almoravides qui viennent de s'imposer au Maghreb occidental. Étendu à tout l'espace hispano-marocain, l'empire almoravide ne connaît à son tour qu'une puissance éphémère et est remplacé vers le milieu du XIIe siècle par l'empire almohade, constitué un peu sur les mêmes bases, et qui parvient quant à lui à contrôler tout l'Occident musulman, de Kairouan jusqu'à une frontière andalouse déjà en recul sensible depuis le califat puisqu'elle ne laisse plus à l'Islam qu'une petite moitié méridionale de la péninsule ibérique. La crise de cet empire almohade dans le second quart du XIIIe siècle favorise la réapparition de petits pouvoirs locaux andalous, mais aussi une nouvelle avancée, décisive, de la Reconquête. Celle-ci ne laisse plus subsister, à partir du milieu du même siècle, qu'une sorte de témoin quelque peu anachronique de la présence musulmane en Espagne avec le petit émirat de Grenade qui parvient encore à survivre jusqu'à la fin du XVe siècle.

UNE CHIMIE SOCIALE
HARMONIEUSE

Dans ce califat de Cordoue, qui ne représente donc qu'une période assez brève, mais la plus prestigieuse, de l'histoire de l'Espagne musulmane, un État fort et bien organisé, appuyé pour une bonne part sur des éléments étrangers au pays, contrôle un vaste territoire et une population hétérogène. Le premier s'étend en premier lieu aux deux tiers méridionaux de la péninsule, puis au Maroc actuel presque annexé vers la fin du Xe siècle. À la même époque, le pouvoir cordouan vassalise par ailleurs pratiquement les petits États chrétiens du nord auxquels il impose sa volonté, sans chercher cependant à les détruire ou à les assimiler, entreprise qui aurait vraisemblablement dépassé ses forces et dont il ne paraît pas avoir eu l'idée, en dépit de l'exaltation du thème de la guerre sainte par le « dictateur » amiride al-Mansur. Quant à la population, elle comprend sans doute une grande majorité de néo-musulmans indigènes ou Muwallads, mais la prépondérance sociale et politique continue, comme sous l'émirat, à y appartenir aux familles arabes ou berbères de l'ancienne aristocratie, auxquelles viennent s'ajouter de façon quelque peu artificielle les éléments étrangers, mercenaires récemment importés du Maghreb et Esclavons.

A ces éléments numériquement ou socialement dominants s'ajoutent des groupes ethniques ou ethno-religieux « minoritaires » d'inégale importance et cohésion. D'abord, sans doute, en nombre appréciable, mais dispersés socialement et spatialement, des descendants d'esclaves ou affranchis d'origines diverses, dont la trace la plus évidente devait être constituée par un certain métissage négroïde d'ampleur impossible à évaluer, mais parfois révélé à travers tel détail anecdotique. Encore certainement importants numériquement, sans que l'on sache exactement à quel moment ils sont devenus minoritaires, les groupes de chrétiens mozarabes, très importants sous l'émirat, continuent à compter dans la « chimie sociale » andalouse, mais ne manifestent guère de dynamisme culturel. Plus apparente est souvent la présence des Juifs, nombreux dans la péninsule dès l'époque wisigothique, dont les fortes communautés, ont constitué un facteur non négligeable d'orientalisation culturelle. On sait par exemple que la localité andalouse de Lucena avait une population juive administrée par ses propres autorités, qui vivait pour une bonne part du commerce des esclaves importés d'Europe occidentale. Il semble que nombre de ces derniers aient été transformés en eunuques par émasculation dans cette ville, pour être ensuite exportés vers l'Orient, où la demande de tels esclaves « slaves » ou « esclavons » était importante, par le grand port d'Almería.

L'un des mérites principaux du califat est d'être parvenu à faire coexister de façon apparemment assez harmonieuse ces éléments disparates. Les tensions ethniques, particulièrement violentes à la fin du IXe siècle, qui avaient marqué l'histoire de l'émirat, semblent avoir pratiquement disparu à l'époque califale. Il est probable que, sans occuper les niveaux les plus en vue de l'organisation socio-politique, les muwallads ou néo-musulmans indigènes s'intégrèrent de façon plus satisfaisante qu'auparavant à la hiérarchie sociale. Les juifs et les chrétiens, pour leur part, sans renoncer à leurs particularités religieuses et à certaines traditions spécifiques, ont eux aussi largement assimilé la culture arabo-orientale dominante, et représentent plus un facteur d'équilibre qu'un danger. Les quelques membres de l'épiscopat chrétien lui-même qui nous sont connus ne démentent pas cette vision des choses : le plus connu des évêques mozarabes de cette époque est un personnage portant le double nom wisigoth de Recemund et arabe de Rabi 'ibn Zayd, qui était, avant son élévation à l'épiscopat que lui valut la faveur de 'Abd al-Rahman III, fonctionnaire de la chancellerie califienne. Il effectua pour le souverain andalou deux missions importantes dans l'empire ottonien et à Constantinople, et rédigea pour al-Hakam II, en collaboration avec un autre lettré de la cour, le célèbre *Calendrier de Cordoue*, texte bilingue latino-arabe où sont consignées les principales phases de la vie agricole andalouse.

Le pendant juif de ce Recemund est un médecin appelé Hasday ibn Shaprut, dont la culture devait être particulièrement éminente et étendue, puisqu'il contribua à traduire pour 'Abd al-Rahman III le traité de Dioscoride *Sur la matière médicale* qu'avait envoyé à Cordoue l'empereur byzantin. L'épisode le plus curieux de sa carrière est la difficile mission diplomatique qu'il remplit avec succès auprès de la vieille reine de Navarre, Toda, en 958. Cette dernière avait demandé au calife du secours pour restaurer sur son trône son petit-fils, le roi astur-léonais Sancho Ier, chassé par un concurrent avec l'accord de ses sujets qui le méprisaient en raison d'une obésité excessive, laquelle le rendait difforme et impotent. Aussi bon diplomate que bon médecin, l'envoyé du calife sut non seulement faire maigrir le malheureux prince, mais aussi obtenir de Toda, en gage d'alliance, la cession d'une dizaine de places fortes, et négocier une visite à Cordoue de la reine et de Sancho, événement toujours susceptible de rehausser le prestige omeyyade auprès de sujets flattés par la venue dans leur capitale de princes chrétiens vassaux.

LES ARCHÉTYPES
DE L'HOMO HISPANUS

L'évêque chrétien et le médecin juif témoignent chacun à sa façon du développement remarquable de la culture andalouse à l'époque du califat. L'Espagne musulmane n'avait connu jusque-là qu'une culture arabo-musulmane assez peu diversifiée, limitée principalement à la littérature orientale et aux sciences religieuses. En devenant un grand centre politique dont les souverains prétendaient exercer la fonction la plus haute de direction de toute la communauté musulmane, Cordoue concentra, du fait souvent d'un mécénat destiné à servir la propagande omeyyade, puis à la fin du siècle celle du *hadjib* amiride, un grand nombre d'hommes de lettres et de savants.

Dans les disciplines traditionnelles, l'ambition des lettrés andalous fut d'égaler ou de dépasser les Orientaux. Ainsi tout au début du califat, le Cordouan Ibn 'Abd Rabbihi (mort en 940) compose-t-il un monumental traité d'« humanités » (*adab*) intitulé *al-'Iqd al-farid* (le collier unique), sorte d'encyclopédie des connaissances littéraires, historiques, philologiques, politiques, nécessaires à l'« honnête homme » du temps, qui porte d'emblée la littérature andalouse de ce genre au niveau de ses modèles orientaux. En ce qui concerne la poésie, ce n'est qu'à la fin du califat qu'un autre Andalou, Ibn Darradj al-Qastalli, panégyriste du grand *hadjib* al-Mansur, mérita d'être comparé à ses plus illustres prédécesseurs d'Iraq ou de Syrie.

Mais entre-temps toutes les catégories du savoir s'étaient développées à Cordoue, comme la médecine qui fut illustrée par de nombreux savants, parmi lesquels Hasday ibn Shaprut déjà cité, et surtout le célèbre Ibn Djuldjul, auquel on doit un ouvrage intitulé *Classes des médecins*, rédigé dans la seconde moitié du Xᵉ siècle à la demande d'un prince omeyyade. Il s'agit d'une sorte d'histoire de la médecine à travers les biographies des médecins ayant pratiqué cette discipline depuis l'Antiquité. Il y mentionne un petit nombre de prédécesseurs andalous, dont le chrétien du IXᵉ siècle Ibn Malukah, qui avait acquis une grande réputation par la qualité de ses saignées, recevait à heures fixes, et avait disposé pour ses patients devant sa maison une trentaine de chaises. Contemporain d'Ibn Djuldjul, Abu'l-Qasim al-Zahrawi, qui fut au service du calife al-Hakam II, écrivit une encyclopédie du savoir médical de son temps qui, traduite en latin au XIIᵉ siècle, vaudra à son auteur la célébrité dans les écoles occidentales sous le nom d'Abulcasis. La partie consacrée à la chirurgie, qui contient de nombreuses illustrations d'instruments et des chapitres consacrés à la réduction des fractures, aux amputations, à la chirurgie ophtalmique, est particulièrement remarquable.

L'époque du califat n'est pas un point de départ absolu pour le développement des sciences de toute nature et de la curiosité scientifique dans l'Espagne musulmane. On a dit plus haut qu'Ibn Djuldjul lui-même, en dehors des antécédents de l'Antiquité et de l'Orient musulman mentionnait quelques médecins andalous de l'époque émirale. On connaît aussi quelques autres personnalités remarquables de la même époque dont la moins étonnante n'est pas un certain 'Abbas ibn Firnas, andalou d'origine berbère, à la fois prestidigitateur et occultiste réputé, mais aussi capable d'inventions techniques puisqu'il aurait redécouvert la formule de fabrication du cristal, et se serait aussi illustré par le demi-succès d'une tentative de vol à l'aide d'un accoutrement de soie recouvert de plumes auquel il avait adapté des sortes d'ailes proportionnées à sa taille, qu'il mouvait sans doute avec les bras. S'étant élancé d'une hauteur, il aurait réussi à parcourir une certaine distance mais se serait meurtri l'arrière-train en atterrissant car, dit le texte arabe qui nous rapporte cette tentative « il ne s'était pas avisé que les oiseaux se servent de leur queue pour se poser, et ne s'était pas fabriqué de queue ».

Il ne s'agit cependant là que de curiosités dont le pittoresque ne fait qu'accentuer le caractère exceptionnel, et ce n'est que sous le califat dans l'entourage des souverains andalous et du fait d'une probable tendance, consciente ou inconsciente, à recréer à Cordoue les conditions intellectuelles qui avaient tant contribué à l'éclat du califat abbasside en Orient, que sont jetées véritablement les bases d'une littérature et d'une science proprement andalouses.

Ce n'est cependant que postérieurement au califat que, dans l'ordre culturel, s'affirme davantage une spécificité andalouse que bien des auteurs tendent à attribuer aux racines hispaniques de la civilisation arabo-musulmane développée dans la péninsule, mais qui doit peut-être aussi quelque chose au décalage chronologique qui sépare cet âge d'or andalou, qu'illustrent particulièrement la poésie et certaines sciences comme l'agronomie, de la première grande époque des sciences et des lettres arabes qui s'étaient développées un siècle plus tôt dans le califat abbasside.

L'un des auteurs les plus originaux de la littérature arabe, l'Andalou Ibn Hazm, esprit remarquable au génie multiple, à la fois historien, juriste, théologien, moraliste, symboliserait assez bien ce rôle fondateur de l'époque califale. C'est alors en effet qu'il reçoit, pendant son adolescence, les éléments fondamentaux de sa formation, puisqu'il a une quinzaine d'années en 1009, année de la « révolution de Cordoue » qui déclenche la crise du régime. Mais son génie inquiet et littéralement « réactionnaire » ne se déploie dans toute sa maturité qu'à l'époque suivante, sous les taifas que, comme d'autres auteurs attachés au prestige du califat disparu et à l'idéal unitaire qu'il avait un moment réalisé à l'échelle d'al-Andalus, il critique sévèrement. Des auteurs espagnols contemporains se sont plus à mettre en lumière les multiples traits de caractère, orgueil, passion, véhémence, hypercriticisme quelque peu destructeur, rigueur éthique et mépris du monde, qui feraient du grand auteur cordouan « l'un des archétypes de l'*homo hispanus*... comme un maillon maure de la chaîne qui va de Sénèque à Unamuno » (Sanchez Albornoz).

L'œuvre la plus connue d'Ibn Hazm, parce que la plus accessible, encore très lisible aujourd'hui, est son *Collier de la colombe*, traduit à plusieurs reprises dans les langues européennes, une sorte d'essai rempli d'anecdotes sur le comportement et la psychologie amoureuse, rédigé à la veille de la disparition définitive du califat en 1031. Les partisans de l'« hispanité » de la civilisation arabo-andalouse ont souvent voulu voir, dans les situations féminines décrites dans ce texte, un témoignage de la « liberté » particulière de la femme andalouse, trait de civilisation « occidental » qui aurait, entre autres, distingué la société hispano-musulmane de celles du reste du monde musulman caractérisées par la sévère réclusion de la femme. Séduisante à première vue, cette interprétation doit cependant être envisagée avec prudence.

Les situations féminines décrites dans le *Collier de la colombe*, de même que les sentiments amoureux analysés par Ibn Hazm, ne sont pas véritablement spécifiques à l'Andalousie, et ne manquent pas d'antécédents dans la littérature arabe orientale. Les femmes mises en scène sont souvent des *giyan* ou esclaves-concubines de luxe, lettrées, danseuses et chanteuses, qui étaient déjà chargées d'égayer les réunions d'hommes dans le milieu aristocratique bagdadien sous le califat abbasside. Les témoignages que l'on possède par ailleurs sur la condition féminine dans les grandes villes andalouses semblent bien indiquer que les femmes « libres » n'y jouissaient pas d'une liberté de mœurs ou de mouvement bien supérieure à celle que l'on pouvait observer à l'époque dans les autres parties du monde musulman.

Autant qu'on puisse le savoir, car les sources relatives à cette époque sont beaucoup moins riches en détails concrets que ne le souhaiteraient les historiens, les villes andalouses du Xe siècle devaient ressembler aux cités traditionnelles d'Afrique du Nord avant les grandes transformations de l'époque contemporaine. Les centres vivants en étaient la mosquée principale, les souks souvent regroupés autour de cette dernière ou près des portes, les bains publics ou hammams et les caravansérails où les marchands étrangers déposaient les denrées du commerce lointain. Particulièrement caractéristique de cette civilisation « orientale » était l'extrême spécialisation des activités économiques et la multiplicité des métiers, généralement rassemblés chacun dans un souk particulier : celui des parfumeurs, celui des libraires, celui des joailliers, etc.

Un aspect relativement « moderne » de cette fragmentation des activités était l'importance et la diversité des artisanats liés à l'alimentation journalière des citadins qui passaient souvent la journée hors de chez eux. Les traités de « police du marché » énumèrent ainsi les fabricants de beignets, de boulettes de viande et de fromage, de saucisses pimentées ou merguèzes, de pains, galettes et pâtisseries de diverses sortes que l'on vendait dans les boutiques et étals des marchés des grandes villes andalouses. Ces traités de *hisba*, rédigés à l'usage du fonctionnaire chargé de la surveillance des activités économiques, ainsi que d'un certain contrôle de la moralité publique et de l'urbanisme (*muhtasib* ou « responsable du souk »), insistent souvent de façon pittoresque sur la multiplicité des fraudes dont les artisans et commerçants étaient tentés de se rendre coupables.

A propos des fabricants de friture de poisson, le traité de l'Andalou du Xᵉ siècle Ibn 'Abd al-Rawf prescrit par exemple : « On doit ordonner aux frituriers de dépouiller le poisson, d'en extraire ce qui est à l'intérieur et dans la bouche, de le laver, de le nettoyer soigneusement, de ne pas le frire dans une mauvaise huile et de ne pas s'en éloigner. On doit leur interdire d'employer beaucoup de farine quand on y met le poisson lors de la friture ; on doit leur interdire de le plonger dans l'eau et dans le sel quand on le retire tout chaud de la poêle afin qu'il ait meilleur aspect et pèse plus, pratique qui est connue sous le nom de « saumure » (*sharmula*). Les frituriers seront châtiés s'ils ne cessent pas. » Il est, de même, interdit aux marchands de placer leurs étals trop haut de façon à ce que les acheteurs ne puissent pas bien voir les denrées exposées, aux fabricants de semelles d'user de coupes artificieuses qui dissimulent la minceur réelle du cuir, aux pelletiers de trafiquer les peaux de béliers en cisaillant la laine et en la battant pour faire croire qu'il s'agit de peaux de moutons, ...

MARCHÉS
AUX ESCLAVES

À travers cette abondante et très concrète « législation du marché », se dessine l'image d'une civilisation urbaine grouillante et complexe, dont le cadre était constitué par le dédale des ruelles et des impasses d'une ville islamique aux aspects très classiques. À l'époque califale, le panorama urbain andalou est dominé de très loin par Cordoue, énorme cité qui compte probablement plusieurs centaines de milliers d'habitants alors que les plus grands centres urbains d'Occident ne sont guère peuplés que de quelques milliers d'âmes. Les plus grandes villes provinciales comme Tolède, Saragosse ou Almería ont sans doute elles-mêmes quelques dizaines de milliers d'habitants, et toute cette structure urbaine ne pourrait se maintenir sans une certaine spécialisation économique et des échanges actifs, aussi bien entre la ville et les campagnes environnantes qu'à longue distance, avec les autres régions du monde musulman. On sait très mal comment s'articulent les économies et les sociétés de la ville et de ses campagnes, mais on saisit un peu mieux quelques aspects du grand commerce, particulièrement celui des esclaves dont l'Espagne musulmane est à la fois un gros consommateur et un gros exportateur.

Sur les marchés des grandes villes, et principalement à Cordoue, sont vendus des esclaves de toute provenance, particulièrement des Noirs importés d'Afrique occidentale à travers le Sahara. Ils servent surtout comme domestiques, dans les maisons particulières aussi bien qu'au palais califal ou comme soldats dans l'armée. Les femmes noires sont particulièrement appréciées comme concubines et comme nourrices. Les esclaves blancs sont de diverses origines. Les femmes berbères avaient, par exemple, dans tout le monde musulman médiéval, une grande réputation de beauté. Mais l'Espagne musulmane acquérait surtout des esclaves hommes et femmes d'origine européenne par les razzias de ses pirates sur les côtes de Gaule et d'Italie, par la guerre presque permanente faite aux États chrétiens du nord de la péninsule, ainsi que par des achats aux trafiquants peut-être surtout juifs ou éventuellement mozarabes, qui se procuraient par divers moyens de la marchandise humaine dans le monde carolingien et post-carolingien. Ces esclaves blancs appelés « slaves » ou « esclavons » étaient particulièrement appréciés dans tout le monde musulman, et c'est probablement à leur exportation, après l'éventuelle transformation en eunuques évoquée plus haut (nécessité par leur utilisation dans la domesticité des harems), qu'un port comme Almería dut une étonnante croissance qui, depuis la fondation d'une petite étape commerciale par des marchands andalous vers la fin du IXe siècle, fait de la ville l'un des plus grands centres économiques méditerranéens aux Xe et XIe siècles.

Il existait de véritables écoles ou institutions chargées d'éduquer les esclaves les plus jolies pour les transformer en ces *giyan* dont on a parlé plus haut, si prisées des milieux aristocratiques. Le nombre des esclaves faisant l'objet de ces trafics était certainement considérable. On cite un vizir des premiers souverains de la taifa d'Almería qui, à l'époque de l'effondrement du califat, aurait possédé cinq cents esclaves dans son harem. Mais des particuliers aisés se procuraient aussi bien de simples esclaves domestiques que des esclaves de luxe d'un prix bien plus élevé. Une anecdote connue met ainsi en scène un habitant d'Elvira, ville proche de Grenade, trompé de façon amusante par un trafiquant d'esclaves sur la qualité de la marchandise : désireux de se procurer une belle étrangère, il avait acquis à grand prix sur le marché de Cordoue une prétendue esclave chrétienne qui feignait de ne pas comprendre un mot d'arabe, et qu'il ramena chez lui en grand apparat, comme s'il s'était agi d'une véritable princesse venue d'au-delà des frontières, jusqu'à ce qu'à l'entrée de la ville la jeune femme, en réalité une prostituée originaire de la région, ne puisse se retenir d'interpeller dans sa langue une vieille connaissance rencontrée par hasard.

Les esclaves n'étaient évidemment pas le seul objet du grand commerce méditerranéen de l'époque. On sait par exemple que l'on fabriquait à Almería, aux Xe et XIe siècles, des objets de métal et des tissus de luxe que l'on exportait jusqu'en Afrique noire, mais aussi des produits plus insolites, comme des stèles funéraires en marbre des carrières situées dans la région, dont on a retrouvé quelques exemplaires à Gao au Niger. Toute cette activité commerciale repose sur une dense circulation monétaire. Depuis la fin de l'Antiquité, l'Europe occidentale semble s'être appauvrie en or, du fait de la faiblesse d'une production locale insuffisante pour équilibrer les importations de produits de luxe achetés en Orient. C'est de cette façon en tout cas que l'on a tenté d'expliquer la disparition progressive du monnayage d'or, consacrée à l'époque carolingienne par l'adoption du monométallisme argent. L'Espagne musulmane n'échappe pas à cette évolution, et durant l'époque de l'émirat de Cordoue ne frappe que des pièces d'argent ou dirhems. L'année même de la proclamation du califat, 'Abd al Rahman III fait, pour la première fois depuis près de deux siècles, à nouveau frapper des monnaies d'or ou dinars en al-Andalus. La production de ces pièces à valeur surtout symbolique dans un premier temps restera sans doute d'abord modeste, mais le développement des exportations, les relations accrues avec l'Afrique du Nord, et surtout la mainmise sur le Maroc, point d'arrivée des caravanes sahariennes qui amenaient l'or du Ghana, permettront de l'augmenter considérablement au cours du Xe siècle.

Ainsi tend à se constituer un espace politique et économique hispano-maghrébin qui prépare et préfigure celui que réaliseront un peu plus tard, après la parenthèse des taifas, les empires almoravide et almohade. C'est alors la riche civilisation andalouse qui tendra à diffuser ses modes d'expression à toute cette aire extrême occidentale du monde musulman. Ainsi le mihrab de la mosquée almoravide de Tlemcen et celui de la mosquée almohade de Tinmal, au cœur de l'Atlas marocain, s'inspirent-ils du mihrab de la grande mosquée de Cordoue, réalisé lors de l'agrandissement de ce dernier édifice (dont les premières parties datent de la fin du VIIIe siècle) sous le calife al-Hakam II. Ce n'est que dans la seconde moitié du XIIe siècle, dans l'empire almohade, que s'épanouiront des formes nouvelles, issues d'une synthèse entre les traditions andalouses et l'esthétique plus sévère propre aux Berbères. Le résultat sera un art original, dit hispano-mauresque, dont les plus beaux monuments sont à Marrakech, à Rabat et à Séville, avec la célèbre Giralda, qui est l'ancien minaret de la mosquée bâtie dans cette ville par les califes almohades.

Cordoue n'est plus alors qu'une capitale provinciale d'importance relativement secondaire, dont seule l'immense mosquée et une certaine activité culturelle rappellent encore la grandeur passée. Sa conquête par les chrétiens en 1236 ne semble pas avoir suscité d'émoi particulièrement grand dans l'Espagne musulmane, alors il est vrai pressée de toutes parts par les entreprises de Reconquête. C'est pourtant du califat qui y réside au Xe siècle qu'il faut faire partir l'essor politique, culturel et économique de l'Espagne musulmane, et c'est surtout à partir de ce moment que commencent véritablement à s'affirmer les particularités d'un Islam occidental, lié sans doute étroitement à l'Orient où se trouvent ses racines les plus nombreuses et les plus profondes, mais qui s'en distingue aussi dans de nombreux domaines pour constituer une province particulière dont les traditions les plus prestigieuses sont en partie liées aux deux grands califats, omeyyade et almohade, qui y ont existé au Moyen Âge.

—————————— *PIERRE GUICHARD* ——————————

Maître de conférences à l'Université Lyon-II. A participé à l'ouvrage : *Histoire des Espagnols*, sous la direction de B. Benassar, Armand Colin, 1985 ; A publié : *Structures sociales « orientale » et « occidentale » dans l'Espagne musulmane*, EHESS et Mouton, Paris-La Haye, 1977.

PHOTOGRAPHIES DE MICHEL DIEUZAIDE

2

AU RYTHME
DU FLAMENCO

FRÉDÉRIC DEVAL

LE FLAMENCO,

UNE CULTURE

CONTEMPORAINE

EN VINGT-CINQ ANS, UNE VÉRITABLE EXPLOSION CRÉATRICE A MARQUÉ LE FLAMENCO, RENOUVELANT RADICALEMENT LES STYLES ET LES EXPRESSIONS, COMMENÇANT À LE PROJETER SUR LA SCÈNE INTERNATIONALE COMME UNE VÉRITABLE COMPOSANTE DE LA CULTURE UNIVERSELLE.

Il est un petit livre qui a beaucoup fait pour former la pensée de plusieurs vagues successives d'aficionados français : il s'agit d'*Initiation flamenca*, de Georges Hilaire, paru en 1954 aux Éditions du Tambourinaire, et quasiment introuvable aujourd'hui.

Cet essai, qui était tout sauf un ouvrage de musicologie, approchait de près le monde flamenco, dont Georges Hilaire avait vécu certains moments forts entre 1930 et 1950. Il en cernait souvent avec bonheur les valeurs profondes, et parvenait à en transmettre au lecteur un certain avant-goût, avec un humour tonique qui perçait le style baroque, lyrique et fleuri, de l'écriture.

Le Flamenco fascinait Georges Hilaire justement par la coexistence simultanée et harmonieuse de valeurs contradictoires, que lui, le Français cartésien, n'avait pas su résoudre esthétiquement : le Flamenco, tout en tension et en relâchement, art de *la tension dominée* mais qui n'apaise jamais ; le Flamenco, à la fois primitif (*la raíz del grito*, la racine du cri, écrivait Lorca) et raffiné, poli et repoli par des milliers d'années de civilisations andalouses ; à la fois anarchique, « spontanée », et rituel, ordonné, cérémonial ; où s'entrecroisent la pensée occidentale et sa mesure musicale bien coupée ou ses intervalles bien tempérés et la non-pensée gitane, intuitive, visionnaire, qui met sous le mot « compas »[1] tout sauf ce que les payos[2] y entendent ; le Flamenco seigneurial et marginal, grandi chez tous les exclus de la Reconquista des Rois Catholiques ; le Flamenco, qui se définit lui-même comme « arte de minoria »[3], mais qui n'exclut personne a priori de sa fraternelle ambiance.

En 1976, G. Hilaire ne parvenait plus bien à englober dans sa synthèse les trajectoires déjà fulgurantes d'un Paco de Lucía ou d'un Camarón de la Isla : autres temps, autres techniques et autres langages flamencos. Il est mort six mois après Franco, sans avoir vu s'accélérer l'extraordinaire évolution du Flamenco, commencée vers 1965, et que nous continuons à vivre aujourd'hui.

Mais pour l'essentiel, ce qu'il a perçu il y a cinquante ans de la « philosophie non-écrite » du Flamenco, et de ses valeurs profondes à une époque où le Flamenco restait une culture locale, demeure largement valable en 1988, à un moment où le Flamenco paraît se transformer peu à peu en culture universelle.

La fabulosa guitarra de Paco de Lucía : sous ce titre grandiloquent sortait en 1963 le disque d'un garçon de quinze ans — Paco de Lucía est né en 1948 à Algeciras — qui secouait le monde flamenco par le souffle de son inspiration et la perfection de sa technique. C'est par la guitare que commençait le renouveau ; et année après année, Paco de Lucía allait, de disque en disque, hisser la guitare flamenca à des niveaux de création rarement atteints, et former un public à de nouvelles exigences. Paco devenait très vite « la » référence. Un peu comme André Gide, qui à la question » « quelle est le plus grand poète français ? », répondait « Victor Hugo, hélas » ; Paco devenait le « seul » guitariste flamenco, hélas. Hélas pour les autres guitaristes : ceux de sa génération, incapables d'assimiler la technique nouvelle ; ceux des générations nouvelles, écrasés par une telle personnalité et se coulant dans le moule : à la fin des années 1970 tout le monde jouait comme Paco de Lucía.

En dehors du Flamenco, Paco de Lucía, dans son trio avec John Mc Laughlin et Al di Meola, devait faire rayonner le Flamenco pour un public international et jeune, formé au folk et à un certain jazz. Jamais un tel changement technique et esthétique n'avait bouleversé la guitare et la musique flamenca en si peu de temps. Car cette véritable révolution, analogue à celle que Liszt avait fait subir à la musique de son époque, touche bien la musique, au-delà de la guitare. Le style du « cante flamenco » a évolué ainsi à cause de Paco de Lucía et de l'univers rythmico-harmonique qu'il a créé. Et pour qui l'a vu accompagnant avec son groupe le jeune danseur Juan Ramirez, au style percussif et nerveux, il ne fait aucun doute qu'il a aussi fait évoluer la danse. Probablement est-il le musicien espagnol le plus important du XXe siècle depuis Manuel de Falla.

Son disque *Homenaje a Manuel de Falla* (1981), pour lequel il a spécialement appris solfège et harmonie — lui, le guitariste de tradition orale —, est un chef-d'œuvre innovant et respectueux. Alors que Manuel de Falla avait puisé dans le fonds flamenco le plus *jondo*[4], pour *l'Amour Sorcier*, ou pour le *Concerto pour clavecin*, Paco de Lucía « restituait » au Flamenco l'œuvre de Manuel de Falla, mais re-créée. C'est là l'un des phénomènes musicaux les plus intéressants de la vie musicale espagnole, que ce recyclage fréquent entre musique « savante » et musique populaire, qui se poursuit encore. C'est l'une des raisons de la fraîcheur et de la tonicité des musiques espagnoles contemporaines.

Avec Paco de Lucía, se mettait à foisonner toute une génération de guitaristes, qu'il faut se borner à citer : chez ceux de sa génération (40 à 45 ans), Manolo Sanlucar, Pepe Habichuela, Pedro Bacan, maîtres de l'accompagnement comme grands solistes et avant tout, des musiciens au style personnel. Manolo Sanlucar, de Sanlucar de Barrameda, plus créatif que technicien, et plus créatif que créateur, qui élabore un matériau sonore intéressant, mais chez qui on ne voit pas toujours cette évidence musicale qui est la marque de l'inspiration la plus profonde. Pepe Habichuela, gitan de Grenade avare de mots, grand musicien de la guitare au phrasé sensible et limpide. Pedro Bacan, l'un des guitaristes les plus musiciens, intérieurs, à la recherche du son rond au travers de *falsetas*[5] complexes. Loin des recherches, Parilla de Jerez incarne la continuité de l'esprit gitan de Jerez à travers les générations.

Après Parilla, Nino Gero et Moraito ont pris la relève ; leur modernisme laisse très vite percer un style lui aussi très jerezano, très « *Barrio de Santiago* » (l'un des deux quartiers gitans de Jerez). Au pôle stylistique opposé, Jose Luis Postigo ou Manolo Dominguez représentent bien cette tradition andalouse non gitane d'accompagnateurs sérieux et complets. Chez les plus jeunes, en général marqués au départ par la prépondérance de la technique, émerge Gerardo Nuñez, de Jerez de la Frontera : une technique prodigieuse et une musicalité hors pair l'ont déjà projeté parmi les grands créateurs actuels. Manolo Franco, de Séville, vainqueur en 1984 de la Biennale de Séville, est un guitariste qui respire l'équilibre : musicalité, compas, sens mélodique, maîtrise technique, se conjuguent pour faire déjà de lui un classique. Tomatito est le grand accompagnateur du cantaor Camarón de la Isla. Jose Antonio Rodriguez, Rafael Riqueni, Paco Cortes, Vicente Amigo sont de jeunes guitaristes (18-30 ans) au parcours intéressant. Cette prolifération de guitaristes témoigne de ce que jamais la guitare flamenca n'avait eu un tel impact. En vingt-cinq ans, sous l'impulsion de Paco de Lucía, elle a rénové son expression et sa technique, elle a attiré à elle beaucoup d'étrangers, européens, américains, japonais.

Au moment où Paco de Lucía se faisait connaître, une voix réveillait le monde flamenco assoupi : celle de Jose Menese. Sa fraîcheur, sa sincérité, sa puissance aussi, et l'origine « campesina » de ce natif de la Puebla de Cazalla, en plein « *campo sévillan* », allait toucher un vaste public grâce à la collaboration du peintre et poète F. Moreno Galvan pour les textes. Textes à résonance politique, proches de l'extrême gauche, mais aux sources vives de la poésie andalouse, ils achevaient de donner au « cante » de Jose Menese une force que rien ne semblait arrêter. Salué par Rafael Alberti depuis son exil romain, Jose Menese devait alors incarner le peuple debout contre l'oppression — celle du Franquisme de la dernière période.

Beaucoup de monde redécouvrit le Flamenco grâce à Menese, qui mettait l'inspiration la plus *jonda* — celle de la *soleá*, celle des *tientos* ou de certaines *tonás* sans guitare, au service de la lutte sociale.

Il redonnait soudainement au Flamenco une actualité, et le sortait d'une certaine survivance à lui-même qui marquait, il faut bien le dire, les anthologies Ducretet-Thomson ou Hispavox, et le travail méritoire de Mairena. Tout d'un coup, le cante redevenait le cante de tout un peuple, et l'Andalousie, en se le réappropriant, renouait avec l'envie de chanter pour autrui.

Après la mort de Franco, Jose Menese allait peu à peu redevenir un cantaor honnête et répétitif, célébré pour cet état de grâce passé qui correspondit au réveil d'un peuple dont il fut le medium. Mais le ton était donné : de nouveau, on se réintéressait au « *cante flamenco* » et quelques *cantaores* particulièrement créateurs apparurent à la fin des années 60. D'abord, Camarón de la Isla (né en 1950). Jusqu'à il y a quelques années, sa trajectoire est indissociable de celle de Paco de Lucía. Accompagné, dirigé par lui, il se fait vite connaître par son style gitan et l'extraordinaire *compas* de ses cantes. Ce sont d'ailleurs dans les styles de tradition plus gitane qu'il excelle : les chants festifs à compas ; *bulerias, alegrias* ou tangos et les grands chants de base : *solea, siguiriya* ou *taranta*. Entre autres apports on peut dire qu'il a totalement rénové la buleria. Son grand sens mélodique et une voix très « plastique », l'on amené à créer un style vocal original, vite imité par de nombreux cantaores gitans.

Dans les ambiances musicales de ses enregistrements affleurent parfois des influences « rock » ou « jazz » qui, magistralement dosées par Paco de Lucía, n'ôtent rien au caractère profondément flamenco de Camarón. Depuis cinq ou six ans, Tomatito est devenu le fidèle accompagnateur de Camaron créant pratiquement un nouveau style d'accompagnement. Un peu comme Paco de Lucía — et grâce à lui — chacun des disques du Camarón a été salué depuis vingt ans comme un événement par une large partie de l'« *aficion flamenca* », par les jeunes, et par les Gitans. Lui aussi a mordu sur un public plus large que le public flamenco, et il a contribué de façon essentielle à « actualiser » le cante flamenco sans le dénaturer. Sa sensibilité toute gitane, son sens du drame mélodique, et une relation spéciale avec le public, le conduisent souvent à cet état extrême d'inspiration qu'on appelle le *duende*[6]. De là à en faire à l'étranger le Michael Jackson du Flamenco, il y a quelques années-lumière que certains ont essayé de franchir, pour le plus grand préjudice du public en général et de Camarón en particulier.

Moins foudroyante, mais peut être encore plus créatrice et porteuse d'avenir pour le Cante flamenco, est la trajectoire d'Enrique Morente. Né en 1946 à Grenade, il se fait connaître à peu près en même temps que Camarón. Dans une démarche originale, il sort de son milieu, et va à la recherche de tous les vieux maîtres du cante : chanteurs locaux inconnus et aficionados, ou figures « *de antologia* » comme Pepe de la Matrona, Juan Varea ou Bernardo de los Lobitos qu'il côtoie au Zambra à Madrid.

Ayant acquis une connaissance encyclopédique du cante, de ses formes les plus primitives et de ses variantes les plus oubliées, il donne à ses premiers enregistrements un style marqué par le respect des canons classiques, comme celui où l'accompagne à la guitare Niño Ricardo (1971), peu de temps avant sa mort. Mais Enrique Morente, infiniment respectueux de la tradition, veut aussi rénover les formes du cante. Il sent bien que la reproduction à l'identique des chants du passé aboutit à la sclérose, et que le purisme[7] de certains secteurs de l'afición andalouse est un frein au renouvellement de l'inspiration vocale et poétique du cante. Tradition veut d'abord dire transmission. Alors, à côté de monuments destinés à montrer son attachement au patrimoine, comme le double disque qu'il intitule *Homenaje a J. Antonio Chacon* (1976) — avec l'accompagnement magistral de Pepe Habichuela — il ne va plus cesser de faire œuvre novatrice.

Son hommage au poète Miguel Hernandez démontre que toute source littéraire et poétique est bonne pour le Flamenco dès lors que son inspiration et sa métrique l'en rapprochent *Despegando*, en 1977, est l'un des enregistrements majeurs des trente dernières années : vitalité et dynamisme du cante, intervalles nouveaux et utilisation de la voix en déflexion, sens mélodique aigu, instrumentation subtile et toujours justifiée : à côté de la guitare de Pepe Habichuela, l'usage du synthétiseur en continuum dans une déchirante siguiriya est d'un goût sûr.

Sa générosité et son humour, si rares dans le monde flamenco, en font l'inspirateur discret de plusieurs générations de cantaores. Même Camarón de la Isla sait parfois se souvenir des cantes de Morente. Et réciproquement. Au départ plus à l'aise dans les cantes libres que dans les cantes à compas, il en est venu à chanter avec autant de pugnacité la buleria que la *granaina* ou le tiento. On lui a reproché de se fourvoyer — par exemple dans un abus mélodique qui faisait facilement d'une cante une chanson *(La Estrella)* — mais il ne s'est pas davantage trompé que Paco de Lucía dans *entre dos aguas* ; rapporté à l'ensemble de son œuvre, de telles excursions hors Flamenco s'apparentent plutôt à des moments de détente. C'est à des créateurs comme Enrique Morente que l'on doit l'adaptation du Flamenco au monde moderne, parce qu'ils ont su démontrer à nouveau que les formes flamencas restent ouvertes, en dépit de leur grande rigueur.

Comme pour la guitare, la fin des années soixante marque une renaissance du cante. Aux côtés de Camarón ou de Morente, une foule de nouveaux cantaores vient chanter dans les festivals andalous en plein air (le premier est fondé vers 1965), ou dans les *peñas flamencas*, ou enfin graver de nouveaux disques. Les maîtres anciens, vieillissants ou disparus (La Niña de los Peines, Pericón de Cadiz, Aurelio Selles, Manolo Caracol, Borrico de Jerez, Antonio Mairena, Juan Varea, sont tous morts entre 1969 et 1985) laissent la place à une nouvelle génération relativement peu nombreuse : Fosforito,

La Paquera de Jerez, Chano Lobato, El Chocolate, Agujetas, Terremoto de Jerez, Fernanda et Bernarda de Utrera.

Mais surtout une génération fournie de moins de 45 ans occupe rapidement le devant de la scène à partir des années 1980 : Calixto Sanchez, Carmen Linares, Luis de Cordoba, Jose Merce, Jose de la Tomasa, Miguel Vargas, Manuel de Paula, El Torta en sont de bons représentants. Et des voix très jeunes se sont faites déjà entendre, comme celles, dans des styles opposés, d'Antonio Carbonell ou de la Macanita. Chacun mériterait un coup de projecteur particulier, ce qui est impossible ici. Ce qu'on peut dire, c'est que jamais le chant flamenco ne s'était aussi bien porté depuis le premier tiers du siècle, aussi bien en qualité de « cante » qu'en quantité de « cantaores ».

La manière de chanter a changé : on ne va pas retrouver de sitôt la voix d'outre-tombe de Pepe de la Matrona, son articulation si spéciale ; et Fernando *Terremoto* de Jerez a peut être emporté avec lui certains des sons noirs *(« sonidos negros »)* que seul Jerez sait produire, et qui étaient chers à Manuel Torres. Mais les formes chantées n'ont pas changé ; le *compas*[8] de base non plus. S'il y a une fidélité à la tradition, c'est bien là qu'elle se manifeste. Par contre, l'expression vocale, la ligne mélodique, se sont enrichies, de même que le rythme, qui a acquis une complexité et une variété qu'il n'avait jamais eues. Enfn, la chose chantée, le contenu, a été également renouvelé grâce à l'appel fait aux poètes contemporains.

Comparée à la guitare et au chant, la danse s'est dégagée avec une certaine lenteur des formes dans lesquelles l'avait figée le ballet espagnol de l'après-guerre. Au début des années 70, le théâtre de la Cuadra de Séville, créé par Salvador Távora lui a probablement servi de catalyseur. Très engagé à gauche dans l'antifranquisme, le mérite durable de la Cuadra aura été le travail approfondi d'expression corporelle reliant la gestuelle classique du Flamenco — celle de la danse, mais aussi celle du chanteur, celle des *palmeros*[9], voire celle du guitariste — à une expression scénique du tragique. On fait désormais bouger un groupe flamenco sur scène, alors que traditionnellement le Flamenco est un art individuel. Dans ce « laboratoire théâtral » sont probablement nés des ferments qui ont aidé les danseurs et chorégraphes flamencos à repenser pour la danse flamenca des formes plus adaptées à l'époque contemporaine, et à passer de la mise sur scène du Flamenco, à sa véritable mise en scène.

Le premier, Mario Maya conçoit un authentique théâtre musical flamenco dont le langage est la danse. Camelamos Naquerar (1976) fait date. La chorégraphie est sobre comme une tragédie d'Euripide, et tout, danse, cante, guitare converge vers l'expression tragique de la persécution des Gitans. L'art du danseur exceptionnel qu'est Mario Maya sert une mise en scène qui pour une fois mérite le nom de chorégraphie flamenca. Rarement, la *jondura* flamenca (profondeur) aura autant trouvé son exacte traduction scénique. Depuis, ce type de langage est resté celui de Mario Maya, au risque d'une certaine répétition ; de création en création, le modèle initial reste inégalé, et le problème du renouvellement est sans doute posé.

L'autre dramaturge de la danse flamenca moderne, c'est bien sûr Antonio Gades — ou plutôt — Carlos Saura et Antonio Gades. Tant qu'il évoluait comme danseur, ou comme directeur de sa compagnie, Gades était dans le prolongement des ballets espagnols. C'est depuis son association avec Saura qu'il a conquis une notoriété internationale. Sortant de l'enfermement en soi-même (*Ensimismamiento*) qui caractérise le Flamenco — art introverti par excellence qui n'a pas de recul par rapport à lui-même, parce qu'il se vit et ne se « réfléchit pas » — Saura prend le parti de *raconter* une histoire, linéairement, celle du danseur ou celle de Carmen. Toute la science de Gades, directeur de danseurs, chorégraphe et inventeur d'effets, vient servir cette écriture cinématographique de l'un des plus remarquables scénaristes du cinéma contemporain.

Les films Saura-Gades exercent une fascination, qui culmine dans le troisième volet triptyque, l'Amour sorcier, qu'on ne trouve pas dans les spectacles de Gades. Au théâtre, les effets de Gades déçoivent ceux qui viennent chercher davantage que des mouvements bien réglés ou des clins d'œil au folklore romantique[10] de l'Andalousie pittoresque. La recherche intérieure de la *verdad*, une certaine vérité flamenca que traquent des milliers de *coplas* andalouses et qui transparaît chez l'artiste flamenco *enduendecido*[11], est absente des préoccupations de Gades — alors que nous la retrouvons chez Mario Maya. Le cinéma nous séduit, parle à notre imaginaire, nous renvoie à des images flamencas stéréotypiques et présentées avec beaucoup d'intelligence par des acteurs exceptionnels ; à l'heure de la vérité sur scène, nous trouvons un cinéma sur scène et nous n'avons pas « *el vello de punta* »[12], sauf avec Cristina Hoyos, qui reste flamenca quoi qu'il arrive.

Ceci étant, les films de Saura-Gades ont connu un succès international, immense et mérité. Ils ont fait pour la promotion de la danse flamenca, et du Flamenco en général, ce que Paco de Lucía a fait pour la guitare. Il reste vrai que la danse flamenca, et le Flamenco dans son ensemble, restent à la recherche dans les spectacles vivants, du compromis idéal entre la mise en scène efficace et le don de soi qui est la marque du Flamenco le plus authentique. Ces problèmes, on le voit, ne sont pas ceux d'une musique traditionnelle en voie de disparition, ni ceux d'un art décadent qui se désagrège dans la nostalgie de son âge d'or révolu.

Le renouvellement du Flamenco s'est fait en partie grâce à l'extérieur, grâce à l'étranger. Paco de Lucía ne poursuivrait pas le chemin qui est le sien aujourd'hui s'il n'avait pas mené, depuis près de vingt ans, une carrière et des recherches musicales internationales. Enrique Morente a nourri ses créations d'une curiosité sans limites qui l'amène à s'intéresser au grégorien, au chant byzantin, aux musiques brésiliennes ou à la musique de Ohana. Mario Maya et

Antonio Gades ont branché la danse flamenca sur la danse contemporaine, et d'abord sur la danse américaine. Les enregistrements de Flamenco sont réalisés à l'étranger. Des « *Peñas flamencas* », ou des milieux flamencos, ont tendance à se créer en Californie, au Japon, en Allemagne, en France. Des compagnies hispano-japonaises ont présenté en 1988 trois spectacles à la Biennale de Séville.

En France, Flamenco en France, qui fête son X[e] anniversaire en 1989, a fait connaître des centaines d'artistes à un large public et réuni aficionados français et espagnols dans sa peña parisienne. D'autres peñas ou initiatives de qualité ont été créées à Bordeaux, Biarritz, Lille, Oloron, Manosque, Perpignan. Depuis 1986, l'engouement français pour tout ce qui est espagnol et andalou[13], symbolisé par la « Movida » madrilène et la « Feria » de Nîmes, porte le Flamenco. Au prix de confusions simplificatrices, un public plus large a été conquis pour le Flamenco, ou plutôt les divers Flamencos.

Une majorité de cultures et de musiques traditionnelles en Europe sont tombées en déshérence, et sont mortes, par le fait même qu'elles n'étaient que l'expression d'un monde rural quasi disparu. Si le Flamenco n'avait été composé que de « *cantes de trilla ou d'alboreas* »[14], ou de romances chevaleresques, si ses coplas étaient restées liées exclusivement aux travaux du campo, si ses danses avaient été seulement l'expression d'un rituel rural — alors il serait probablement en train de disparaître. Culture urbaine, le Flamenco est un art individuel qui prend place dans un petit groupe. Le cantaor chante seul, ou au mieux en mano a mano, ou en repons comme dans les saetas « cuarteleras » de Puente Genil. Il ne s'accompagne pas lui-même à la guitare. Le danseur danse seul, ou s'il danse en couple, c'est pour une séduction toujours inachevée, qui ne sera jamais un pas de deux...

Dans le livre *Andalousie* dirigé par Clément Lépidis[15], Jose Antonio Munos Roja montre bien que les *pueblos* — villages — d'Andalousie ont une vie *sociale* qui n'est pas d'abord tournée vers la campagne mais vers le centre urbain. Les habitants du pueblo andalou, aussi petit soit-il, ont un comportement urbain. Les pueblos sont autant de micro-cités, qui ont hérité de la Méditerranée le goût de l'échange et du forum. C'est une structure de pensée à laquelle aspirent précisément les hommes des cultures urbaines contemporaines. La convivialité[16] andalouse, son architecture, sa cuisine communautaire — des vastes plats collectifs (gazpacho, berza...) aux tapas — est faite pour la famille ou pour le petit groupe à l'échelle humaine comme peut l'être une peña. Voilà de quoi séduire les citadins européens, beaucoup plus déracinés et cloisonnés que les Andalous.

Le cante flamenco reste quelque part un cri. Souvent, l'auditeur français ressent qu'il s'agit d'un chant « viscéral ». « *Las entrañas* » (ce qui est à l'intérieur de soi) est d'ailleurs l'un des mots le plus fréquents du langage flamenco. Le cante est l'expression au-dehors d'une intériorité puissante, enracinée dans l'homme, liée à ses sensations les plus charnelles. Mais, cri, il n'est pas non plus hurlement sauvage et désordonné. C'est un cri mesuré, rythmé, harmonisé. L'impressionnante sédimentation musicale andalouse a policé et domestiqué le cri. Qui dit raffiné sous-entend souvent superficiel et formel. Dans le cas du Flamenco, l'intime combinaison du primitif et du raffiné, du sauvage et du civilisé produit ce *cante* qui n'est pas le *canto*.

L'auditeur non averti qui pense que le Flamenco est viscéral et monotone, est le même qui, lorsqu'il commence à l'approfondir, peut ensuite se décourager devant la complexité et la richesse de ses formes. En tous cas, ce mélange rebute, fascine ou captive définitivement. Le système harmonico-mélodique du Flamenco est un compromis entre des modes très divers, hérités de modes grecs ou orientaux, et le système tonal tempéré de l'Occident[17]. D'où, pour les Français depuis le Romantisme, l'impression d'exotisme musical.

Mais aujourd'hui le Flamenco n'est pas lié à une liturgie. D'où le ridicule des mises en scène qui le « ritualisent » à l'excès. Il n'y a que dans la *saeta*, chantée au passage des processions de la Semana Santa, qu'il remplit vis-à-vis du catholicisme un rôle para-liturgique. Et encore ceci intervient-il à l'extérieur de l'église. En revanche, une partie des chants les plus anciens est probablement liée aux chants des liturgies grégoriennes, byzantines ou synagogales de l'Espagne médiévale : saetas (celles d'Arcos de la Frontera notamment), martinetes, deblas, tonás, siguiriyas, peteneras les évoquent parfois. Il y a probablement une origine liturgique de certains chants — lorsqu'ils n'étaient pas encore flamencos.

Enfin et surtout, le Flamenco est souvent un travail d'intériorisation puis d'extériorisation : le tumulte de la fiesta, le cri jaillissant du cantaor transmettent alentour des états de l'être. Ceux qui participent ne sont pas passifs[18] : en faisant le jaleo, les palmas ou en se taisant à bon escient, ils stimulent celui qui chante, qui danse, ou qui a pris la guitare. Dans les bonnes ambiances flamencas, on arrive à ce mélange de gaieté et de gravité qui est le signe que « quelque chose » se passe ou peut se passer.

À l'instar des *cofradías* — confréries — de la Semaine Sainte, les « *reuniones de cante* », entre amis, familles ou peñas sont des instances de transmission du Flamenco, des cérémonies sans cérémonial, des rituels sans rite. L'ordre entre les participants se crée, par un fragile et ténu consensus, par une connaissance de toutes les règles non écrites du « bon » Flamenco et de la « bonne » fiesta, qui varient en fonction du moment, du lieu et des participants, tout en restant intangibles. Comme le jazz, le Flamenco reste la musique qui, disait Duke Ellington, se joue « *at the right place, at the right time, and before the right people* ».

En cela, le Flamenco touche plus sûrement au sacré. Par son mode de transmission personnel et communautaire à la fois, par le degré de participation auquel il peut amener, il a beaucoup de caractéristiques des « initiations musicales » qui peuvent encore exister dans certaines traditions proche-orientales et asiatiques.

──────── FRÉDÉRIC DEVAL ────────

Fondateur de « Flamenco en France ». Cette association se propose de faire connaître le Flamenco de qualité et de réunir ceux qui l'aiment. Des cours de danse flamenca, des soirées privées et des conférences sont organisées. On peut également venir pour se restaurer ou consulter des livres et des revues (33, rue des Vignoles, 75020 Paris ; 43.48.99.92).

1. Mot à mot « mesure ».
2. Payos : gadjos — no gitans.
3. L'art d'un petit nombre.
4. *Jondo* : profond (prononciation andalouse du castillan hondo).
5. *Falseta* : variation guitaristique entre chaque cante du cantaor.
6. *Duende* : mot gitan d'origine sanscrite qui signifie esprit, divinité ; d'où, état d'inspiration ou enthousiasme, au sens grec du mot.
7. C'est Francis Marmande qui écrit, en Mai 1988 dans *Le Monde*, « que dans le Flamenco, le purisme est une variante du mysticisme ».
8. *Compas* : rythme, mesure.
9. Qui font les *palmas* (claquements de main) et le *jaleo* (interjections).
10. Voir « Sombreros et mantilles », p. 15.
11. Qui a du *duende*.
12. La chair de poule.
13. Voir « Sombreros et mantilles », p. 15.
14. « *Cante de trilla* » : séparation du grain de la balle sur l'aire à blé. « *Cante de alborea* » : chant rituel des noces gitanes, lié à la virginité.
15. Arthaud, Paris, 1985.
16. Ce n'est pas un hasard si c'est un Mexicain de langue espagnole, Ivan Illitch qui a fait passer *convivencia* en français (convivialité).
17. Le *tanguillo* ou la *guajira* sont parfaitement tempérés ; une *siguiriya*, un *martinete*, une *taranta* sont de structure modale. D'autres styles sont à cheval.
18. En ce sens, il n'y a pas dans le Flamenco des acteurs et un public.

FRANÇOIS ZUMBIEHL

LE CHANT DE LA PEINE

ERRANTE

CHAQUE STROPHE DU *CANTE JONDO* EST UNE BRÈVE ODYSSÉE.

Assis au milieu du cercle des intimes — et s'il n'existe pas, il lui faudra s'appuyer davantage sur sa solitude —, le *cantaor* renifle et se racle la voix sans pudeur aucune. Il ne s'agit pas de l'éclaircir, mais au contraire de s'assurer que la plainte gît bien au fond de lui, et que le moment venu elle jaillira avec ses accents rauques, chargée d'embruns et de peine. Tout se joue dans ces préliminaires où les premières notes de la guitare s'égrènent et plongent le *cantaor*, accompagné au besoin de quelques *palmas* sourdes, dans une semi-torpeur. Le chant, comme l'état mystique, ne peut naître que de la *nuit obscure*. C'est pourquoi l'artiste commence par fermer les yeux, ou semble vouloir fixer par le regard les racines de son cri. « Quand on chante — a dit un fameux gitan — il faut chercher le tronc noir de Pharaon ». Tel est l'austère secret du *cante jondo*, véritablement profond et inspiré, qui a peu de points communs avec les prouesses vocales du « petit » flamenco. Amateurs initiés, qui accompagnez le célébrant de votre attente, vous savez bien que ceci n'est pas un artifice ; votre patience et votre résignation ont vu bien des fois ces tâtonnements tourner court ; manifestement, certains soirs l'esprit n'est pas là. Le chant n'exprime d'abord rien d'autre que lui-même, c'est-à-dire l'effort élémentaire par lequel le *cantaor* tente d'extraire de sa gorge la plainte et de la mettre au monde ; alors l'assistance pourra la saluer sans équivoque. La voix est lancée, et la main reproduit exactement le labyrinthe de sa course vers la lumière ; le visage a les convulsions d'un accouchement, et bruquement c'est l'expulsion couronnée par un silence à couper au couteau. C'est au tour des auditeurs, à cette même seconde, de se soulager avec leur *ole* et d'assurer le chanteur qu'ils ont reçu le message.

La plainte est anonyme. Elle constitue presque le seul héritage d'un peuple de mal aimés, d'errants ou de prisonniers. Le chanteur réincarne une expression forgée par une douleur sans âge. On est par conséquent désarmé par l'extrême crudité des mots ; dans ces strophes abruptes pour ainsi dire aucune image n'habille le sens ; en revanche, une présence lancinante de la nuit, de la mort, et des quatre éléments, contre lesquels l'inconnu crucifié lutte de toute son impuissance. L'impuissance absolue, est celle de ne pas se faire entendre, de ne pas établir un pont avec son cri, qui franchisse le vide et rejoigne l'auditeur secourable :

Los lamentos de un cautivo	Les lamentations d'un captif
no pueden llegar a España	ne peuvent arriver en Espagne
porque está la mar por medio	car la mer est au milieu
y se convierten en agua.	et elles se transforment en eau.
(variante : *y se ahogan en el agua.*)	(et elles se noient dans l'eau.)

L'écrit, si le mauvais sort s'en mêle, peut être l'objet de la même frustration :

En el barrio de Triana	Dans le quartier de Triana [1]
Ya no hay pluma ni tintero	Il n'y a plus de plume ni
pa esribirle yo a mi madre	d'encrier
que hace tres años que no la veo [2].	pour écrire à ma mère ;
	il y a trois ans que je ne l'ai
	vue.

Il arrive que le paroxysme de l'expression soit à la mesure de son échec :

¿Qué más quieres que te iga,	Que veux-tu que je te dise d'autre,
si er corazon por la boca	puisque ma peine est telle
se me sale e fatiga ?	qu'elle me fait sortir le cœur de
	la bouche ?

Plus couramment, c'est le vent qui répond, pour souligner l'inanité de la plainte, ou l'enterrer par une sentence définitive :

En la tumba de mi mare	Sur la tombe de ma mère
a dar gritos me ponía,	je proférais des cris,
y escuché un eco en el viento :	et j'entendis un écho dans le vent :
« No la llames - me decía —,	« ne l'appelle pas — me disait-il —
que no responden los muertos. »	car les morts ne répondent pas. »

Au long de ces *coplas* le fils ou l'amant ne cesse pas de chercher la tombe ignorée de l'aimée ; dans le pire des cas pour se venger de l'infidèle ; dans le meilleur, pour « embaumer ses os chéris », ou simplement verser des larmes « qui en tombant gémissent ».

Mais à force d'amour et d'aveux déchirants, il peut se faire que l'impermanence révoltante soit anéantie, et que le sentiment ait le dernier mot, même au prix de la pourriture :

Dies años después e muerto	J'aurai beau être mort depuis
y de gusanos comío,	dix ans
letreros tendrán mis huesos	et mangé par les vers,
disiendo que t'he querío.	sur mes os il y aura des lettres
	pour dire que je t'ai aimée.

Chaque strophe du *cante jondo* est une brève odyssée. Elle exprime la recherche aveugle d'un univers ou d'un être auquel enfin on puisse se fier. Dans une *seguiriya*, le lamento gitan par excellence, le navigateur trace péniblement sa route, les mains sur les rames et les pieds sur le timon ! Dans la *taranta* le mineur voué à la solitude, avec sa bougie « pour seule compagne, ne trouve pas la sortie ». L'un des *soleares* s'embarrasse encore moins de détails pour dire l'angoisse essentielle de celui qui, tombé dans un puits, ne parvient pas à s'en extraire.

La quête peut incliner à la tristesse ; le chanteur se verra comme la tourterelle « fouillant chaque branche, et volant d'olivier en olivier, vers le bien qu'elle adore ». Sur un ton plus rude, qui n'annonce pas le bonheur, une *seguiriya* présage l'attrait fatal : « Tu viendras me chercher, comme l'eau cherche le fleuve, et le fleuve cherche la mer ». Une autre évoque avec une simplicité confondante, intraduisible, l'inutilité du mouvement propre au cauchemar :

Soy desgraciaíto	Je suis malheureux
jasta pa'l andá ;	même dans la marche ;
que los pasitos que doy p'alante	les pas que je fais en avant
se güerben p'atrás.	s'en vont et me ramènent en
	arrière.

On voudrait conclure ces illustrations par deux *coplas* dont le message nous place au bord de l'inexprimable, ou de la soif métaphysique. L'une, dans un chant *por soleares* celèbre une mystérieuse coïncidence retrouvée avec soi-même après nombre de vicissitudes :

Soy piedra y perdí mi centro	Je suis pierre et j'ai perdu mon
y me arrojaron al mar	centre,
¡ Ay ! Y al cabo de mucho tiempo	et on m'a jetée à la mer,
mi centro volví a encontrar.	et après bien longtemps,
	mon centre, je l'ai retrouvé.

L'autre, dans une souveraine *petenera*, lance au ciel un cri de rébellion totale :

Yo quisiera renegar	Je voudrais renier
de este mundo por entero ;	ce monde en entier ;
volver de nuevo a buscar	recommencer à chercher,
¡ Mare de mi corazón !	— Mère de mon cœur ! —
Volver de nuevo a buscar,	recommencer à chercher,
por ver si en un mundo nuevo	et voir si dans un monde nouveau
remedio puedo encontrar.	je peux trouver le remède.

Mais la quête, elle est au fond inhérente au déroulement sonore du *cante*, à tout ce qui est fait pour ralentir son débit et retarder son arrivée au sens : l'excès des diminutifs à rallonge, les interjections rituelles (« ¡ *Mare de mis entrañas* ! etc. ») entrecoupent presque chaque vers. Elle est surtout dans le *tempo* syncopé, exactement comme dans la passe tauromachique. La voix du *cantaor* s'épanouit, puis bruquement rentre dans la gorge où elle est retenue jusqu'à devenir murmure ou sanglot. Au bout de son effort elle se brise avec violence, ou tombe avec un amorti à vous donner la chair de poule. Voici que le *cantaor* maître absolu de ces mouvements, qui sont la parabole de la vie, peut enfin ouvrir les yeux.

——————— *FRANÇOIS ZUMBIEHL* ———————

1. Quartier gitan de Séville.
2. Comme il est d'usage, ces *coplas* sont retranscrites avec l'orthographe phonétique andalouse.

MAURICE LEMOINE

MÉMOIRE

DE GITANS

QUARTIER SÉVILLAN DE TRIANA, VILLE DE XÉRÈZ, CADIX ET SES PORTS, C'EST LÀ QUE LE *CANTE FLAMENCO* A TOUJOURS TROUVÉ LE PLUS GRAND NOMBRE DE SES INTERPRÈTES ET DE SES STYLES. DEPUIS LE XVIIIᵉ SIÈCLE, LES BAS-ANDALOUS DE SOUCHE GITANE ONT DONNÉ À CET ART SA STRUCTURE ET SES CARACTÈRES DÉFINITIFS. SÉVILLE UN SOIR DE NOVEMBRE 1988, UNE PETITE SALLE, DEUX GITANS.

Manuel Torres était un génie[1]. Cet homme pouvait aussi bien s'enfermer pendant quatre jours dans une pièce et chanter, que demeurer bouche close pendant toute une semaine. Ce n'était pas le type d'individu, vous lui dites de chanter, il se lève et il chante : non. S'il ne se sentait pas à l'aise, pas question. Mais quand il chantait, personne ne l'égalait. C'est ce qu'on dit.

Putain, vous ne connaissez pas l'histoire de la troupe qui s'arrête ? Ah, putain ! Manuel Torres était en train de chanter à *la Taurina*, vous voyez où je veux dire, un endroit où se réunissaient les toreadors et les artistes. Il était arrivé d'une fête avec une fiancée, il était arrivé le matin, il avait commandé deux bouteilles de vin et, appuyé au comptoir, il avait commencé à chanter. *La Taurina* était bondée. Passent dans la rue des soldats avec leur capitaine. Le capitaine tend machinalement l'oreille, s'arrête comme pétrifié et il gueule : « *alto* » ! Surprise, la troupe obtempère dans le plus grand désordre. « Vous n'entendez pas », gronde le capitaine en direction de ses hommes, interloqués, « c'est Manuel Torres qui chante. Le grand Manuel Torres ». Quelle admiration dans ces mots, vous voyez ?

Alors qu'aujourd'hui ces soldats ne s'arrêteraient pas, même si celui qui chante est, je ne sais pas moi, tiens, Julio Iglesias... Ni celui-là, ni personne ne les stopperait. Mais pour Manuel Torres, si, on s'arrêtait. Cet homme poussait des *ah* et s'exprimait de telle façon qu'il transperçait le cœur. Torres, quand il chantait, faisait pleurer les gens. Ils devenaient fous. Sanchez Mejias, le célèbre toréador, donna un jour un grand coup de pied dans sa table, tellement il était ému. Il écoutait, il déchirait sa chemise, il partit comme un gosse, en sanglotant.

Il existe une culture de famille. Disons qu'il y a la maison des Torres, comme il y a la maison des Paula, des Pavòn, des Ortega, de Caracol... Des sortes de dynasties, si vous préférez. Manuel Jorgio Rodriguez, dit Pies de plomo[2], *cantaor* flamenco, est né voici soixante-cinq ans. Il est venu au monde quasiment en chantant. « Le chant sort de soi-même, n'est-ce pas ? » Alors bien sûr, il faut avoir la voix, le goût pour le chant. Mais ce n'est pas suffisant. On apprend en écoutant les autres, c'est évident. Tout gosse, Manuel fréquentait la maison d'un frère du grand Manuel Torres, lequel frère allait devenir son beau-père, je ne sais pas si vous me suivez.

Manuel se rendait en ce lieu et y écoutait les groupes de très grands chanteurs que son futur beau-père invitait chez lui, Tomàs Pavòn, la Niña de los Peines, Pinto, Manolo Vallejo, Niño Gloria, tous ces grands anciens. Il était tout petit, il écoutait, subjugué, il fredonnait en même temps. « En écoutant chanter, ben on apprend, n'est-ce pas, par exemple la *soleá de Cadiz* qui est une sorte de *soleá*, ou la *soleá de Alcalá*, ou celle de Joaquim de la Paula, ou les chants que chantait Manuel Vallejo, alors toutes ces choses-là, on ne peut pas les chanter si on ne les écoute pas ».

Les jeunes prennent leçon auprès des anciens. Ce qui se passe c'est qu'après, ils ont ou ils n'ont pas le génie. S'ils l'ont, ils nuancent à leur manière. « Mais une soleá par exemple, si on n'écoute pas une soleá, on ne peut pas apprendre ce qu'est une soleá. » Manuel avait donc neuf ou dix ans. Et les *copeás*[3] qu'il interprète aujourd'hui sont ceux qu'il a appris de son beau-père, de son beau-frère, de la famille Torres en un mot.

POUR UNE POIGNÉE DE DOUROS

Certes, beaucoup de jeunes montrent de bonnes dispositions. De là à devenir *cantaor*... « C'est évident. Si tu n'es pas capable de chanter dans le même ton que la guitare, ou si tu n'as pas le rythme, ou si tu le fais, peut-être, en criant... Parce qu'il y a des chanteurs qui chantent le flamenco en criant, et ce n'est pas la même chose que celui qui exprime sa sensibilité. La richesse du flamenco c'est justement cette âme, c'est une question de sincérité... »

Le Gitan, en général, prétend également Manuel, a plus de sensibilité, même si — il n'est pas sectaire, Pies de plomo — même si beaucoup de *payos*[4] chantent vraiment bien. Mais le flamenco a toujours été une affaire de Gitans, n'est-ce pas ? Ceux-ci chantaient en famille lorsqu'ils avaient des problèmes et des peines, à l'époque des persécutions, et ils honoraient leurs morts en chantant des *siguiriyas*, vu qu'on leur interdisait de s'exprimer autrement. C'est ainsi. Cela dit, Manuel n'a jamais connu l'errance, bon Dieu, non.

Depuis que Charles III a décrété : « les Gitans doivent s'établir quelque part », ceux-ci sont tous devenus sédentaires, c'est certain. Et ça ne date pas d'hier. Malgré cela, ils ont toujours été plus ou moins marginalisés : « le flamenco était mal vu, comme si c'était une histoire d'ivrognes, ou je ne sais quoi... »

Pendant pas mal d'années, Manuel n'a chanté qu'en amateur, dans les baptêmes, les fêtes où il se rendait avec son beau-frère.

Le public commence à remarquer quelqu'un parce qu'il aime sa façon de chanter. La rumeur fait le reste. « Chez Machin, il y a un gars qui chante bien, bon, ben alors on l'écoute et putain, il plaît aux gens, et il commence à se produire ici et là... » C'est ce qui est arrivé à Manuel et à Pichon — le beau-frère de Manuel, une sorte de Gainsbourg mais en moins beau, un petit homme au nez en bec de pigeon, d'où son surnom : Pichon. Mais Pichon est resté amateur, lui n'est jamais devenu pro.

C'est exact, en ces temps reculés, Manuel travaillait à côté. En compagnie de son père et de son frère, il pêchait. Dans le Guadalquivir. A cette époque, on ramenait des poissons de bon prix qui ont disparu depuis à cause de la pollution et toutes ces saloperies. Et sur le fleuve, Manuel chantait. Ils pêchaient dans la nuit, chacun sur sa barcasse et, lorsqu'il avait jeté ses filets, dans le silence de l'obscurité, Manuel commençait à chanter. Alors, subjugués par cette voix pleine d'amour, de passion, de jalousie, de vengeance et de mort, les autres pêcheurs s'approchaient de lui, très silencieusement, en évitant les clapotis. Parce que si lui s'apercevait qu'on était en train de l'écouter, il s'interrompait. C'est bizarre, mais c'est ainsi. Pichon s'en souvient bien.

Il chantait par goût. Les jours où il n'allait pas à la pêche, il partait chanter, et cela durait jusqu'au petit matin. Il se rendait à l'*Europa*, ou alors il rencontrait quatre ou cinq copains, ils s'enfermaient dans une pièce et... *olé !* « Et alors, les gens qui t'écoutent disent : putain, il chante bien Pies de Plomo, et ceci, et cela... » C'est ainsi qu'il se mit à gagner quelques poignées de douros. « Comme je ne vivais pas de ça, j'avais beaucoup de joie quand on me donnait ces deux ou trois sous, ça représentait toute une somme pour moi, et puis enfin, on me payait pour chanter, n'est-ce pas ? »

ILS ONT ÇA
DANS LE SANG

Pichon — le beau-frère de Manuel — avait un frère, le pauvre, Pepillo Torres, de la grande famille des Torres, Pepillo dit Pepe, un homme qui aujourd'hui serait devenu milliardaire, parce qu'il avait une voix, quelque chose de... Ah, s'il avait été autrement ! Mais c'était un Torres. Et tous les Torres sont jetés, tous les Torres sont à moitié fous, parole d'honneur, tous les Torres. Mais Pepe, Pepe chantait... Non, s'il vous plaît, ne parlons pas d'ivrognerie parce que, écoutez, celle qui s'est le plus soûlée dans le monde entier, et plus elle était ivre et mieux elle chantait, s'appelait la Morena. Elle était borgne. C'était une artiste grandiose. Celle qui chantait le mieux au monde les *soleares* et les *bulerías*. La Morena. Elle s'enfermait dans une pièce et elle chantait à vous rendre fou. Puis elle s'en allait dans une taverne, « *chez Otero* », en face de *Siete Puertas*, et quand elle chantait vous mouriez. Parce qu'elle avait...

Faut dire aussi qu'ils ont connu une très mauvaise période. En ce temps-là, on ne gagnait pas d'argent. Manuel a connu cette époque, forcément. Pour survivre, celui qui avait des besoins devait accepter n'importe quoi. Même Manuel Vallejo, même Manuel Torres, devaient faire de nécessité vertu. Le riche, le *señorito*, souvent un parvenu, enfin le contraire d'un Monsieur, ce riche se pointait et profitait de l'artiste, sans respect, ces gens-là n'avaient pas de respect. Parce que se tenir comme un véritable *caballero*, n'est pas à la portée de n'importe qui, n'est-ce pas.

Et même Manuel Torres disait : « si je pouvais, je tuerais ces gens, mais je dois tenir bon pour gagner mes cinq sous, pour donner quelque chose à manger à mes enfants ». Alors le señorito faisait appeler le cantaor, s'enfermait dans une pièce, et là, tandis que l'autre se sortait le cœur et les tripes, tandis que le guitariste s'usait les doigts, ce riche roulait une pelle à une pute, il riait, il braillait, il allait même jusqu'à sauter la pute, ma parole, c'est vrai ou c'est pas vrai ? C'est vrai. « C'est pour ça que le flamenco était mal vu, les types n'admiraient pas un art, ils se livraient à la débauche... »

Manuel a vu un jour un connard, qu'on lui pardonne l'expression, vu de ses yeux vu, enfourner un torchon dans une guitare pour rigoler, ou même un morceau d'omelette, Manuel a vu un riche péter ostensiblement devant un homme qui chantait. Mais si on disait quelque chose au señorito, il ne rappelait plus. Et on pouvait toujours crever chez soi. Parce qu'avant, l'argent était fondamental. Celui qui donnait ses cinq sous, eh bien, il fallait supporter ses grossièretés.

Attention, à côté existait *una gente culta*, des hommes cultivés, de vrais señoritos, des éleveurs comme don Eduardo Minura, ou le Comte de la Corte, don José Canto, de Xerez, des hommes qui possédaient des élevages de taureaux sauvages, des haciendas immenses, sans fin, des multimillionnaires qui respectaient l'artiste, qui ordonnaient : « que personne ne vienne me déranger, j'écoute le flamenco ». *Esos hombres* pleuraient en écoutant la messe flamenca, et ils criaient *olé* !, et scandaient le *compás*[5] de leurs *palmas*[6], et après ils payaient, ramenaient l'artiste chez lui en voiture. Seuls les riches possédaient des voitures. Manuel Torres n'avait qu'un petit âne en ce temps-là.

C'est ainsi que Felipe Muribe, un éleveur, lorsqu'il débarquait par exemple à *la Alameda*, écoutait respectueusement, tous les chanteurs, les bons artistes. Sur le coup de quatre heures du matin, il jetait : « Messieurs, la fête est finie ! » Tiens pour toi, tiens pour toi, il réglait tout le monde. Lorsqu'il avait fini avec les chanteurs, il disait : « voyons l'addition. Voilà. » Et quand il avait terminé de tout payer, il faisait : « Messieurs, je pars maintenant à Alcalá, écouter Joaquim de la Palma. Celui qui veut venir peut venir, mais pas en tant qu'artiste, comme invité. » Il sautait dans son automobile, allait jusqu'à la falaise, achetait une caisse de sardines et du charbon, puis il se rendait à la grotte, écouter Joaquim.

Ce dernier était un pauvre homme, un vieux petit Gitan, et il vivait dans une grotte. Mais ils allaient le voir ce miséreux au pauvre manteau, ils allaient se repaître de l'art qui s'écoulait de lui, c'était un Dieu. Ils arrivaient peut-être vers six heures du matin, ils sortaient Joaquim du lit et ils commençaient à griller les sardines sur le charbon. Le vin coulait à flots. Et alors, tous écoutaient Joaquim. Mais les chanteurs présents n'étaient pas là en tant qu'artistes, simplement en tant qu'invités.

C'était très difficile pour un type comme Pies de Plomo. A cette époque, il y avait beaucoup de très grands cantaores, n'est-ce pas. Aujourd'hui, il en existe de bons, de très bons, mais avant il y avait un éventail d'artistes tellement immenses qu'il fallait être aussi bon qu'eux pour tirer son épingle du jeu. Manuel Torres, Tomás Pavón, el Niño Gloria, las Pompis, Caracol, Enrique el Almendro, el Niño de la Calta, vous voyez ce que je veux dire ?

Même Antonio Mairena était un amateur à côté de ceux-là. Et regardez où il est arrivé, Antonio Mairena : Il est considéré aujourd'hui comme l'un des meilleurs cantaores de ces derniers temps. Bien. Même quelqu'un qui chante sans faire de cela sa profession peut être un artiste. Par exemple, cette poignée de gens qui travaillent dans les caves Domecq à Jerez et qui chantent merveilleusement, mais qui sont incapables de s'exprimer en public... Entre amis, ils sont formidables.

Comme Pepe, tiens, Pepillo Torres, le beau-frère de Manuel, le frère de Pichon... Il n'était pas professionnel, il a appris à chanter à Chocolate, à Beni, à toute une foule de gens devenus célèbres. Toutes les choses qu'ils font aujourd'hui, c'est lui qui les leur a enseignées. Il possédait le timbre de voix des Torres.Il les rendait marteau. Vous ne pouvez pas savoir comment chantait cet oiseau-là, les siguiriyas, tout ça. Il était le neveu de Manuel Torres, il possèdait le timbre de voix de la dynastie. En plus, ils aiment chanter, ils ont ça dans le sang.

À EN PLEURER

M a foi, celui qui sait chanter a besoin d'un bon joueur de guitare. Si le guitariste n'est pas à la hauteur, le cantaor ne trouve ni le rythme, ni le ton. Dans ce cas, il vaut mieux dire au musicien d'arrêter le carnage et marquer le rythme soi-même, avec la jointure des doigts. Pies de Plomo se fait toujours accompagner par Eduardo la Malena. Pour soutenir un chanteur, c'est le meilleur aujourd'hui. Pour jouer tout seul aussi. C'est le seul survivant de la grande époque de Ricardo, de Manolo de Huelva, de tous ces types-là. Parce que, voyez vous, depuis Paco de Lucia la guitare a beaucoup évolué. La jeunesse n'aime plus que les variations et les fioritures qui laissent le chanteur de côté. Ce n'est pas bon.

Ma foi, Manuel a grandi avec Eduardo. Tout gamins, ils se rendaient ensemble dans les baptêmes, ils y faisaient leurs premières armes, Eduardo avec sa petite guitare, il n'était encore qu'amateur. Et après, bien sûr, les gens l'ont écouté et il est devenu un artiste. Un guitariste extraordinaire. Il a accompagné les plus grands : Pastora, Manuel Vallejo, Sevillano, Antonio Mairena, Juan Talega. « Pour être bon, le guitariste doit aimer le chant. Il doit être attentif au chant et l'aimer. La musique de la guitare est un éloge au *cante*. »

Savoir commander le guitariste est fondamental. Les *alegrías*, par exemple, on les chante dans un ton, les *soleás* dans un autre, parce que ce sont des chants différents, les uns in-crescendo, les autres tout le contraire. Toutes ces choses-là sont d'une extrême difficulté.

Manuel Torres prétendait que lorsqu'il chantait bien une *siguiriya*, un goût de sang lui emplissait la bouche. Tellement cette émotion lui faisait mal, il la ressentait dans sa chair. Il y a de jolis chants, comme la *granaina*, la *malagueña*, qu'on ne peut interpréter si on a une voix rauque et éraillée. À cause des trémolos. Et bien sûr, avec une voix rauque, essayez donc de faire des trémolos ! La voix rauque permet de chanter les soleás, les siguiriyas. Comme celles de Caracol et de Manuel Torres. Chaque chant demande à être interprété de façon particulière, nécessite un certain type de qualité.

« Je vais te dire une chose », dit précisément Manuel Pies de Plomo entre deux verres, dans une arrière salle de la peña *los Cabales de San Geronimo*. « Le flamenco a évolué, mais il a perdu en richesse, en âme, en sensibilité. Aujourd'hui, il n'y a plus de créateurs. Quelques jeunes sont doués, mais ils écoutent un disque, de celui-ci, de celui-là, et ils imitent le disque. C'est pas ça. Parce que toujours on a appris des anciens, mais en interprétant ensuite d'une façon. Le chant, il faut l'improviser. Et sans le vouloir, sans en être vraiment conscient, on crée. C'est ça le plus beau du flamenco. Et après on dit : putain, Machin il faisait comme ça, mais écoute comme il le fait bien, celui-là ! Ben, c'est plus joli comme ça. Et voilà. »

Le flamenco est une distraction, avec la différence que Manuel en vit, car c'est aussi un art. Et un métier. « Bon, on le considère comme un travail, mais quand le cantaor commence à chanter, il boit deux verres de vin, il se remplit de sentiments. Et quand il chante, il éprouve du plaisir en chantant, et il s'exprime avec son âme, tellement il la sent fort en lui la passion du flamenco. Parce que personne ne peut chanter sans la posséder vraiment. Ou alors, mal. Sans saveur. Ce *ay* qu'on pousse, ce *ay* envoûtant, il est d'une extrême sensibilité. La preuve : il y a des gens qui pleurent en écoutant. »

Il s'agit là d'une chose si difficile, faire fondre une personne qui prête son attention, lui transmettre la chair de poule, des frissons,

À gauche, Manuel Jorgio Rodriguez
dit Pies de Plomo
À droite, Pichone

avec ce *ay*, ah mon Dieu, ça c'est... Non que le flamenco soit triste !
On peut interpréter une chanson gaie, mais tellement elle vous prend
au cœur, vous pleurez quand même, et pourtant la chanson est gaie.
Un *fandango* par exemple. « On a tous une mère, et on a tous une
fiancée, et une femme, et il y a des fandangos qui racontent des choses qui te sont arrivées, par exemple que ta mère était très bonne,
et elle meurt, et ça faisait longtemps que tu ne pensais plus à elle,
même si tu t'en souviendras toute ta vie, mais pas à ce moment-là,
et tu écoutes ce fandango, et il te la rappelle, et tu bois deux ou
trois verres de vin, et tu te souviens encore plus, et tu pleures soudain, et les larmes roulent sur tes joues... Ou le *fandango* parle d'une
femme qui s'est mal conduite avec toi...

> *Il y a encore dans mon lit*
> *Le creux de son corps*
> *Les barrettes de ses cheveux*
> *Et le peigne qui la peignait*

... ben ça va droit au cœur, bon Dieu ! »

DE L'AMOUR
ET DU VIN

« *M*on beau-frère, Manuel, en plus de chanter bien, possède deux vertus à mon avis », réfléchit Pichon en rem-
plissant les verres pour la énième fois. « La première, il se maintient en forme parce qu'il ne boit pas tous les jours. La deuxième,
il se rationne le tabac. »

Sa voix est l'instrument de travail de Pies de Plomo. En réalité,
il ne la soigne pas beaucoup. Simplement, chez lui, il fume à peine,
c'est vrai. Quant à boire, il ne boit pas beaucoup non plus. À la maison s'entend, parce que ce soir il ne crache pas sur la bouteille. Il
est certain que plus jeune, il a pas mal éclusé. Et souvent de la
piquette, quasiment du Sidol[7], ma parole que c'est vrai. Mais bon,
plus maintenant. Et en ce qui concerne le passé, il y a prescription.
On l'appelle régulièrement pour chanter, il commence à vieillir, il
doit faire davantage attention.

On chante mieux lorsqu'on est âgé, bien que les facultés foutent
le camp. Mais on s'exprime avec plus de sensibilité, le chant devient
plus calme, plus austère. « Quand on est jeune, on est plus fou.
Comme on est plein de forces, on pousse davantage de cris. Mais
au fil des années, on sent vraiment plus le *cante*. On a plus d'expérience, n'est-ce pas ? »

Et donc Manuel, prétend Pichon, possède deux vertus. Plus deux
autres, ajoute-t-il aussitôt pour faire un compte rond. « Il peut chanter aussi bien à un homme qu'à une femme. Et ça, c'est très
difficile ».

Si le public est composé en majorité de femmes, Pies de Plomo s'adresse à elles, s'il y a des hommes, il chante pour eux. Alors il fait plaisir au public. Il débarque avec ses galoches, il détaille l'assistance, il se dit : « là, je ne peux pas chanter des siguiriyas parce qu'il y a beaucoup de femmes, ben je vais chanter les petites chansons qu'elles aiment. » Elles sont capables d'écouter des fandangos pendant quarante jours et quarante nuits ! Certaines aiment le flamenco et les síguiriyas, certes, mais beaucoup n'apprécient pas, elles se renferment dans leur coin et s'ennuient. Les fandangos, elles adorent plus que tout. Elles désirent également qu'on leur offre des sevillanas parce qu'elles peuvent danser et participer. Alors s'il voit sa femme contente, son mari l'est aussi. S'il voit qu'elle bâille et se morfond, il n'a plus qu'une envie : décamper. Et ça, pour un chanteur, franchement c'est pas bon.

Donc, le professionnel est celui qui vit du chant. Mais bien sûr, celui-ci — le chant — appartient à tout le monde. Même amateur, celui qui aime chanter chante, fut-il en train de poser des pavés dans la rue. Et s'il sent le flamenco, il chante mieux que n'importe qui. Et l'artiste est obligé de reconnaître qu'il se débrouille cet amateur-là. Seulement, des millions de personnes chantent bien entre copains, mais le jour où elles vont au théâtre et se retrouvent devant un public, et qu'elles sont éblouies par les lumières, et tout le fourbi, elles se prennent à trembler, elles ne peuvent pas sortir un son, elles doivent rentrer.

Même Manuel, d'une certaine manière, préfère chanter dans une réunion de dix personnes qui aiment vraiment le flamenco, qui le connaissent, qui l'apprécient, que devant une grande salle pour gagner des ronds. C'est ça qu'il préfère, réellement. C'est là son plaisir personnel. Il traîne, il rencontre son beau-frère, Pichon, ou des copains à l'*Alameda*, ils vont boire un verre ici ou là... L'un saisit une guitare et ils s'éclatent — c'est comme ça qu'on dit maintenant ? — entre eux. Celui qui aime le chant ne peut pas vivre sans lui. Alors, quand ils ont un moment de libre, ils chantent, parfois jusqu'au matin, ils chantent, et boivent un coup, et encore un, et tout le monde fait pareil, l'un chante, l'autre chante, l'autre boit, et ils y passent leur vie.

Sur une scène, dans un boulot, on apporte ce qu'on va chanter par écrit, on dresse une liste. « On dit, ben, je vais chanter ça parce que c'est plus facile pour moi, hein... » Mais dans une réunion amicale, on enchaîne sans se préoccuper quarante sortes de chants, on se sent à l'aise, on boit six verres de vin, on éprouve vraiment du plaisir. Parce que le flamenco a besoin de ce verre de vin, attention. Prenez une personne qui vient de se lever et qui s'avale un bol de lait : elle ne pourra jamais bien chanter. Le verre de vin donne la liberté pour exprimer ce qu'on sent, et quand on a la tête qui tourne un peu, on commence à se souvenir de sa mère, et de son père, et de son frère, et de n'importe qui, qui vous a manqué, on se souvient de la fiancée et des misères qu'elle vous a fait, des chagrins que connaissent tous les êtres humains. Et alors, on pleure en chantant. Sans larmes, juste un chant, juste une plainte, juste un cri, mais on pleure. Voilà, c'est comme ça.

Forcément, devant un public c'est plus commercial. Mais c'est mieux payé. « Attention pourtant », gronde Manuel qui n'aime pas que l'on prenne les vessies des charlatans pour des lanternes andalouses : « attention ! Ça n'a quand même rien à voir avec ce flamenco qu'on produit aujourd'hui pour les touristes, avec des castagnettes et des battements de mains, ce très mauvais folklore attrape-couillons ! Le flamenco est quelque chose de sérieux. »

DOMINER
LE TAUREAU

Pour un cantaor, deux choses sont importantes. D'un côté, qu'on sache l'écouter. Et de l'autre, l'argent, oui, ça c'est fondamental, vraiment. D'ailleurs, le flamenco a une phrase qui dit : « il est plus difficile de savoir écouter que de savoir chanter. »

Parce que tout, ou presque, dépend du public. Un artiste qui se sent encouragé, et entend des olé !, et le rythme des palmas, ce chanteur se sent en sécurité. Et il s'exprime encore mieux. Mais si le public est froid, non il n'est pas à l'aise.

Lorsqu'on contacte Pies de Plomo, il y va pour gagner ses cinq sous. Il s'approche du micro, il n'a pas très envie de voir l'assemblée qui attend. Parce que s'il la voit, il va forcément repérer un type revêche, devant. Et là, il va pâlir, Pies de Plomo : « Celui-là n'aimera pas ce que je chante, il va faire la gueule toute la soirée ». Et ça y est, il flippe littéralement. Il a le trac, bien sûr. Il a peur quand il ouvre la bouche sur la première mesure. Mais s'il les sent se détendre au bout d'un morceau ou deux, s'il entend les aficionados commencer à taper des mains, il sait qu'il a gagné la partie, d'un seul coup il a envie de continuer toute la nuit.

Forcément, on se sent mieux certains jours que d'autres, et ça, on n'y peut rien. Il y a des jours où l'on est très bien, sans savoir pourquoi. D'autres, on a un chat dans la gorge, on ne se souvient même pas des textes qu'on a chanté dix mille fois. Et tous les grands chanteurs ont connu ça. Selon le public, selon les gens. Il faut surmonter. C'est ça le génie, ce qu'on appelle le génie. Quand l'artiste a le génie, il est à l'aise, et alors il se plaint, putain, et les gens s'en rendent compte. Putain, il chante bien ce soir, l'autre jour ce n'était pas si brillant. Voilà ce qui arrive.

« Mais très souvent, tu ne te souviens même plus des paroles ! Tu connais deux cents textes de soleas que tu a créées, tu en commences une et tu dois t'en tirer comme tu peux parce que tu ne te souviens plus de la fin. Alors tu te bats. Tu domines ta peur, tu domines le public. Parce que le public c'est comme le taureau, quand tu domines le taureau, et ben, le taureau est à toi. »

LE CRÉPUSCULE
DES DIEUX

Très peu d'artistes vivent bien. Sauf quelques jeunes. Par exemple, Fosforito, Camarón, Mando Mairena, Curro Malena, Menoses, Diego Clavel vivent bien grâce à leur art. Manuel a un fils qui s'en tire très bien. Il était tapissier et il chantait aussi avec quelques amis, et avec son cousin. On l'a remarqué dans les Associations et il a enregistré un disque. Eh bien le disque a obtenu un grand succès, et voilà. Cet été, il n'a pas arrêté de travailler. Il gagne maintenant presque 300 000 pesetas à chaque concert, il vient d'acheter une Mercedes qui lui en a coûté cinq millions.

Mais d'autres galèrent comme des damnés. Et les chanteurs âgés ne vivent pas bien. Lorsqu'on est jeune, on ne pense pas au futur. Non, on n'y pense pas. Manuel n'y a jamais songé. L'amour du flamenco passait avant tout. Celui qui aime chanter chante, s'il touche un peu d'argent, ça l'aide à vivre, tant mieux.

C'était encore pire avant. Le beau-père de Manuel, un cantaor extraordinaire, n'a jamais réussi à épargner. Dans le temps, personne ne gagnait d'argent. Si Manuel Torres avait eu trente ans aujourd'hui où le flamenco plaît tant, il serait devenu milliardaire. Rien qu'en enregistrant des disques, milliardaire il serait devenu. À la place de quoi, lorsqu'il est mort, il n'a pu être enterré que lorsque Niño de Mardrena est rentré d'Amérique et a pu payer l'enterrement. Manolo Vallero a été jeté dans une fosse commune, Chacón et le Niño Gloria aussi.

On gagnait juste de quoi manger, c'est tout. Et El Carbonero, comment a-t-il fini ? Pareil aux autres, dans la misère, lui et le Sevillano. Ces génies dépendaient de ce qu'on leur donnait, c'est-à-dire trois fois rien. L'artiste qui touchait vingt sous, c'était la fortune. On ne faisait pas d'argent avec le flamenco.

Tant qu'il chante, l'artiste mange. Il n'y a jamais eu de Sécurité sociale dans cette profession. Donc, tant qu'il peut donner de la voix, il ne meurt pas de faim. Mais quand il s'arrête... Aujourd'hui, beaucoup de vieux chanteurs n'ont que ce que leur donne l'ITA, une société de bienfaisance créée par les Associations qui organisent des festivals et récoltent ainsi de l'argent au profit des cantaores du troisième âge. La Junta andalouse octroie quelques aides, également. « Mais finalement, c'est une aumône. Quelques vieux reçoivent 30 ou 40 000 pesetas au maximum pour deux mois. Même pas assez pour ne pas mourir de faim. »

Manuel Pies de Plomo a soixante-cinq ans. Il chante de temps en temps, mais régulièrement. Il n'accepte plus de tournées trop lointaines : sa femme souffre du cœur et elle vient toujours avec lui. Et lorsqu'ils vont, par exemple, à Almería, ou Barcelone, ou même en France comme il arrive parfois, ils rentrent épuisés, ils ne sont plus des gosses, n'est-ce pas... Alors Pies de Plomo ne fréquente plus que quatre ou cinq Associations et ne s'y produit que lorsqu'on lui offre une bonne somme d'argent.

Je vais vous dire une chose. Une soleá prétend : « grands-parents, pères et oncles, venant de bonne source, forment les bons fleuves ». C'est joli, et cela se vérifie dans les faits. Le chant naît de la famille. On écoute chanter les grands-parents, les parents, et les fils deviennent cantaores aussi, et puis les petits-fils. Manuel a quatre rejetons, il y en a deux qui chantent. L'un d'entre eux figure parmi les meilleurs aujourd'hui, il en parle souvent, avec une certaine fierté dans la voix. Il a une fille aussi. Une merveille. Elle chante mieux que son frère, celui qui a réussi. Personne ne la connaît.

Ce qui se passe, c'est qu'elle est mariée. Et que son mari ne veut pas qu'elle chante, sauf dans les baptêmes ou des choses comme ça. Il est jaloux, il se met en furie si un homme jette à son épouse : « olé, Reyes, comme tu chantes bien ! » Ça lui suffit, il fait la gueule pour toute la soirée. Parfois, Manuel le prend dans un coin : « mon petit, rien que parce que cet homme a fait olé, tu vas te fâcher avec lui ? » Ou alors, il s'énerve : « tu vas laisser ma fille chanter parce qu'elle aime chanter, et qu'elle a du génie, et qu'elle a ça en elle, et elle chante, elle s'amuse en chantant. » L'autre ne veut rien comprendre : « je ne veux pas, les hommes la regardent, ils lui lancent des olé... » Et en plus, elle est très belle, vous voyez ?

Bon, c'est très bien comme ça, un ménage fait comme il l'entend.

« Manuel, jusqu'à quand pensez-vous travailler ? » Pies de Plomo lève un sourcil, se verse un verre de vin, tire sur sa cigarette. « Tant que j'en aurai la force », il dit. « Jusqu'à ce que je n'ai plus de force. Mais vous savez, quand je me mets à chanter, je suis encore capable de tenir trois jours sans m'arrêter ! »

Voyez-vous, c'est aussi cela le flamenco.

─────── *MAURICE LEMOINE* ───────

Journaliste, écrivain.

1. **La figure de Manuel Torres, véritable génie du** *cante* **émerge dans les années 1850-1920. Avec Antonio Chacón, il a fait école et fixé les structures des principaux styles employés de nos jours.**
2. **Pieds de plomb. La plupart des chanteurs de flamenco possèdent un surnom.**
3. **Couplets.**
4. **Non-gitans.**
5. **Rythme.**
6. **Battements de mains.**
7. **Produit destiné à nettoyer les métaux.**

3
GRENADE

BERNARD VINCENT

RECONQUISTA

LA CHUTE DE GRENADE MARQUE LA FIN DE LA SOUVERAINETÉ MUSUL-
MANE DANS LA PÉNINSULE IBÉRIQUE. QUE SE PASSE-T-IL ALORS ?

Notre mémoire est hélas sélective. Dans la fureur commémorative qui est la nôtre, nous nous apprêtons à commettre des omis-
sions graves. 1989 disparaîtra à peine au coin du chemin que nos
oreilles seront déjà pleines de 1992 répétés. Mais quel 1992 ? Il suffit de lire hâtivement la presse pour comprendre que l'on célèbrera
à grands coups de trompette le cinquième centenaire de la découverte, le 12 octobre, de l'Amérique par Christophe Colomb. Mais comment oublier que le 31 mars les Rois catholiques avaient décidé de
contraindre les Juifs d'Espagne au douloureux choix entre la conversion au christianisme ou l'exil, provoquant ainsi une immense
diaspora à travers tout le bassin de la Méditerranée ? Et que le
2 janvier, ils s'étaient emparés de la ville de Grenade, rayant de la
carte le dernier État musulman d'Espagne ? En trois mois, ils
avaient réalisé l'unité politique et religieuse de leur pays, laissant
derrière eux l'Espagne des trois cultures, l'Espagne de la tolérance.

Tous les témoins eurent le 2 janvier le sentiment de vivre un grand
moment historique. Nous avons de nombreux récits. Parmi ceux-ci,
une brève et enthousiaste missive du souverain, Ferdinand d'Aragon, une relation fourmillant de détails du chroniqueur des Indes,
Gonzalo Fernandez de Oviedo, qui n'était alors qu'un page de treize
à quatorze ans, une narration en français aux premiers mots éloquents : « C'est la très célébrable digne de mémoire et victorieuse
prise de la très orgueilleuse et grande et fameuse cité de Grenade ».
Celle-ci résume les principaux événements qui se déroulèrent depuis
le début du siège de la cité, en mai 1491, jusqu'à l'entrée des Rois
catholiques au palais de l'Alhambra, quelques jours après la
réddition.

L'auteur anonyme n'est pas avare en superlatifs : les princes sont
naturellement « très nobles et très puissants », l'Alhambra « de mer-
veilleuse et somptueuse grandeur », et les vaincus eux-mêmes « de
grands et fameux capitaines des Maures ». L'émotion de tous est à
son comble. Les chrétiens versent « des larmes et pleurs de joie »
lors de la délivrance de « leurs parents et amis prisonniers », les
capitaines musulmans remettent les clefs de la ville avec « grande
effusion de larmes, pleurs et lamentations » et « le peuple infidèle
des Maures braillait et hurlait et jetait grands pleurs et
lamentations ».

Le panneau qui orne l'une des stalles du chœur de la cathédrale de Tolède ne traite pas l'épisode avec la même emphase. L'artiste qui décrit la remise des clefs à Ferdinand par Boabdil insiste cependant, lui aussi, sur la beauté, l'ampleur et la solidité de la ville, remarquablement murée et pourvue de superbes mosquées, et aussi sur le caractère dramatique de la scène. Devant les chrétiens triomphants, l'émir s'agenouille et l'unique musulman qui l'accompagne semble lever les mains en signe de désespoir et d'imploration. Le document iconographique a une valeur supplémentaire parce qu'il n'est qu'un parmi les cinquante-quatre bas-reliefs d'une série. Il illustre la phase ultime d'un affrontement qui a duré une dizaine d'années.

C'est là une singulière entreprise que le maître Rodrigo Aleman a réalisé par étapes au rythme même des événements. Commencée en 1489, comme si le commanditaire, le cardinal Mendoza n'avait jamais douté de l'issue des combats, elle a été terminée en 1495. Elle ne néglige aucun des faits majeurs d'une aventure qui a commencé au début de 1482. Le premier tableau représente la prise d'Alhama de Grenade, ville-étape importante sur la route de Grenade à Malaga, le 28 février. L'artiste décrit la furieuse attaque des chrétiens montant à l'assaut de l'enceinte de la ville.

Ce n'était en principe qu'une réponse banale à un incident survenu en terre chrétienne, à la fin de l'année 1481. Des musulmans s'étaient emparés de la petite localité de Zahara, tuant quelques habitants et en emmenant d'autres en captivité. Des incursions de ce type avaient émaillé la chronique du XVᵉ siècle. Les escarmouches et les razzias de part et d'autre de la frontière alternaient avec les trêves. Mais en 1482, les chrétiens ne se contentèrent pas d'un coup de main sur Alhama. Ils firent tout pour se maintenir dans la ville, point de départ d'une conquête définitive.

UNE LUTTE SANGLANTE

L a guerre connut trois phases. Dans un premier temps, de 1482 à 1484, la lutte fut indécise. L'armée des Rois catholiques échoue dans ses entreprises mais en revanche se maintient à Alhama. De 1485 à 1487, les événements se précipitent, la partie occidentale du royaume musulman tombe aux mains de ses adversaires. Le fait le plus saillant est la prise de Malaga, port au rôle économique primordial, après un terrible siège où les habitants aidés de renégats chrétiens et de guerriers africains, refusèrent — malgré la famine, malgré le typhus — de se rendre. Une chronique arabe précise que les assiégés en vinrent à manger « chameaux, chevaux, ânes, mulets, chiens, cuirs et feuilles d'arbres ». Plus de dix mille payèrent leur détermination au prix fort de la condition d'esclave.

L'effort avait été également rude pour les vainqueurs qui soufflè-rent quelque peu.

En 1489, ils réussirent à contrôler toute la partie orientale des possessions ; Baza qui après six mois de siège préféra capituler plu-tôt que de subir le sort de Malaga, Guadix et Almería se livrèrent. Restait Grenade qui tint encore deux ans. Les assaillants construi-sent, en juin et juillet 1491, une ville nouvelle, Sante Fe, à une dizaine de kilomètres de la capitale musulmane. Après de longues négociations et la signature de capitulation, le 25 novembre, qui accordaient toutes sortes de garanties aux vaincus, la ville fut enfin occupée.

L'affaire a été rude ; l'engagement total. Ferdinand d'Aragon est constamment à la tête des troupes. Il n'est pas surprenant de le voir représenté trente-quatre fois sur les bas-reliefs du chœur de la cathé-drale de Tolède. Mais Isabelle et les enfants sont souvent présents au front. Et aussi la fine fleur de la noblesse castillane, comme le dit une romance :

> *Les trois cents gentilshommes*
> *Partent déjà de Jaen.*
> *Un lundi au petit-matin*
> *Tous s'en vont pleins d'orgueil,*
> *La lance et l'adargue au côté.*

Et derrière eux, une foule de soldats, près de dix mille cavaliers et de quinze mille fantassins aux débuts de la guerre, quinze mille cavaliers et quatre-vingt mille fantassins devant Baza. Des ouvriers, par dizaines de milliers, mettaient la campagne en coupe réglée, brû-lant les grains et abattant les arbres fruitiers dans le but d'affamer les musulmans. La supériorité militaire des chrétiens fut présente dans tous les domaines mais c'est l'artillerie qui dans cette guerre de sièges joua le principal rôle. Grâce au concours de techniciens bourguignons, flamands, allemands, les troupes des Rois catholiques purent disposer de deux cents lombardes et ribandequins. La grande armée espagnole qui allait triompher sur tous les fronts, en Europe, pendant un siècle et demi, est née en Andalousie.

LE SENS
DE L'HONNEUR

Les chroniques et l'œuvre de Rodrigo Aleman mettent sou-vent en exergue les hauts faits des principaux protagonis-tes. Elles constituent ainsi une galerie de portraits. Entre Ferdinand et Isabelle figurent en bonne place Boabdil et son oncle Al-Zagal — le vaillant. Et Ahmad al Tagri qui aurait répondu, à ceux que son acharnement étonnait, « avoir assumé sa charge avec l'obligation de mourir ou d'être fait prisonnier en défendant sa loi, la cité et l'honneur ». Et Yahya al Naggar qui promet de livrer Baza non pas « à cause de la rareté des vivres ou de la faiblesse de la muraille et des défenseurs mais en hommage à la vertu et à la noblesse des souverains chrétiens ». Et Rodrigo Ponce de Leon, marquis de Cadix, excellent cavalier, conseiller très écouté de Ferdinand d'Aragon, toujours à la pointe du combat. Blessé légèrement devant Malaga, il vit le dénouement de la guerre mais mourut de ses suites à Séville en août 1492.

La longueur même des combats et les multiples péripéties décrites dans les récits témoignent de l'âpreté de la lutte. Ainsi Rodrigo Aleman évoque-t-il une sortie des musulmans assiégés dans Malaga en 1487 et surprenant les chrétiens abandonnés aux délices de la sieste. Les adversaires en décousent à l'arme blanche au milieu des tentes du campement des assiégeants. Sur un autre panneau l'on voit, devant le modeste village de Padul, proche de Grenade et reconquis par les musulmans au printemps de 1490, cinq musulmans et quatre chrétiens s'affronter. Un musulman est déjà à terre, un autre brandit une épée, deux préparent leurs frondes.

Parmi les chrétiens, un fantassin dresse un immense bouclier et un cavalier s'apprête à lancer une sagaie. Enfin, l'artiste relate la mort d'un chevalier qui, grièvement blessé, tombe de son cheval à la consternation des quatre fantassins l'entourant. Peut-être s'agit-il du Comte de Belalcazar, jeune homme de vingt-quatre ans apparenté aux Rois catholiques. Sa disparition a aussi inspiré un poème qui prend place parmi les nombreuses romances de la guerre :

> « Trêve, trêve, gouverneur
> le château se donne à toi !
> Il souleva la visière
> pour voir qui avait parlé.
> L'autre pointa le front
> la flèche traversa la tête ».

Beaucoup connurent le sort du Comte de Belalcazar. Rodrigo Tellez Giron, maître de l'ordre militaire de Calatrava et Philippe d'Aragon, maître de l'ordre de Montesa, l'un et l'autre criblés de flèches, le premier devant Loja en juillet 1482 et le second devant Baza en juillet 1488. Le vizir Yusuf Ibn Abd al Barr et le gouverneur militaire de Loja, Ali al Attar, l'un des plus fameux capitaines de son temps qui, après avoir défendu victorieusement sa ville et mis les chrétiens en déroute en 1482, périt au cours de la bataille de Lucena en avril 1483. Et aussi le commandeur Martin Vazquez de Arce, mort lors d'une escarmouche devant Grenade, en 1486, et connu sous le nom d'El Doncel, le damoiseau. Lui a été immortalisé dans l'un des plus beaux tombeaux qui soient. À la cathédrale de Siguenza, on le voit redressé sur le côté, revêtu de l'armure d'un ordre militaire, accompagné d'un ange qui s'apprête à l'enlever.

GRANDEUR ET DÉCADENCE
DES ABENCÉRAGES

Le succès des chrétiens est aussi dû aux divisions qui ont miné le camp musulman. Les rivalités de Boabdil et d'Al-Zagal furent d'autant plus préjudiciables aux grenadins que Ferdinand le Catholique avait su, lui, faire taire les dissensions entre membres de la noblesse castillane, entre le marquis de Cadix et le duc de Medina Sidonia, entre le comte de Cabra et Alonso de Aguilar. Le désordre prit de telles dimensions que les habitants de Grenade se livrèrent, en 1486, à une bataille de rues déclenchée par les partisans de Boabdil, regroupés sur la colline de l'Albaicin. Gent turbulente et portée à la révolte, dit une chronique arabe, « méchante et pervertie », ajoute une seconde, « des démons en forme d'hommes », précise une troisième. Toutes attribuent la déroute au manque d'union pourtant bien nécessaire face à un ennemi puissant. Des troubles, l'histoire a surtout retenu la fin tragique des Abencérages.

Quelle belle postérité que celle d'une famille qui a effectivement tenu le haut du pavé tout au long du XVe siècle. Les Banu Sarrag n'ont cessé de faire et de défaire les émois, en 1419, en 1445, en 1454, en 1482 lorsqu'ils prirent le parti de Boabdil. Ce qui leur valut de solides inimitiés. En 1462, l'émir Sad fit assassiner deux d'entre eux dont le vizir Abul Hasan Ali et en 1470, une partie de la famille subit le même sort, à Malaga, à l'issue d'un soulèvement qu'ils avaient fomenté. Sur ces faits s'est greffée une double légende, celle de l'antagonisme entre Zegris et Abencérages, hautement improbable tant les Zegris eurent peu de place dans la vie politique du petit état musulman, à cette époque, et celle du carnage dont les Abencérages auraient été les victimes dans la salle qui, à l'Alhambra, porte leur nom. La localisation du massacre n'est guère crédible. Peu importe, les Abencérages sont, par la grâce de la littérature, devenus des héros malheureux des luttes intestines.

Le mythe est né au XVIe siècle, lorsque précisément le nom de cette famille fut donné à la salle qui s'ouvre sur la cour des lions. Les responsables en sont deux auteurs, celui anonyme du roman *L'Abencérage* et Gines Perez de Hita qui a composé une *Histoire des guerres civiles de Grenade*, dont la première partie, intitulée Histoire des partis des Zegris et des Abencérages, fut publiée en 1595. Ces romans appartiennent à un courant extrêmement riche puisque Gongora dans la romance Ville illustre et fameuse dédiée à Grenade, évoque la mort des Abencérages.

> « *Où sont les salons souillés*
> *Du sang mal versé*
> *Des si vaillants*
> *Et hardis Bencérages ?* »

Et Lope de Vega écrit deux pièces, l'une au titre significatif de *L'Hidalgo bencérage*, l'autre où rendant aussi un vibrant hommage à Grenade, il dit :

> « *Tu jouis de riches lignages*
> *Tu as les Zegries, les Tarfes et les Almoravies,*
> *Les Muzas et les Bencérages.* »

Chateaubriand contant dans *Le Dernier Abencérage* les amours impossibles d'Aben-Hamet et de Blanca, se situe dans une longue chaîne qui est celle de la maurophilie. Le courant, né au XVIᵉ siècle, utilise bien d'autres thèmes, bien d'autres intrigues empruntés à la guerre de Grenade. Lope de Vega, encore lui, a consacré deux autres œuvres dramatiques à ce sujet. Non seulement *Le Siège de Santa Fe*, mais aussi *Les Exploits de Garcilaso de la Vega et Moro Tarfes*, où il narre le défi qui oppose un maure ayant offensé la Vierge et un jeune chevalier chrétien. Mateo Aleman fait raconter au héros de son grand roman picaresque *La Vie de Guzman d'Alfarache* « l'histoire des deux amants Ozmin et Darche, comme il l'avait entendue », véritable nouvelle insérée dans l'œuvre. Darache, faite prisonnière au siège de Baza, avait été promise à Ozmin. Son fiancé se déguisa en jardinier pour la retrouver. Grâce à la protection des Rois catholiques, ils purent se marier, non sans avoir reçu le baptême.

DEUX COMMUNAUTÉS ANTAGONISTES ?

Faut-il voir dans cette mode durable la mauvaise conscience des chrétiens ou un plaidoyer pour la tolérance ? On retrouve cette ambiguïté dans les fêtes des Maures et Chrétiens qui existent au XVIᵉ siècle et qui ont proliféré au point que plus d'une centaine sont aujourd'hui célébrées dans des villes et villages d'Espagne. Sans doute celles-ci, qui invariablement connaissent deux périodes, une première favorable aux Maures et une seconde où, bien entendu, l'emportement définitivement les chrétiens et qui dressent toujours un portrait flatteur du vaincu, balancent-elles entre l'incompatibilité et la volonté de fusion entre les deux communautés.

Constatons que de surcroît, la fête des Maures et des chrétiens, a essaimé au-delà des océans, conservant malgré bien des adaptations, la même structure au Mexique, au Pérou, au Brésil, aux Philippines. Universalité d'Al-Andalus, pouvoir symbolique du 2 janvier 1492. Oui, ils avaient bien raison. Sempronio, personnage de *La Célestine* en Ibn Iyas, chroniqueur cairote.

Au premier qui crie « Grenade est prise » le second répond « (c'est) une des catastrophes les plus terribles qui aient frappé l'Islam ». Et au cœur de l'ancien royaume de Grenade, entre Archidona et Antequera, se dresse un rocher dont la forme est celle d'un visage d'homme. C'est la Pena de los Enamorados, la roche des amoureux d'où la fille d'un Maure et un jeune chevalier chrétien se sont précipités pour cacher à jamais leurs amours interdites.

———————— *BERNARD VINCENT* ————————

Directeur d'études à l'École des Hautes Études en Sciences Sociales. Auteur d'une *Historia de Granada,* **Grenade, 1986 ; en collaboration avec Antonio Dominguez ; «** *Historia de los Moriscos, vida y tragedia de una minoria* **», Madrid, ORTIZ, 1979 ; éditeur de** *Les Marginaux et les exclus dans l'histoire,* **Paris, 1979.**

CLAUDE COUFFON

GRENADE, 1948-1988

SUR LES TRACES

DE LORCA

À la mémoire de Rafael Guervos Madrid, Grenadin qui m'a tant aidé.

Grenade, après-midi du 23 mars

Non loin de la petite église Santa Ana où venait prier Mariana Pineda, le Darro coule à ciel ouvert entre le roc boisé qui porte l'Alhambra et le labyrinthe de ruelles tortueuses que constitue la colline de l'Albaïcin. Accoudée aux pierres mousseuses d'un pont en dos d'âne, je regarde serpenter ce qui n'a toujours été qu'un ruisseau maigrelet aux eaux jaunâtres et aux rives dépotoirs hantées par les chats errants, mais que Lorca, dans les pages amoureuses d'*Impressions et Paysages*, transfigura : « Le Darro chante sa vieille plainte en léchant des lieux pleins de légendes maures », écrit-il romantiquement dans ce livre d'adolescence publié à compte d'auteur en 1917.

Quarante ans ont passé depuis ce printemps 1948 où je venais tenter de découvrir dans *sa* ville la vérité sur la mort du poète. À Paris, les versions les plus rocambolesques et contradictoires circulaient. Le mythe essayait déjà d'imposer la légende à l'histoire. À Grenade, près de ce même pont, assis sur les pavés et l'herbe de l'étroite chaussée où passaient encore les ânes des porteurs d'eau, ce furent des mutilés de la guerre civile qui m'accueillirent, bras ou jambes coupés, poitrines défoncées. Anciens républicains, ils n'avaient pas de carte de travail et ne vivaient que de l'aumône des passants. Lorca ? Non, on ne connaissait pas. Et l'on se taisait. D'autres regardaient, méfiants, apeurés : « Monsieur, ils ont fusillé mon frère, mon beau-frère, mon gendre, mon fils... allez aux cimetière, regardez le mur. Il est encore troué des balles de ceux qui les ont tués. » C'était vrai, je devais par la suite le constater de mes propres yeux. D'autres hochaient la tête. « Federico ? N'en parlez pas, monsieur. La ville est dangereuse. Ils sont tous ici, ils pourraient vous tuer. Nestares vit à Grenade... » C'est ainsi que j'entendis pour la première fois ce nom sinistre, Nestares. José Nestares, le légionnaire, le capitaine rebelle, responsable du massacre de plusieurs milliers de républicains pendant et après la chute de Grenade, en juillet et août 1936. Parmi eux, de nombreux ouvriers mais aussi presque toute l'intelligentsia de la ville : professeurs, avocats, journalistes, instituteurs, ingénieurs comme le marquis de Santa Cruz, le constructeur de la route de la Sierra Nevada, médecins comme le docteur Rafael Garcia Duarte, bien connu des pauvres gens pour ses consultations gratuites, enlevé en pleine rue par un camion en plein midi, alors qu'il se rendait au chevet d'un malade...

Tous ces témoins ont disparu comme ont aussi disparu... les chercheurs d'or ! Car le Darro avait alors — petit métier improvisé par la misère ? — ses chercheurs d'or. Non loin du Paseo de Las Tristes — une promenade chère à Lorca — je cherche l'îlot magique où s'abritait le bar de *Las Chirimías*. Un mystérieux chantier a remplacé le bâtiment, ses tables en plein air et la langue de verdure de son jardinet à l'extrémité duquel les chercheurs d'or plongeaient leurs laveurs dans la rivière. C'était un matériel rudimentaire fait de caissettes de bois blanc superposées, barrées chacune en leur fond d'un tamis métallique de plus en plus fin. Au soir tombant, les chercheurs d'or relevaient leurs boîtes à trésors. Les jours fastes, une piécette de l'époque arabe, une piécette d'or brillait sur les fils gris du tamis supérieur et une traînée de poussière d'or arrachée à l'eau tumultueuse serpentait sur le fond bien clos de la dernière caisse. Le plus souvent, quand on n'avait rien à proposer aux bijoutiers de la ville, on repartait nourri seulement de quelques notes de guitare et de l'or factice de quelques verres de xérès ou de manzanilla.

Oui, tout cela a disparu et pourtant, sur ma gauche, je le devine, l'Albaïcin a gardé son caractère « peureux et fantastique ». Federico y reconnaîtrait ses ruelles qui « sont de périlleuses et sinueuses descentes, avec d'énormes blocs de pierre et des murs rongés par le temps »[1]. Mais l'ombre du malheur passerait vite sur son visage. Après le soulèvement, c'est dans ce quartier populaire, transformé en forteresse, avec ses rues barricadées de sacs de terre et de pavés arrachés à la hâte, que son beau-frère Manuel Fernández Montesinos, maire socialiste de Grenade et vice-président du Comité exécutif de l'UGT, songeait à préparer la résistance. Arrêté par les rebelles, Manuel était fusillé le 16 août, au cimetière avec vingt-neuf autres détenus. Il avait trente-six ans.

Passé la Cuesta del Chapiz, Federico retrouverait-il les lieux de son *Romancero*. La voici, cette colline abrupte, autrefois creusée des grottes des gitans ? Quand, en 1948, j'en grimpai le flanc pour la première fois, le Sacro Monte n'avait guère changé depuis la description qu'en avait faite Théophile Gautier et j'aurais pu répéter avec lui : « Des raquettes gigantesques, des nopals monstrueux hérissent ces pentes décharnées et blanchâtres de leurs palettes et de leurs lances couleur de vert de gris ; sous les racines de ces grandes plantes grasses qui semblent leur servir de chevaux de frise et d'artichauts, sont creusées dans le roc vif les habitations des bohémiens. L'entrée de ces cavernes est blanchie à la chaux ; une corde tendue, sur laquelle glisse un morceau de tapisserie éraillée, leur tient lieu de porte[2]. » Devant les cuevas, des filles au teint violet se peignaient ou dansaient. La zambra n'était pas encore domestiquée. Des hommes cuivreux dressaient des chevaux. Une nuit, Victor Catena, le jeune poète de Grenade, m'entraîna par un sentier caillouteux hérissé de figuiers d'Inde jusqu'à une étrange cabane. Plantées dans des pieux faits de minces troncs coupés, quelques tôles ondulées formaient une sorte d'abri précaire. Sur une masse circulaire de briques et d'argile reposait une enclume rouillée. Et nous la vîmes. Par les multiples trous du toit, la lune entrait et dessinait sur le sol de blanches formes spectrales. « La lune est venue à la forge/avec son polisson de nard... », avait écrit Lorca dans son célèbre *Romance de la lune, lune*[3]. Nous étions devant la forge gitane immortalisée par le poète. Je lève les yeux. Aujourd'hui la forge est une discothèque.

Je le constate au retour : dans ces rues trop propres où l'allégresse des premières castagnettes du soir attendent les cars des touristes, toutes les cuevas ont pris les allures riches et élégantes, ou mieux un air putain de boîtes de nuit.

Matin du 24 mars

Le soleil qui dore l'ocre ancienne de la muraille arabe au plus haut du Sacro Monte m'encourage à monter à pied jusqu'à l'ermitage qui la couronne. À l'écart des lieux touristiques, ignoré des guides, San Miguel el Alto est le temple de la solitude. Il n'ouvre d'ailleurs ses portes aux pèlerins qu'une fois l'an, le 29 septembre, pour la fête du saint. Ce lieu champêtre abritait à l'époque musulmane une fontaine et un olivier si beaux que de nombreux poètes arabes les célébrèrent. En 1671, fut bâtie une église que l'occupation française détruisit en 1812. « Reconstruit en 1928 aux frais de l'Excellentissime Sr. D. Blas Joaquím Alvarez de Palma, archevêque de Grenade, et agrandi en 1884 par la dévotion de l'Excellentissime Sr. D. Bienvenido Manzón y Martín, archevêque de ce diocèse », informe la plaque commémorative, l'ermitage n'aurait d'autre intérêt que sa vue splendide sur la vieille ville et, comme en ce printemps, sur la neige de la Sierra Nevada, si... si le saint Michel de son arrière-chœur n'avait inspiré Lorca. Le concierge du pensionnat pour jeunes handicapés qui occupe une aile du bâtiment déverrouille le portail et voici qu'apparaît le maître de l'endroit... Oui, « dans l'alcôve de sa tour,/saint Michel plein de dentelles/montre ses superbes cuisses/moulées par les lampadaires. » Surmontant les cuisses nues et découvrant le jupon de dentelles, la tunique blanche aux broderies et parements d'or de l'archange, ainsi que ses grandes ailes d'argent et le panache de hautes plumes blanches ont été refaits à neuf. Mais autrement, rien n'a changé. Le saint aux traits efféminés « simule » toujours « une ire douce/de plumes et de rossignols » et son bras levé comme celui d'un personnage de pendule royale est bien d'un « archange dressé au geste/d'annoncer les douze coups ». Comment une statue aussi laide a-t-elle pu séduire Lorca et lui suggérer un des fleurons du *Romancero Gitan* ? Mystère. Encadrant l'autel, deux autres statues non moins efféminées ont un petit air absent de gardiens de musée céleste : à droite, saint Raphaël, patron de Cordoue, brandit son bâton de voyageur et contemple son poisson ; à gauche, saint Gabriel le Sévillan ouvre comme un gentilhomme du Greco sa main sur sa poitrine. Dans le fameux triptyque poétique de Lorca, la magie verbale les a aussi transfigurés.

Je redescends par les ruelles silencieuses de l'albaïcin. Ici le temps s'est immobilisé au pied de l'ancienne médina, sous l'arc arabe de la porte d'Elvire, je crois apercevoir l'ombre — mais n'était-ce pas déjà celle de la mort ? — que Federico chanta dans le *Divan du Tamarit*[4], son dernier et peut-être plus beau recueil, alors sous presse quand on l'assassina : « Par la porte d'Elvire/Je veux te voir passer/pour connaître ton nom/et me mettre à pleurer. »

Non loin, des jardins fleurissent maintenant la sobre petite colonne de marbre blanc que la jeune République espagnole érigea en 1931 pour rappeler l'endroit où l'héroïne du poète, Mariana Pineda, avait été exécutée le 26 mai 1831.

Après-midi du 24 mars

« C'est à six heures du soir, quand Grenade resserre sur l'homme ses griffes de lumière, qu'il faut gagner, à pied, les dernières maisons du faubourg de Gracia, non loin desquelles se cache le domaine des Lorca, la huerta de San Vicente, écrivais-je en 1956[5]. C'est peut-être en traversant la morne petite place de la Trinité, avec ses paysans silencieux sur les bancs, en descendant la triste rue de las Tablas, avec ses miradors sans fleurs et ses lourdes grilles aux fenêtres, que l'on sentira toute l'authenticité de la poésie de Lorca dans ses deux thèmes d'obsession : la solitude, la mort. La solitude, elle est partout ici. Elle est au cœur de ce Gitan qui tresse des paniers au bord d'un terrain vague, elle est dans les regards des petits ânes des porteurs d'eau qui, sous les treilles, stationnent interminablement. Quant à la mort, regardez bien, vous la verrez courir dans le ruisseau, glisser derrière le banc vide, rôder autour d'une fenêtre ouverte, vous la surprendrez dans un âcre relent de fumure et d'orangers qui vous suffoquera. »

Après, treilles, ambiance rurale ont disparu dans ce quartier envahi par l'urbanisme et le béton. Une ceinture d'immeubles sans style semble même interdire l'accès de la vega. Pourtant, je finis par la découvrir, la petite route poudreuse qui mène vers les champs, et une fraîche odeur d'herbe, de maïs et de ruisseau m'environne tandis que je bifurque pour prendre le sentier qui, avec sa longue

Federico García Lorca en 1936

Église San Miguel el Alto : Saint Michel

haie soigneusement taillée, aboutit à la huerta de San Vicente. Typiquement andalouse, avec son toit de tuiles rouges, ses fenêtres à balustrades et sa façade blanchie à la chaux, la maison paraît directement surgir d'un roman de Juan Valera. À plusieurs reprises, depuis quelques années, elle a été menacée. On voudrait la détruire pour construire une route. Des protestations internationales ont jusqu'à ce jour empêché l'irrémédiable. Depuis l'achat par ses parents de ce havre de paix, Lorca y passait tous les étés et y écrivait. « Je suis en ce moment à la huerta de San Vicente, située dans la plaine de Grenade, confiait-il en septembre 1926 à Jorge Guillén. Il y a tant de jasmins au jardin et tant de belles-de-nuit qu'à l'aube nous avons tous un mal de tête lyrique, aussi merveilleux que celui dont souffre l'eau captive... »

La maison, restée propriété familiale, a été transformée en musée. Un musée sans guide, où l'on entre sans billet et où l'on circule librement, comme chez un ami. Comme si Federico, absent, vous laissait le soin de vous installer. Dans la bibliothèque, encadrés, voici son diplôme de bachelier, décerné le 9 février 1915 et signé par lui, et le diplôme d'institutrice de sa mère, Dona Vicenta Lorca y Romero, obtenu le 29 juin 1890. Un phono de bois brun à manivelle, « La Voz de su amo », attend qu'on le remonte pour jouer sans doute *Los cuatro muleros* ou le *Café de chinitas*, harmonisés par le poète musicien. Le salon, qui a perdu un grand piano à queue mais conservé son sofa, expose une photo de Concha en gitane et un joli dessin d'Ontañón sur lequel un Federico juvénile, en pull-over et le bras levé, déclame sa pièce à une Mariana Pineda, assise, et brodant le drapeau des libéraux. Dans la salle à manger d'acajou sculpté, avec ses vaisseliers remplis et sa table dressée, comme attendant ses hôtes, un tableau représente Isabel, la plus jeune sœur du poète, vêtue de blanc et jouant du piano. Au premier étage, je retrouve, intactes, les chambres. Celle de Federico a gardé son étroit lit de bois, simple et nu, qui semble espérer le retour de celui qui mourut sans sépulture. Contre le grand mur blanc est appuyé l'énorme bureau de chêne, constellé de tâches d'encre nerveuses et, le surmontant, l'affiche de *la Barraca*, le théâtre ambulant de Lorca, avec ses emblèmes : la roue bleu violet enserrant un masque mauve et brun de comédien.

Soudain le cœur se serre. En 1936, une partie du drame s'est joué ici. Federico était revenu depuis le 17 juillet de Madrid à Grenade quand des individus appartenant à un groupe de répression au nom significatif, l'Escouade Noire, commença à harceler la huerta de San Vicente et à brutaliser ses habitants. Dans les premiers jours d'août[6], une lettre anonyme pleine d'insultes et de menaces de mort acheva de convaincre le poète. Il fallait fuir et se cacher en attendant que la situation s'éclaircisse. Mais où ? Se réfugier dans la campagne toute proche où son père compte de nombreux amis parmi les paysans, Federico sait bien qu'il n'y doit pas songer.

Depuis les premiers jours du soulèvement, les franquistes gardent routes et chemins autour de Grenade et ne laissent personne circuler sans sauf-conduit. Alors, dans la ville ? Chez Manuel de Falla, dans sa maisonnette proche de l'Alhambra où le compositeur vit avec sa sœur María del Carmen ? Falla est un cœur généreux qui ne refuserait pas d'abriter son ami menacé. Mais on connaît, à Grenade, les liens qui unissent les deux hommes et une enquête sur le disparu passerait forcément par la maison du musicien. Alors ? Alors, dans une telle situation une seule ressource semble s'offrir : chercher asile chez un ami que ses opinions politiques mettent à l'abri de tout soupçon. Autrement dit : chez un phalangiste ! Immédiatement, Federico songe à l'un de ses compatriotes à Madrid, rentré à Grenade avant le désastre, et devenu, avec ses frères, l'un des chefs du nouveau régime dans la ville : Luis Rosales. Luis est un garçon fougueux, passionné de politique, mais c'est aussi un poète, beaucoup plus jeune que Federico, et qui se considère un peu comme son disciple. S'il accepte de l'héberger, qui pensera — qui osera — aller le chercher dans cette retraite ? Téléphoner. Appeler Luis, si par bonheur il est chez lui. À l'autre bout du fil, la voix de l'interlocuteur est familière. « — Luis ? » « — Oui. » « — Federico. Je voudrais te voir immédiatement ! Je t'en supplie : Viens ! » L'accent désespéré de Federico ne trompe pas Rosales. Le poète est en danger. Mais, par prudence : « — Je passerai te voir dès qu'il qu'il fera nuit. »

Il fait effectivement nuit quand à la huerta, un véritable conseil de famille réunit Dona Viconta et Garcia Rodriguez, Concha Montesinos, Federico et Luis Rosales. Celui-ci tranche les hésitations : « — Federico peut venir chez moi. Je me charge de convaincre mes frères. » Quelques instants plus tard, le poète quitte la finca dans la voiture de Rosales.

Après-midi du 25 mars

Grenade cherche-t-elle vraiment à conserver le souvenir de son poète ? Tout se passe ici comme si l'on voulait éliminer peu à peu les lieux heureux ou funestes qui le virent s'exalter ou souffrir. Au 31, Acera del Casino, la maison où Federico passa une partie de son enfance a disparu. Au 1 de la rue Angulo, des échafaudages couvrent la demeure des Rosales. D'énormes panneaux annoncent qu'on va la transformer en hôtel. En 1948, elle élevait dans cette rue étroite sa noble façade et montrait derrière la grille de son vestibule ombreux son patio de marbre à colonnes seigneuriales. C'est ici que dans la chambre aménagée pour lui au deuxième étage, Federico, passé les premières angoisses, retrouve son allégresse naturelle. La bibliothèque des Rosales était abondante et il lisait : Soto de Rojas, les vieux poètes de Grenade, Berces dont il récitait ensuite par cœur à sa voisine de chambre, la Tante Luisa, les *Miracles de la Vierge*. Parfois même, il travaillait : des retouches à *la Maison de Bernarda* et l'ébauche d'un recueil qu'il intitulerait le *Jardin des Sonnets*. Il est vrai que bien vite il refermait cahiers et manuscrits. « Tout cela est inutile », affirmait-il en venant s'asseoir près de sa nouvelle amie. Et alors, il racontait ses souvenirs, ses voyages aux États-Unis, à Cuba, en Argentine.. New York, La Havane, Buenos Aires... L'Amérique, toujours l'Amérique, comme une obsession, comme une évasion impossible. La maîtresse de maison, madame Rosales, et sa fille Esperanza, étaient aussi ses amies admiratrices. Les garçons, Federico les fréquentait peu. Antonio et José étaient brutaux, buveurs et peu bavards. Miguel, lui, se montrait plus affable, mais son fanatisme effrayait le poète. Chaque soir, en rentrant du front, Luis montait le voir et ensemble ils écoutaient Radio-Séville puis Radio-Madrid.

Le 18 août, à cinq heures du soir, la maison somnole, presque déserte : les garçons sont partis en opération et Tante Luisa se repose dans sa chambre. Un coup de sonnette soudain brise le silence. Federico, qui lit en pyjama sur son lit, bondit. À cette heure, chez les Rosales, il ne vient jamais personne. Madame Rosales, qui bavardait avec sa fille, est allée ouvrir. « — Mais, voyons, c'est une erreur ! » L'homme qui se présente et qui réclame *el senor García Lorca* n'est pas un lieutenant de cette garde civile ridiculisée par le poète. Non ! Il s'appelle Ramón Ruiz Alonso et dirige la répression de l'Escouade Noire. Ancien typographe au journal *Ideal* de Grenade, membre de la C.E.D.A. de Gil Robles, il a été conseiller municipal et même député aux Cortès ; méprisé par les siens, qui l'ont surnommé « l'ouvrier domestiqué », il assouvit, depuis le soulèvement, sa rage contre les Rouges en se faisant l'un des principaux pourvoyeurs des charniers de la ville.

Dans le patio, on parlemente mais l'homme veut sa proie. Il *sait* d'ailleurs que sa victime est là, comme le prouve l'épais cordon de miliciens et d'hommes armés qui jalonnent la rue et encerclent le quartier. Lorca, capturé, est alors emmené au siège du gouvernement civil, à quelques centaines de mètres de là. Les démarches faites pour sauver la vie du poète se heurteront toutes à l'obstination du gouverneur nommé depuis le 20 juillet et qui s'est érigé en juge suprême des centaines de prisonniers qu'on lui apporte : le commandant José Valdés. Phalangiste de la première heure, commissaire de guerre à Grenade durant toute la République, il était l'âme du complot, celui qui avait préparé le soulèvement. Le juge d'exception qu'il était devenu ne connaissait qu'une seule peine : la mort. À Grenade, on ne sortait pas vivant des griffes du bourreau.

Mais qui avait dénoncé le poète ? Luis Rosales, dans le livre de Gibson[7], et Bardem, dans son film, attribuent à Concha García Lorca une parole affolée qui aurait révélé aux tortionnaires venus à la huerta arrêter Lorca et qui, ne le trouvant pas, brutalisaient son père : « Il n'est pas parti, voyons, il se trouve chez son grand ami Luis Rosales. » Après la guerre, les paroles de Concha que sa famille elle-même me rapportera étaient plus sibyllines : « Mais il n'est pas caché ! Il est sorti, c'est tout. Il est allé lire des vers chez un ami. » Et l'on chuchotait d'autres noms, plus responsables, moins ingénus. Avec le temps, les principaux témoins ont quitté ce monde et ceux qui restent et veulent bien parler après tant d'années semblent avoir mauvaise mémoire. Allons, ne remuons pas la boue...

Matinée du 26 mars

À dix kilomètres de Grenade, j'ai voulu revoir Viznar, le lieu du crime. De tant de crimes. Quand je m'y rendis pour la première fois, en 1949, le village était comme interdit et l'étranger qui le visitait se sentait surveillé, épié. Dans les maisons, la peur retenait les langues et au-dehors les patrouilles de la garde civile éloignaient l'enquêteur trop curieux. À l'entrée du majestueux palais de l'archevêque Moscoso, une plaque commémorative rappelait qu'il avait été le quartier général du capitaine phalangiste José María Nestares, qui avait dirigé avec diligence à la fois les opérations militaires et la répression. « Dans ce palais de Viznar s'installa, le 29 juillet 1936, la caserne de la première Phalange Espagnole de Grenade. Entre ses murs, elle s'amplifia et devint la Première Compagnie, puis le Premier Corps de la Phalange Espagnole Traditionaliste de Grenade qui, par de durs combats, assura la sécurité de notre capitale contre la poussée marxiste. » Dans la campagne toute proche, des tueurs professionnels de plus en plus assoiffés de sang abattaient par grappe, d'une balle dans la tête les otages livrés par Valdés à Nestares.

Aujourd'hui, c'est le jeune maire socialiste, Buenaventura Rodríguez de la Higuera, qui m'accompagne. Sous son autorité, Viznar a retrouvé la sérénité blanche et souriante qui était la sienne avant la guerre civile. Don Buenaventura et ses concitoyens ont voulu exorciser le passé. Ils ont fustigé la folie des tueurs en rendant un hommage public à leurs victimes. Ainsi, depuis le 19 août 1983, le nom de Federico García Lorca a-t-il remplacé celui du général Franco sur la plaque de céramique de la place. Au bout du pays, à l'entrée de la petite route qui conduit à Alfacar et qu'empruntaient les condamnés pour aller vers la mort, une plaque de bronze baptise ce chemin Avenida de los Martires (Avenue des Martyrs) « en hommage au poète universel Federico García Lorca ». « Elle était elle aussi en céramique, me dit le maire, mais peu après l'inauguration quelqu'un l'a brisée à coups de fusil. Comme d'ailleurs celle de la place. Je ne comprends pas comment la haine peut être aussi tenace. »

Nous prenons l'Avenue des Martyrs et longeons un bâtiment aujourd'hui en ruine mais de sinistre mémoire. La Colonia. Je me revois photographiant avec un appareil japonais d'espionnage ce bâtiment blanc à tuiles roses, enjambant un ruisseau, l'acequia de Aynadamar, en arabe « la source des larmes ». Ancien moulin converti en colonie de vacances sous la République — d'où son nom —, la Colonia avait été annexée par les phalangistes qui en avaient fait un centre d'entraînement. C'est là que les hommes et les femmes amenés en camion ou en voiture du gouvernement civil de Grenade passaient leur dernière nuit avant d'être exécutés. Là que Federico, me dit-on alors, avait vécu ses dernières heures d'angoisse durant cette nuit du 18 au 19 août. Bavarda-t-il jusqu'à l'aube, comme dans le film de Bardem, avec deux banderilleros et un instituteur uni-jambiste ? C'est peut-être vrai si l'on en croit le fossoyeur retrouvé par Ian Gibson, et aussi les déclarations récentes du Grenadin Pepe Roldán Cobos qui affirme avoir vu au bord du chemin les quatre hommes étendus sur le ventre dans une mare de sang ; l'un des tore-ros était attaché à Federico par les bras avec du fil de fer ; l'autre torero, lié de la même façon à l'homme à la jambe de bois[8]. Mais comment a-t-on pu conserver leur grave conversation nocturne s'ils sont morts ensemble sous les mêmes balles ?

Poursuivant sur quelques centaines de mètres la route sinueuse, nous arrivons vers ce qui n'était autrefois qu'une pente pierreuse et désertique. Le *Barranco* ! L'immense cassure rouge et nue sur laquelle s'ouvraient les puits. Les *pozos* ! Le charnier. Les *pozos* étaient des puits naturels au bord desquels on assassinait les victi-mes d'une décharge de revolver avant de faire rouler à coups de pied les corps les uns sur les autres dans les fosses. L'article que je publiai à l'époque[9] entraîna les autorités à maquiller les lieux. On planta des pins. Ils ont grandi et forment aujourd'hui un joli bois qui n'a pas réussi pourtant à effacer totalement les fosses. Une pro-fonde cavité que l'herbe verdit est sans doute cette grande fosse que le curé de Vignar, don José Crovetto, me signala comme renfermant plus de cent cadavres. Lorca, selon lui, reposait ici, ou dans une des fosses voisines. Était-ce vrai ? Le bon vieux prêtre était un témoin essentiel mais il parlait peu. Il repose maintenant au village dans une petite chapelle bâtie sur l'ancien cimetière et a emporté ses secrets dans sa tombe. Au fond de la fosse, des mains inconnues ont disposé en croix des cailloux ronds sur lesquels on a jeté quel-ques fleurs fraîches.

Nous remontons en voiture et poursuivons notre route. Don Bue-naventura veut me montrer le Parc García Lorca qu'on a récemment construit non loin d'Alfacar. Il s'agit d'une vaste esplanade, minu-tieusement pavée de cailloux blancs avec, au centre, une fontaine. Un mur semi-circulaire offre au regard de belles mosaïques dont les lettres bleues chantent les vers célèbres du *Poète à New York*, de *la Mariée infidèle*, du *Romance somnambule*, d'*Antonio el Cambo-rio*... Mais pourquoi ? Mon compagnon m'entraîne vers un olivier rabougri abritant une stèle. « Si l'on en croit le garde Manuel Sán-chez Martín qui, le 19 août, était de service sur cette route, Fede-rico aurait été abattu ici. Il le vit passer à l'aube dans une voiture avec trois ou quatre autres personnes, et entendit presque aussitôt claquer des coups de feu. Gibson situe aussi la mort de Federico au pied de cet olivier. Alors on a construit ce lieu du souvenir. »

Connaîtra-t-on un jour le lieu véritable où repose le poète ? Les

Viznar - La Colonia (en 1949).

La forge gitane du Sacro Monte.

témoignages qui, à retardement, se multiplient, multiplient les lieux et même les dates. Une chose est certaine : en trois mois, ces lieux ont vu périr d'une mort atroce plus de deux mille victimes. Sous ses oliviers, ses champs et le gai ruissellement de ses eaux, cette terre de Viznar n'est qu'un immense ossuaire.

Après-midi du 26 mars. Viznar

Juan Sanchez Espigares, qui a quitté Viznar le 18 avril 1939 et gagné la France à pied, puis est revenu ici, dans ce village qu'il aime, en juillet 1973, me confie : « Les premiers prisonniers sont arrivés de Grenade fin juillet. Le 29 ou le 30. Un soir, dans un camion, avec des hommes d'ici, de Vignar : Pedro Márquez, Miguel Torices, Lomas le menuisier, et deux ou trois hommes de Grenade. Cela a duré jusqu'à la fin octobre, où un décret de Franco a interdit les exécutions sans une décision de justice. Au début, les camions montaient souvent, avec quinze à vingt personnes, parfois plus, quarante-cinq, cinquante. Plus tard, il n'y eut plus qu'un ou deux camions par jour, et parfois des voitures particulières. On a vite su les noms des tueurs. Ils étaient peu nombreux. Six, parmi lesquels le sergent Mariano, le caporal Ayllón, et quelques volontaires, un de Vignar, Manuel « el Castizo » et un type de l'Escouade Noire de Grenade, un certain Benavides. Après, un second peloton a succédé au premier, avec Ayllon à sa tête... Les premiers temps, notre curé, don José Crovetto Bustamante, allait à la Colonia confesser les prisonniers. Mais un jour il a dû donner la communion au fils de son ami, l'instituteur, qu'on allait fusiller. Il est allé trouver Nestares : « — Monsieur, je n'irai plus donner la communion à aucun de vos prisonnier, car je ne veux plus la donner à des innocents comme celui d'aujourd'hui. » « Croyez-moi, nous étions, nous, les premières victimes de leurs exactions. »

─────── *CLAUDE COUFFON* ───────
Critique et traducteur (Asturias, Neruda, Garcia Marquez, Alberti...).

1. *Impressions et Paysages*, éd. Gallimard.
2. Théophile Gautier, *Voyage en Espagne*.
3. *Romancero gitan*, éd. Gallimard.
4. Éd. Gallimard.
5. *Les lettres Françaises*, n° 632, 9-23 août 1956. Repris dans Claude Couffon, *À Grenade, sur les pas de García Lorca*, éd. Pierre Seghers, 1962.
6. Le 9 août, d'après le livre de Ian Gibson, *La Mort de García Lorca*, éd. Ruldo Ibérice, Paris 1974.
7. *op. cit.*
8. *Cambio*, n° 614, 5 septembre 1983.
9. « Ce que fut la mort de Federico García Lorca », *Le Figaro Littéraire*, 18 août 1951. Repris, augmenté, dans *À Grenade, sur les pas de García Lorca*, éd. Seghers, 1962.

BERNARD VINCENT

FLÂNER

À GRENADE

GRENADE NE S'EST JAMAIS LIVRÉE FACILEMENT. ET PAS DAVANTAGE AUJOURD'HUI QU'HIER. IL FAUT L'APPRIVOISER DANS UNE LENTE APPROCHE.

Pourquoi le cacher ? La visite de la ville de Grenade telle qu'elle est d'ordinaire conduite m'exaspère. Que voit, en une maigre journée, le touriste pressé, arrivé le matin de la Costa del Sol ? Il aura à peine eu le temps de deviner au loin, depuis l'autocar l'hôpital royal et la chancellerie qu'il se trouvera à quelques dizaines de mètres de l'enceinte de l'Alhambra. Une fois les palais admirés, vite, trop vite, l'après-midi sera réservée à la chapelle royale ct à la Cathédrale.

Le soir, les moins fatigués assisteront au spectacle folklorique d'une salle des fêtes, invariablement commencé aux accents du *Granada* de Lara. Ou à celui de quelques gitans faisant montre de leur savoir flamenco dans une grotte du Sacromonte. Ou aux deux, car les spectacles menés au pas de charge ne sont pas incompatibles. De toute manière, à la fin de la représentation, tous, acteurs et spectateurs, quitteront précipitamment les lieux car les Gitans ont hâte de rentrer chez eux, quelque part dans l'un des grands ensembles de la périphérie. Eh oui, en dépit d'une tenace légende que les guides entretiennent parfois, il y a belle lurette que les habitations troglodytiques du mont sacré ont été abandonnées.

Que reste-t-il de ce cocktail aux ingrédients hétérogènes ? Le souvenir, certes, plus ou moins fugace de quatre ou cinq monuments. Ne faisons pas trop la fine bouche. Deux heures à l'Alhambra, une au Generalife, une demi-heure à la chapelle royale resteront gravées dans les mémoires. Après tout il est d'illustres précédents. Chateaubriand, dans son journal de voyage n'avoue-t-il pas sa précipitation « je remontai jusqu'à Andujar et je revins sur mes pas pour voir Grenade » ? Mais Grenade est-elle seulement la juxtaposition de quelques insignes bâtiments ? Ne mérite-t-elle pas mieux ? Où se cache ce charme irrésistible auquel ont succombé tous les voyageurs venus d'Orient et d'Occident, Ibn Batutah de Tanger et Abd Al Basit le cairote, Monetarius de Nuremberg et Navagiero le Vénitien, Washington Irving le New-Yorkais et Théophile Gautier le Parisien ? D'où vient ce sortilège qui fait dire à Victor Hugo que « Grenade efface toutes ses rivales » ?

Comme s'il répondait en écho aux vers que l'on prête à un souverain du Moyen Age :

> « *Si tu le voulais, Grenade*
> *Je t'épouserais*
> *Et en dot te donnerais*
> *Cordoue et Séville* »

Où naît le mythe qui, à des milliers de kilomètres fait errer Sevtlov, de l'Ukraine à l'Andalousie pour un poème : « Grenade, mes amours, Grenade, ma Granade », qui a tant marqué Aragon ; ou encore imprègne le cinéaste Roman Karmen qui, voulant narrer la guerre civile espagnole, appelle son film *Grenade, ô ma Grenade.*

La cité requiert liberté et disponibilité. Il faut savoir l'écouter, la humer, la regarder. L'œil d'abord va la découvrir au lointain comme une terre promise. Cette sensation est vivement ressentie par le voyageur qui l'aborde par le sud, depuis la côte, ou par l'est, par la route de Malaga et de l'aéroport. Le premier se souviendra lorsqu'il apercevra à une douzaine de kilomètres la colline rouge, des pleurs versés par Boabdil, le petit roi, sur sa ville perdue. « Pleure maintenant, lui aurait dit sa mère, pleure comme une femme au royaume que tu n'as pas su défendre comme un homme ». Le second songera à Isabelle et Ferdinand, les Rois Catholiques, ayant contemplé jour après jour pendant huit mois depuis le campement de Sante Fe, à dix kilomètres, la cité qui tardait à s'ouvrir à eux.

Une fois parvenu à l'intérieur de ses murs, prendre de l'altitude est nécessaire. Monter par exemple à « la chaise du maure », promontoire dressé au-dessus du Generalife d'où l'on découvre l'échancrure du Darro qui se fraie un passage entre l'Albacin, colline verte et blanche comme si les couleurs du drapeau andalou lui avaient été empruntées et l'Alhambra, colline ocre, « bateau ancré entre la montagne et la plaine ». Ou atteindre la place de l'église saint Nicolas dans la partie haute de l'Albaicin où l'horizon tout à coup se dégage pour offrir sans la moindre réserve Alhambra et Generalife. Ou en arrivant de la route de Murcie qui surplombe la ville s'arrêter à proximité de Saint Christophe, la plus haute des églises granadines, pour mesurer en un instant l'ampleur de la *vega* si solidaire de la ville. Ou bien sûr, gagner la tour de la Vela, grande vigie à l'avant de la forteresse de l'Alcazaba où l'on lira les vers de Francisco de Icaza :

> « *Femme, fais-lui l'aumône*
> *Car il n'est dans la vie*
> *De malheur plus grand*
> *Que d'être aveugle à Grenade.* »

Déjà sur les hauteurs parviennent les rumeurs qui parcourent les groupes ayant envahi les places, *plaza nueva* ou *campo del principe*. Mais ici et là, l'eau se fait entendre, celle des deux rivières, le Darro et le Genil, « l'un pleure et l'autre saigne » dit Garcia Lorca, celle des fontaines des lieux publics de l'Alhambra, du Generalife, des jardins du *campo de triunfo*, de la place Isabelle la catholique, du *paseo de los tristes*, de la place du Campillo, et de celles plus modestes qui se cachent derrière les murs des demeures, celle des rigoles qui descendent des collines et agrémentent le parcours de leur léger cliquetis.

À errer d'un endroit à un autre, le promeneur sera accompagné du carillonnement de cloches d'églises ou de couvents et saisira le rythme sophistiqué des *campanes* de la tour de la Vela qui commande l'irrigation de la plaine. Il tendra l'oreille au cri de l'aveugle qui, au coin de la rue, propose un billet de loterie ou avec un peu de chance à celui du vendeur de poisson ou de galettes, tous, « chants brefs, refrains de la cité ». Il pourra se fondre dans la foule qui attend le passage d'une procession de semaine sainte et retenir sa respiration pour mieux laisser s'envoler la *saeta* qui s'adresse à la Vierge. Il goûtera le chant nocturne des hirondelles qui prélude aux concerts donnés en été au patio des myrtes de l'Alhambra.

Il est des bruits moins mesurés. Ceux de la ville en fête, lors de la semaine sainte précisément quand les *costaleros* qui portent la Vierge de l'église saint Michel négocient le difficile virage de la chapelle saint Grégoire au bas de l'Albaicin. Une énorme salve d'applaudissements salue l'exploit et retentit dans la nuit. Ailleurs, à Saint Cecilio, les habitants du quartier empêchent le retour du *paso* à l'église et l'emmènent dans les ruelles, accordant à la Vierge de la solitude un fervent tour d'honneur sous les vivats.

La liesse atteint son comble surtout à l'occasion de la *feria* qui se déroule tout au long de la semaine de la Fête-Dieu. L'affaire a pris tant d'importance qu'on lui a tout récemment consacré un immense emplacement au nord de la ville. Tous, grands et petits, s'attardent dans les chaudes nuits de juin, accompagnés par le tempo des *sévillanes* que l'on danse à l'intérieur des *casetas* et le bruit des attractions que proposent une multitude de forains. Mais en temps ordinaire, chaque soir, les amateurs de musique pop, rock... peuvent se rendre dans le quartier situé au sud-ouest de la ville, à deux pas de la faculté des sciences, où prolifèrent boîtes et bars. Ici la cacophonie atteint des degrés insoupçonnés. On n'est pas obligé de s'attarder mais au moins se rendra-t-on compte à quel point Grenade est une ville jeune où un habitant sur six ou sept est étudiant.

Et comment ne pas être imprégné par les senteurs qui tout à coup captivent, odeur forte des cierges accumulés devant les statues les plus vénérées, odeur âcre du *brasero* que l'on prépare à l'extérieur de la maison, odeur subtile des herbes et des épices étalées sur le trottoir de la cathédrale, odeurs appétissantes des petits marchés à l'air libre de la *caldereria*, au pied de l'Albaicin, ou du Realejo, odeurs enivrantes des arbres et des fleurs, cyprès et myrtes, géraniums et magnolias, œillets et jasmins qui jalonnent et embaument les jardins des maisons modestes et des palais ? Grenade n'est-elle pas la ville des *carmenes*, type architectural unique au monde qui associe bâtiment et jardin sur plusieurs degrés ?

Pour le plaisir des sens, le carmen a envahi aux XVIe et XVIIe siècles les collines de la ville. Et entre toutes les fêtes que célèbrent les grenadins, il en est une, celle de la croix de mai, le 3 de ce mois, qui constitue un hymne au printemps revenu. Grenade est un parfum. La cité se pare alors de ses plus beaux atours. Les châles les plus précieux ornent balcons et fenêtres et d'immenses croix de fleurs érigées par les habitants d'une rue ou d'un quartier, les membres d'une profession ou d'une confrérie parsèment le paysage urbain. Les habitants manifestent, le soir, leur allégresse dans une aimable cohue, faisant le tour des éphémères chefs-d'œuvre et évaluant leurs mérites.

UN DESTIN SINGULIER

Grenade est inépuisable. Mille parcours peuvent être empruntés. Il est évidemment impérieux de partir à la recherche de la Grenade musulmane, celle qu'évoquent avec nostalgie Lorca et Aragon. L'un et l'autre nous invitent à en découvrir des visages secrets. À vingt ans, Lorca chantait son amour pour l'Albaicin, lieu selon lui de l'esthétique strictement grenadine, celle du petit. Le *banuelo de la carrera del Darro* date du XIe siècle. Les frêles colonnes et leurs chapiteaux, romain, visigothique ou d'époque califale ont défié le temps. Ces bains de quartier, harmonieux dans leur simplicité, n'ont en commun avec les bains de l'Alhambra que leurs dimensions.

Un peu plus loin, un peu plus haut, deux minarets ont échappé à la destruction systématique des mosquées. Le plus ancien domine l'église de saint Joseph et le second du XIIIe siècle est accolé à saint Jean des Rois. L'un et l'autre ont subi quelques transformations pour abriter des cloches mais leur sveltesse demeure. À proximité de saint Michel se trouve le palais de Dar-Al-Horra, édifice superbe du XVe siècle que la mère de Boabdil a habité. Ses dimensions sont réduites — le patio n'a pas plus de 80 mètres carrés — mais l'ensemble respire équilibre et sérénité. Comme au banuelo, le temps est suspendu. Le visiteur aura eu quelque mérite à trouver la porte d'entrée que rien ne signale à l'attention, sauf le fil d'une cloche au son aigrelet mais, récompensé de sa quête, pourra, de courts instants, s'imaginer maître de cet espace de paix. Du mirador il contemplera la gracile tour *mudejar* de Saint-Bartholomé, témoignage d'une influence musulmane persistante, qui émerge au-dessus des toits avoisinants.

Le fou d'Elsa s'est davantage intéressé aux ensembles d'époque arabe de la basse ville. Le *fondouk*, de l'autre côté du Darro fait face à la chapelle royale. Appelé aujourd'hui *corral del carbon* parce que les marchands de charbon y étaient logés au XVIᵉ siècle, il est l'unique caravansérail totalement conservé en Espagne. L'Alcaiceria, marché de la soie et des objets précieux brûla hélas en 1843. Le tracé rectiligne actuel ne donne pas une image fidèle de l'inextricable réseau d'échoppes aux dimensions dérisoires, mais la force d'évocation reste grande.

> « *La rue à la largeur des épaules frayées*
> *Descend comme un orvet d'argent entre les coffres*
> *Les tapis les mouchoirs et les manteaux rayés*
> *Dans les cris les regards les désirs et les offres.* »

L'esthétique du grand n'est cependant pas absente. Comment ne pas être frappé par le destin singulier d'une ville qui faillit devenir capitale et qui le fut, de facto, l'espace d'un demi-siècle ? Aujourd'hui, on est séduit par la richesse des trésors de la chapelle royale et la beauté du palais de Charles Quint. L'émotion même affleure lorsque, contemplant les tableaux de Bouts, de Memling et de Van der Weyden, nous imaginons Isabelle la catholique constituant avec discernement l'une des toutes premières collections privées de tableaux ou lorsque nous songeons à l'empereur qui, fasciné par le palais nasride de l'Alhambra, ordonne la construction d'un monument que les tribulations d'une existence itinérante ne lui permettront pas de voir.

Nous sommes plus heureux que l'illustre commanditaire mais nous visitons le palais de Charles Quint et la chapelle royale comme des bâtiments isolés. Pourtant une volonté claire, une idée unique les réunissent et avec eux la cathédrale, rotonde et basilique à la fois, dont l'empereur a rêvé de faire son tombeau, l'église saint Jean des Rois, la première édifiée à Grenade, et l'admirable hôpital royal. Celui-ci est bien délaissé en dépit de la pureté de son plan à croix grecque et de ses lignes, de l'harmonie et du charme de ses quatre patios traités différemment. Les uns et les autres sont ornés du F de Ferdinand, du Y d'Ysabel et du K de Karolus, à la présence obsédante.

Grenade la musulmane a été profondément marquée par la christianisation rapide et profonde du décor urbain aux XVIᵉ et XVIIᵉ siècles. De la cathédrale à la chartreuse, de la délicieuse église sainte Anne au monastère de saint Jérôme, personne ne peut échapper à cette prégnance. Et encore, la plupart des très nombreux couvents sont d'une extrême discrétion. Le Grenadin, qu'il l'avoue ou non, a une grande familiarité du fait religieux pour de multiples raisons. Ainsi, le touriste attentif le verra attendre à la limite de la clôture d'un couvent. Ce n'est pas de dévotion qu'il s'agit, mais de pâtisserie de tradition judéo-musulmane dont les nonnes ont soigneusement conservé le secret. Mais derrière les murs austères, il reste quelque chose du mysticisme de Luis de Grenade ou de l'enseignement de Juan de Avila.

Le religieux le plus populaire est saint Jean de Dieu. Lorsque dans ses mémoires, au terme d'un long exil, le grand écrivain contemporain Francisco Ayala se souvient de son enfance grenadine, la première image qui surgit est celle du tableau représentant Jean de Dieu agonisant. Cet homme du XVIe siècle, originaire du Portugal, a fait les quatre cents coups. À Grenade, il décide de changer de vie et de se vouer aux pauvres, sommant les riches de donner l'aumône et créant un hôpital ouvert à tous. Nous suivons ses pas de l'hôpital royal où il a été enfermé, car on l'a cru fou, à la maison de los Pisas, située entre la place neuve et le *banuelo*, où il est mort.

Malade, affaibli, il avait été accueilli par l'une de ces familles influentes qui avaient été sensibles à sa force de conviction. La maison est un bon exemple de la demeure noble de l'époque et offre aux regards une invraisemblable collection de toiles, de statues, de meubles et de manuscrits. L'hôpital saint Jean de Dieu et l'église attenante non seulement évoquent la vie du saint mais renferment aussi des joyaux de l'art baroque.

Singulièrement, l'église, construite en une vingtaine d'années au milieu du XVIIIe siècle, a à la fois une grande unité de style et une décoration exubérante. Et Jean de Dieu a eu récemment un lointain émule ou disciple en la personne d'un capucin, Fray Leopoldo de Alpandeire qui, comme lui, demandait l'aumône avant de mourir, chargé d'ans, en 1956. Enterré dans la crypte de l'église de son ordre, située en contrebas de l'hôpital royal, il est l'objet d'une ferveur étonnante. On l'invoque pour toutes les causes et une main espiègle avait inscrit sur le mur de l'église, lors du référendum de 1985 sur l'adhésion de l'Espagne à l'OTAN « Fray Leopoldo aurait voté non » !

LE BRUIT DE L'EAU

*I*l est indécent de quitter Grenade sans avoir vu la Vierge des angoisses. La *patrone*, placée elle aussi dans un décor baroque foisonnant, est visible dans sa basilique à deux pas du Genil. C'est une statue, peut-être du XVIe siècle, qui a subi bien des ajouts et des retouches avec le temps ! Mais on n'a pas le droit de chipoter son admiration surtout le dernier dimanche de septembre, jour de la procession solennelle annuelle.

Un moment capital est celui de la sortie de l'église vers cinq heures du matin. On mesure là le pouvoir de la Vierge, seule capable de faire lever si tôt un dimanche matin des milliers et des milliers de Grenadins. Je vous propose malgré tout un furtif détour par la cathédrale pour jeter un œil miséricordieux à la Vierge de la Antigua qui, victime de la concurrence, reste solitaire. Celle qui fut la préférée pendant un siècle environ est une belle œuvre gothique au symbole limpide : Vierge à l'enfant, elle porte une grenade dans sa main gauche.

Une dernière promenade. Nous avons été tout à l'heure accompagnés par le bruit de l'eau. Cherchons-la. Rien n'est plus facile tant Grenade est civilisation de l'eau. Pour s'en rendre compte, il suffit de prêter attention aux noms des rues qui à eux tous composent un livre suspendu, les édiles ayant eu naguère la bonne idée de réutiliser toutes les anciennes appellations. Ici la rue des teinturiers dont les boutiques jouxtaient le Darro qui fut tardivement recouvert, là celle des moulins, nombreux à l'entrée de la ville.

Trois artères ou venelles portent le simple nom de l'eau, cinq autres d'un lavoir, cinq autres encore d'un puits. Ces derniers sont toujours bien présents mais souvent cachés comme autant de trésors. L'Albaicin en regorge ! Deux sont tout proches de l'église saint Bartholomé, un autre orne un mur de l'église du saint sauveur, un autre est visible place saint Nicolas, etc. L'Alhambra n'en est pas dépourvue et la place qui relie l'Alcazaba au palais de Charles Quint s'appelle place des puits.

L'eau est une récompense, un don, le plus précieux des biens. Le promeneur qui fait l'ascension de la colline de l'Alhambra sait, par exemple, l'apprécier lorsqu'il fait une halte bienvenue à la fontaine de Charles Quint, à l'entrée de la forteresse. Mais il y a eau et eau. Celle du puits de l'Alhambra, et celle de la fontaine du noisetier située en un lieu charmant, sur la rive gauche du Darro, face au Sacromonte. Boire et comparer les deux eaux est indispensable si l'on veut trancher à distance l'immense débat qui a longtemps divisé *avellanistas* et *alhambristas*. Angel Ganivet, qui était un fervent avellanista, présidait une confrérie du noisetier qui se tenait dans les aimables parages de la fontaine.

Revenons au centre. Tout séjour à Grenade doit prendre fin place Bibarrambla, dont le nom veut dire « place de la porte du lit de la rivière ». Elle est le carrefour de tous les itinéraires. Entre mairie et marché, cathédrale et poste centrale, le lieu où naissent les rumeurs, le pouls de la cité. Le matin, s'y rassemblent des chômeurs en quête de travail, des vendeurs d'oiseaux ou de montres, des cireurs de chaussures, l'après-midi une foule de chalands attirés par les innombrables petits commerces qui l'entourent et de badauds sans but précis. Beaucoup vont naturellement boire l'eau de la fontaine des géants qui trône au centre de cet espace rectangulaire.

Mais les Grenadins ne sont pas que des buveurs d'eau ! Aux abords de la place se trouvent des tavernes où l'on goûtera le vin de Albondon appelé aussi vin de la côte parce qu'il provient du versant méridional de la sierra Nevada. Les amateurs de sirop d'orgeat iront tout près, au vieux café Granada, lieu de prédilection des intellectuels au XIXe siècle, qui a conservé un aspect désuet et attachant, ceux de chocolat n'auront que l'embarras du choix entre les bars de la place convertie en une immense terrasse. Le comble du raffinement est de savourer le breuvage la nuit ou au petit matin, à la fin d'un concert du festival d'été ou au retour de la feria.

Les plus curieux feront quelques achats dans des quincailleries, véritables bazars dont on croyait l'existence révolue ou dans des merceries où les comptes sont encore établis en réaux. Ils iront chez le cordonnier voisin, installé dans une petite boutique pompeusement appelée salon du pied, pour confier leurs chaussures aux mains incroyablement agiles du cireur. Ils ne résisteront à l'attrait des bouquets que préparent les fleuristes des kiosques du centre de la place.

Bibarrambla a toujours été le site de grandes confluences, de grandes liturgies, de grands spectacles : courses de taureaux, jeux de cannes, autodafés même. Aujourd'hui, si les uns ont lieu dans d'autres enceintes et si les autres ont heureusement disparu, les hasards du calendrier permettent peut-être au flâneur d'assister à un spectacle de marionnettes ou à un meeting. Et si tel n'est pas le cas, au retour de Grenade, il sera toujours possible de lire ou relire la pièce que Lorca a consacrée à Mariana Pineda, l'héroïne grenadine par excellence. L'écrivain a situé, comme il se devait, le décor du prologue de sa pièce, place Bibarrambla.

———————— *BERNARD VINCENT* ————————

PEDRO CORDOBA

LES CROIX

ET LE CALVAIRE

LE 1er FÉVRIER ET LE 3 MAI ONT LIEU À GRENADE DEUX FÊTES QUE TOUT
OPPOSE. PRESQUE CLANDESTINE, LA PREMIÈRE — SAN CECILIO — CON-
CERNE AU PREMIER CHEF LES AUTORITÉS CIVILES ET RELIGIEUSES ET,
MALGRÉ TOUS LES EFFORTS PRODIGUÉS DEPUIS UNE DIZAINE D'ANNÉES
POUR SUSCITER LA PARTICIPATION POPULAIRE, ELLE SE PERPÉTUE CAHIN-
CAHA, N'OBTENANT QU'UN SOUTIEN MITIGÉ, RÉTICENT, QUASIMENT
LÉTHARGIQUE. AU COURS DE LA DEUXIÈME EN REVANCHE — LAS CRUCES
— LA VILLE ENTIÈRE *ÉCLATE* ET *S'ÉCLATE*.

La fête de San Cecilio et celle de *Las Cruces* — donnons-lui son
appellation locale — sont toutes deux des fêtes manipulées. Mais elles
ne le sont pas au même titre, ni de la même façon, ni depuis la même
époque. La première remonte à une vaste fraude politico-religieuse
entreprise à l'extrême fin du XVIe siècle lorsque la cohabitation des
deux communautés, *vieille chrétienne* et *morisque*, de plus en plus
heurtée depuis la capitulation de 1492, s'avéra désormais impossible.
La deuxième correspond à une longue tradition du folklore chrétien,
essentiellement attestée à Grenade dans des textes du XIXe siècle mais
qui est bien antérieure à cette époque ; elle s'essouffla puis disparut
dans les années sombres de l'après-guerre civile et ne s'affirma de
nouveau qu'au début des années 60, avec le grand « boom » touristique qui désenclava l'Espagne de la rigide autarcie franquiste.

Très récente donc, cette dernière histoire peut être reconstituée
en détail. Il suffit de consulter la presse locale pour voir s'afficher
les mécanismes d'une résurrection menée de main de maître. C'est
en 1963 que les voisins d'un minuscule quartier de Grenade sis
autour de la *Placeta de la Cruz* décidèrent de célébrer à nouveau
la fête, telle qu'ils l'avaient connue dans leur enfance.

La chose, sans doute, n'aurait point eu grand retentissement si
les gens qui prirent cette initiative n'avaient été liés à un personnage fort important de la ville : Don Antonio Gallego Morel. Appartenant à une vieille famille de la bourgeoisie intellectuelle grenadine,
Don Antonio, éternel Recteur de l'Université ayant ses coudées fran-
ches auprès du Dictateur, était aussi en l'occurrence Délégué Provincial du Ministère d'Information et Tourisme, nouvellement créé.
Il est difficile de savoir s'il souffla lui-même l'idée à ses amis de
la *Placeta de la Cruz* ou si, au contraire, il saisit au vol, avec une
intuition prodigieuse, une initiative promise à un fastueux avenir :
des versions contradictoires circulent à ce sujet.

Le fait est que l'année suivante Gallego Morel mit en branle les puissants mécanismes institutionnels dont il disposait. N'oublions pas le fabuleux intitulé de sa charge : Information et Tourisme, l'asservissement des *media* pour promouvoir une image moins déprimante de l'Espagne, accordée aux exigences politiques et financières du temps.

Une presse à ses ordres bombarda les habitants, des semaines à l'avance, de lamentations sur les traditions qui se perdent, puis d'injonctions à les faire revivre, suivant les étapes d'une campagne publicitaire savamment orchestrée. Les derniers jours l'insistance devint martellement. On annonça avec fracas qu'une *Cruz* serait montée au siège de la Délégation d'Information et Tourisme, la *Casa de los Tiros*, et on invita la population à venir l'y contempler, on organisa un concours de Cruces avec prix à la clé pour les plus belles, on publia quotidiennement la liste des participants en invitant les réticents à l'allonger, la radio diffusa comme une antienne le *pregón* de Gallego Morel, discours d'ouverture de la fête écrit dans une prose lyrico-larmoyante propre à toucher la corde sensible des Grenadins. Bref, quand arriva le jour J. la fête connut un certain succès que la presse se chargea, bien sûr, de répercuter en l'amplifiant. La machine était lancée.

CRÉER
L'ÉVÉNEMENT

L'opération se répéta les années suivantes, recueillant un soutien chaque fois plus massif. Les manœuvres les plus grossières périclitèrent assez vite. C'est ainsi que le *Día del clavel*, où des centaines d'adolescentes étaient mobilisées pour offrir des tonnes d'œillets de Motril à toutes les honorables étrangères qui franchissaient la porte d'un hôtel, le guichet d'un cinéma ou l'entrée de l'Alhambra, fut célébré pendant deux ou trois ans puis sombra dans l'oubli. Destinée à promouvoir l'industrie florale de la zone côtière tout en faisant risette au touriste, la manipulation était trop visible.

Et, quoique la presse de l'époque s'en souffle mot, elle dut heurter de front les intérêts d'une frange importante de la population gitane qui s'assure des revenus substantiels de la vente à la sauvette des mêmes produits à la même clientèle : cette redoutable corporation de matrones gitanes ne dut pas voir de bonne grâce la concurrence déloyale de l'administration et nul doute qu'elle le fit vertement savoir à qui de droit. (Qui ne s'est pas affronté à une gitane de Grenade voulant à tout prix vous agrafer un œillet à la boutonnière ou au corsage ne sait pas le répertoire de flatteries dont elles disposent, immédiatement retournées en terrifiantes malédictions pour peu qu'on s'obstine à refuser l'hommage).

Quoi qu'il en soit, après la réussite initiale et une fois supprimées les initiatives les plus malheureuses, les Cruces trouvèrent rapidement leur rythme de croisière. La tradition est maintenant bien établie et on devine même, depuis quelques années, une volonté des autorités locales pour ériger Grenade et ses Cruces en équivalent printanier de Séville et sa Féria.

Ville sans grande *afición* taurine, Grenade n'a jamais en effet réussi à faire de sa propre Féria, qui coïncide avec la Fête-Dieu, un événement régional, national, et encore moins international, comme est devenue la Féria de Séville. Seules les institutions les plus rances et les familles à rejetons communiants participent aux processions ; la population y assiste, bien sûr, mais davantage par inertie que par conviction et elle se montre assez réticente à se déplacer jusqu'au *Polígono de Almanjayar* où se trouvent les *casetas*, banlieue mal famée et repaire, à ce qu'on dit, de drogués et de marlous. Par ailleurs, la Féria est chronologiquement trop proche du Festival de Musique et Danse, l'un des plus importants d'Europe, qui attire, lui, un tourisme fort huppé.

Triplement coincée par une religiosité un peu racornie, les rumeurs d'insécurité et une fâcheuse coïncidence calendaire, la Féria de Grenade n'arrive pas à « décoller ». De là, vient sans doute, que tout l'effort pour attirer un public tous azymuts, intéressé par le renouveau des traditions et du folklore mais souhaitant aussi plonger dans un vigoureux tohu-bohu de sensations bariolées, se porte sur les Cruces, qui sont en passe de devenir la vraie Féria de Grenade.

CHEMINS
DE CROIX

L e plus fascinant, peut-être, est l'impression que produit une ville soudain mise à l'envers. Car Grenade, le jour de la Sainte-Croix, subit çà et là — une place, un coin de rue, un patio, une esplanade — une étrange topologie du retournement, de l'inversion du dedans et du dehors, que j'appellerai, faute de mieux et si l'on veut bien me pardonner l'incongruité (la vulgarité) de la comparaison, « topologie de la chaussette ».

Le lecteur n'aura pas manqué de s'apercevoir qu'en rangeant son linge, il doit toujours remettre ses chaussettes à l'endroit comme si au lavage quelque diable obstinément s'acharnait à les retourner : c'est le propre de la chaussette, sa malédiction intime, que de toujours se trouver à l'envers. (On dit la même chose des gants mais la phrase me semble empiriquement fausse : du moins n'ai-je jamais personnellement eu affaire à des gants retournés). Eh bien, Grenade obéit, au moment des Cruces, aux lois de cette topologie inversive qui affecte l'ensemble de l'espace urbain. Désertée (ou presque) par les voitures, la ville est désormais pluricentrée sur la centaine de Cruces qui, aux endroits les plus traditionnels — *Albaicin, Realejo, Plaza del Carmen*, etc. — ou les plus insolites, dressent une architecture éphémère et baroque qui embrase la nuit de remous lumineux.

Le mot Cruz désigne simultanément la Croix florale chargée de commémorer l'heureuse trouvaille de sainte Hélène et, par synecdoque, l'ensemble du dispositif dont elle est le centre. Des semaines, parfois des mois à l'avance, un groupe de voisins se cotise pour trouver les fonds nécessaires et se met d'accord sur un projet concret, à la fois architectural, décoratif et symbolique. La construction elle-même dure deux ou trois jours (et nuits), souvent davantage si, voulant décrocher le premier prix au Concours, on a opéré un choix particulièrement ambitieux : il faut trouver les matériels, résoudre les difficultés techniques, rendre compatibles les idées qui fusent au dernier instant. Une sociabilité particulière s'instaure, des solidarités imprévues se nouent, les hommes s'occupent du gros ouvrage, les femmes préparent mets et libations puis mettront les dernières touches décoratives.

La Croix est généralement faite de fleurs piquées sur une armature de bois (mais on trouve des matériaux farfelus, à la limite du sacrilège, des nouilles, des escargots et même, il y a trois ans, sur deux filins croisés de fenêtre à fenêtre, ces sous-vêtements féminins au demeurant fort désagréables, car ils ne limitent plus au bon endroit avec une zone de chair, qu'on appelle « collants » — en espagnol « *panties* » — et qui ont remplacé, semble-t-il à tout jamais, les bas et jarretelles du temps jadis : ce fut la *Cruz de los punkies* et le scandale est encore gravé dans les mémoires.

LE SECRET DEVIENT PUBLIC

*T*out autour de la Croix s'amoncellent, artistement disposés, des objets divers qui se rangent en trois catégories principales : d'abord des fleurs, beaucoup de fleurs, en vases ou en pots ; ensuite tous les cuivres de la famille — bassines, plats, poëles, marmites — astiqués et briqués ; et enfin des draperies diverses — tentures, dessus de lit, mantons de Manile, etc. À quoi s'ajoute, au gré des bâtisseurs, toute une panoplie hétéroclite : éventails, guitares, costumes de toréador ou de gitane, statues de la Vierge, portraits des grands-parents, miroirs, bijoux, tout est bon pourvu qu'il y ait un rapport à la vie traditionnelle ou familiale.

L'impression d'ensemble est celle d'une curieuse alcôve-chapelle à l'air libre, où chacun serait venu déposer ce qu'il a de plus personnel et précieux pour offrir aux yeux de tous une intimité soudain projetée en un spectacle de rue fait d'une pluralité d'intimités conjointes. La ville éclate, avions-nous dit. Peut-être serait-il plus exact d'y voir une sorte d'implosion où le caché devient visible et le secret public, à la faveur d'un chamboulement qui fait passer de l'autre côté d'elles-mêmes les frontières internes de la vie urbaine.

La fête commence le 2 mai au soir quand les gens — l'ensemble des habitants de Grenade plus des milliers de touristes, nationaux et étrangers — commencent à repérer les Cruces les plus belles, celles où ils donneront à leurs amis des rendez-vous toujours râtés, mais qu'importe puisqu'on finira par se retrouver quelques heures plus tard à l'autre bout de la ville ou alors on rencontrera des inconnus — et l'aventure n'en sera que plus belle — avec qui on liera une amitié débordante, qu'on frôlera dans un flirt labile et sans lendemain, ou avec qui on se contentera de boire force *finos, cañas* ou *cubatas* — j'avais oublié de dire que chaque Croix est aussi un débit de boisson — tout en dansant des sévillanes, parfois aussi, mais plus rarement, des airs gitano-grenadins venus du Sacromonte comme la *reja* ou la *mosca*.

Rencontres fugitives et multiples, sources à leur tour de nouveaux rendez-vous, eux-mêmes râtés mais qu'importe... La ville est prise d'une frénésie qui s'accroît au fil des heures — car la fête dure de la veille au soir jusqu'au lendemain du 3 mai — tout le monde est de plus en plus fatigué, de plus en plus éméché, de plus en plus heureux. Tel est le spectacle qui frappe le badaud le plus superficiel, le touriste le plus inattentif. Son caractère extraordinaire tient, je l'ai déjà dit, à ce retournement du dedans et du dehors, du privé et du public, du résidentiel et de l'ambulatoire. Les artères de circulation s'involuent pour accueillir, autour d'une Croix, une représentation à l'air libre de l'enclos domestique. Et, quand la Croix est installée à l'intérieur d'un bâtiment, généralement dans un patio, c'est l'espace fermé qui s'ouvre aux flux circulatoires et nomades, traversé en tous sens par des masses humaines en mouvement.

Telle est la topologie que j'ai dite « de la chaussette », et qu'un mathématicien qualifierait de façon plus technique mais sans doute moins accessible au profane de « bouteille de Klein » : affectant l'ensemble d'un tissu urbain mis sens dedans dehors, elle distingue les Cruces grenadines de fêtes auxquelles on pourrait à première vue songer à les comparer, comme la Féria de Séville ou le Carnaval de Rio.

CENOTAPHE
AU SACROMONTE

Depuis la transition démocratique, les autorités de Grenade essaient vainement de ranimer une autre fête, celle du 1er février, qui a lieu devant l'abbaye du Sacromonte. On a tout essayé : spectacle de danses folkloriques, concours de cuisine tradi-

tionnelle, vin et biscuits salés offerts gracieusement par la municipalité ; il y a deux ans — à la veille, il est vrai, d'élections — Monsieur le Maire lui-même a payé de sa personne en se laissant, au
sens propre, « berner » (rappelons que ce verbe, qui vient de l'arabe
burnus, désigne la brimade consistant à faire sauter quelqu'un en
l'air sur une couverture). Rien n'y a fait. Jamais plus de quelques
centaines de personnes, tous âges, toutes raisons et tous sexes confondus, ne se rassemblent pour honorer la mémoire du saint patron
de la ville.

Plusieurs raisons concourent à cette désaffection : la stricte séparation entre la célébration officielle, extrêmement guindée, et la partie de campagne, à une date où il fait plutôt frisquet, réservée au
« peuple » ; le total abandon dont est victime, le reste de l'année,
l'ensemble du Sacromonte, le report de la foi sur d'autres symboles comme la Virgen de las Angustias ou Fray Leopoldo, plus effi-
caces, semble-t-il, que San Cecilio en ce qui concerne la concession
de miracles.

Quiconque va à Grenade, son *Guide bleu* à la main, sait qu'il doit
une visite, si possible nocturne, au Sacromonte. Pour le touriste
moyen, le nom est aujourd'hui synonyme de flamenco, froufrous
d'éventails et de mantilles, danses endiablées jusqu'à l'aube. Il risque fort de déchanter : s'il ne se fait pas détrousser en chemin, ce
qui est, malgré tout, assez rare, il sera inévitablement plumé sur
place car on n'y va pas de main morte sur les prix et, s'il connaît
en plus quelque chose au flamenco, il subira en plus la honte d'être
confondu avec les hordes ignares déversées par les *tour-operators*
(plus qu'ailleurs peut-être le véritable flamenco y est réservé pour
les intimes, quand les gitans se retrouvent enfin entre eux).

C'est que le Sacromonte n'est plus celui qui fascina les voyageurs
romantiques. Les inondations catastrophiques de 1963-1964 forcèrent
la majorité des habitants à abandonner les *cuevas* (maisons troglodytes) où ils avaient toujours vécu. Au lieu de réaménager ces dernières, les autorités de l'époque profitèrent de l'occasion pour parquer
les gitans à l'extérieur de la ville, dans le Polígono de Cartuja. L'effet-
boomerang de cette mesure imbécile ne tarda pas à se faire sentir :
déracinées, relogées dans un habitat qui les empêche d'exercer leurs
activités traditionnelles et, depuis la crise, frappées de plein fouet
par le chômage, les familles de Cartuja n'ont pas d'autres moyens
de survivre (ou de mourir) que le vol et la drogue.

Le problème a pris une telle ampleur que la municipalité est en
train d'étudier la réhabilitation des cuevas pour y transvaser de nouveau la population : 80 pour cent des gitans interrogés se sont décla-
rés d'accord pour « rentrer chez eux », chiffre d'autant plus remarquable que les jeunes — et ils sont fort nombreux — n'y ont jamais
résidé. En attendant, le Sacromonte n'est plus habité, sauf rares
exceptions, que par les professionnels du flamenco *ready made for
tourists*.

Quel rapport, dira-t-on, entre le monde gitan et le patron de Grenade ? C'est que le nom de Sacromonte, qui évoque aujourd'hui le premier, se réfère d'abord au second : ce mont est sacré car il est la sépulture d'un saint, et non le refuge de bohémiens. Il faut encore une bonne grimpette après la fin du quartier gitan pour arriver à l'orgueilleuse architecture de l'abbaye, qui fut bastion de la foi catholique et l'un des symboles majeurs de la Contre-Réforme en Espagne et se trouve aujourd'hui dans le même état de délabrement que les cuevas miséreuses des gitans : le collège n'a plus de collégiens, le monument lui-même menace ruine, l'immense bibliothèque est close ainsi que le musée et seul un vieil abbé, Don Jésus Roldán, de force anachorète, refuse de déguerpir.

Depuis de longues années on parlote entre autorités civiles et religieuses, on évoque la possibilité de restaurer l'abbaye, de la transformer en centre culturel, puis les choses s'enlisent et sombrent dans l'oubli. Le contexte ne se prête donc guère aux grandes messes, ecclésiastiques ou festives. À quoi il faut ajouter la semi-ignorance, savamment entretenue, sur la rocambolesque histoire qui fut à l'origine de la fête et du culte même du saint.

CHRONOLOGIE
D'UNE IMPOSTURE

Grenade, 18 mars 1588 : démolition du minaret de la mosquée pour construire à sa place la troisième nef de la cathédrale. On y découvre une boîte scellée qui renferme un morceau d'étoffe triangulaire, un petit os, une poignée de terre et un mystérieux parchemin écrit en arabe, castillan et latin. Le texte se poursuit par une prophétie de saint Jean, écrite sur les cases d'un échiquier : elle fut transmise à Cecilio par Denys l'Aréopagyte et annonce la venue de Mahomet et de Luther. Le tout est contresigné, en arabe, par Cecilio.

Grand remue-ménage à Grenade, Madrid et Rome malgré la fausseté manifeste du document : au Ier siècle de notre ère il n'y avait pas d'évêques, Grenade s'appelait encore Illiberis et personne, bien évidemment, ne parlait castillan.

21 février 1595 : des chercheurs de trésor fouillent le mont Valparaiso en quête de l'or qui y avait été caché par le roi Rodrigue lors de l'invasion musulmane. Ils trouvent mieux : une planche de plomb couverte d'étranges caractères. Une fois déchiffrée, celle-ci révèle qu'un certain Mesiton souffrit en ce lieu le martyre. Au cours des mois suivants, les découvertes se multiplient : ossements calcinés, plaques funéraires et textes doctrinaux en caractères arabes.

30 avril 1595 : une petite fille découvre la planche de plomb qui ferme le cercle des impostures en affirmant que Cecilio fut brûlé vif en ce lieu et qu'il écrivit un commentaire de l'Apocalypse de saint

95

Jean qui se trouvait avec d'autres reliques dans la Torre Turpiana (on apprend ainsi le nom romain du minaret musulman et, du même coup, on débaptise le mont Valparaiso qui devient désormais Sacromonte).

4 mai 1595, miracle au Sacromonte : une Croix y est apparue pendant la nuit. Après cette intervention divine la main de l'homme prend le relais et érige une véritable forêt de Croix — on en compte 1 200 à la fin de l'année —, symboles d'une foi qui, si elle est désormais incapable de déplacer les montagnes, se sent encore la force de les décorer et transforme l'endroit en un *remake* grenadin du Calvaire : un Calvaire excessif, profus, baroque, où il ne reste plus rien de la calvitie métaphorique qui lui donna son nom.

30 avril 1600, cinquième anniversaire de la dernière découverte de textes cryptiques et fin d'un synode réuni à Grenade pour qualifier les reliques. Celles-ci sont déclarées authentiques et, en récompense, la peste qui ravageait la ville connaît une accalmie. Au cours des années précédentes, on a assisté à une série de guérisons miraculeuses, malheureusement interrompues aujourd'hui, si nombreuses et variées qu'un chercheur a pu se demander comment pouvaient bien faire les habitants de Grenade pour survivre avant les sensationnelles découvertes du Sacromonte. Le conseil municipal prononce le vœu de grimper tous les ans au sommet de la montagne le 1er février, anniversaire du martyre du saint fondateur de l'Église grenadine : la fête de San Cecilio est donc institutionnalisée à partir de cette date sous son double aspect ecclésiastique et municipal.

26 septembre 1682 : une bulle du pape Innocent XI condamne l'ensemble des découvertes — à l'exclusion des reliques — comme de « pures fictions humaines, fabriquées pour la ruine de la foi catholique ». Suivant les dispositions du Concile de Trente, le synode local avait pouvoir pour qualifier l'authenticité des reliques, mais l'approbation des documents était réservée à Rome. Une distinction est donc établie, et maintenue jusqu'à aujourd'hui par l'Église avec une époustouflante mauvaise foi entre les ossements et les textes alors qu'il s'agissait des deux faces d'une même imposture : sans les plaques de plomb et les noms qui y apparaissent, rien n'aurait permis d'accorder à ces restes humains la dignité de reliques. L'Église parvient ainsi, par une simple entourloupe juridique, à dépasser en machiavélisme les auteurs de la fraude, en même temps qu'elle signifie l'échec définitif de leur plan.

SYNCRÉTISME CULTUREL
ET RELIGIEUX

Mais qui étaient donc les artisans d'une imposture si patiemment mise en scène ? Que se proposaient-ils vraiment ? À quoi rime cet incroyable effort, continué pendant sept ans, pour falsifier des documents, les crypter, les graver sur des plaques de plomb, les enterrer au sommet d'une montagne dans un ordre minutieusement agencé pour que les découvertes se succèdent au rythme voulu et finalement se bouclent sur elles-mêmes ? Tout laisse croire que de puissants intérêts devaient être en jeu et qu'il ne s'agissait pas d'une plaisanterie destinée à faire tourner en bourrique un Monseigneur trop crédule, l'archevêque Pedro de Castro, ardent partisan des apocryphes qui investit sa fortune personnelle dans la construction de l'abbaye.

Les études les plus sérieuses montrent que l'initiative partit des mêmes personnes qui furent choisies pour décrypter et traduire les documents : les morisques Miguel de Luna et Alonso del Castillo. Ils n'étaient pas n'importe qui et le deuxième, en particulier, occupait la charge d'interprète officiel de Philippe II auprès du Grand Turc. Il était donc fort bien placé, au centre même du pouvoir d'État, pour se douter qu'après la rébellion des morisques lors de la guerre des Alpujarras, c'en était fini de la coexistence des deux communautés et que le roi préparait la déportation massive de tous les « nouveaux chrétiens » hors du territoire espagnol. Il eut alors une idée de génie, si tarabiscotée pourtant qu'elle se retourna contre elle-même, renforçant le camp des « vieux chrétiens » au lieu de miner leurs positions.

Il s'agissait ni plus ni moins que de créer une nouvelle religion, syncrétisme de catholicisme et d'Islam, où chacun trouverait son compte. D'une part, on faisait un sensationnel cadeau à l'Église de Grenade en lui offrant les reliques d'un saint dont elle n'avait référence que par de douteuses légendes médiévales. D'autre part, les textes paraphés de sa main révélaient une vérité prodigieusement cachée depuis la fondation du monde : disciple direct du Christ, San Cecilio s'appelait avant sa conversion Ibn Athar. Les premiers évangélisateurs de l'Espagne étaient donc des Arabes ! Comment, dans ces conditions pouvait-on s'attaquer à la communauté morisque ou interdire l'usage d'une langue qui était langue d'Évangile ?

Sur le plan doctrinal enfin, les textes de San Cecilio et de ses disciples mettaient l'accent sur tous les points communs entre Islam et Christianisme, faisaient une place de choix à la Vierge et à la personne de Jésus tout en maintenant une discrétion fort opportune sur son statut dans la Trinité. Bref, tout démontrait que l'hostilité contre les morisques reposait sur des bases factices et que l'avenir était au syncrétisme culturel et religieux, non à des mesures de force qu'une découverte miraculeuse privait de fondement.

L'histoire pourtant prit un autre cours : peu après les dernières trouvailles, les morisques furent expulsés du royaume, l'Église manipula la manipulation et, mis à part quelques érudits qui répugnent à évoquer la question, plus personne ne se souvient à Grenade que son saint patron était de race arabe. Pendant trois ans de suite nous avons assisté à la fête du Sacromonte et interrogé les participants.

L'opinion la plus répandue est que San Cecilio était un chrétien martyrisé par les musulmans.

À Grenade, comme dans toute l'Andalousie, on prépare activement l'année 1992 : plus que la découverte de l'Amérique, on commémorera ici la Reconquête de la ville, qui eut lieu la même année. L'abbaye sera sans doute restaurée d'ici là, les gitans — qui ont pris le relais des anciens morisques — auront peut-être retrouvé leurs cuevas du Sacromonte et la fête du 1er février brillera, on l'espère, d'un nouvel éclat.

Mais on continuera d'honorer un saint qui n'a jamais existé, ce qui après tout n'est ni très grave ni exclusif de Grenade. Il serait cependant dommage que sombre tout à fait dans l'oubli la folle entreprise d'Alonso del Castillo, qui rêva d'œcuménisme en un siècle d'intolérance et qui, pour sauver ses frères de race moins bien lotis que lui, échafauda un plan si compliqué que ses adversaires finirent par en tirer tout le profit.

Héros de l'improbable, victime de l'histoire même qu'il a forgée, le personnage semble droit sorti d'un conte de Borges où, plusieurs fois piégée, la réalité finit par se soumettre aux lois de la fiction.

PEDRO CORDOBA

Membre du département espagnol de l'université de Toulouse Le Mirail ; ancien membre de la Casa Velasquez et co-directeur du laboratoire d'anthropologie de l'université de Grenade.

PEDRO CORDOBA

PAX CHRISTIANA

A BAZA-GUADIX

DEPUIS LA RECONQUÊTE DU ROYAUME ISLAMIQUE DE GRENADE, UNE BRUYANTE HOSTILITÉ, OÙ INTERVIENNENT PÊLE-MÊLE DES RAISONS HISTORIQUES, RELIGIEUSES ET MÊME, ON LE VERRA, SANITAIRES ET FESTIVES, OPPOSE BAZA À SA VOISINE, GUADIX.

Le touriste, un peu flâneur, qui visite Grenade sans être bousculé par les savants et démentiels programmes des « tour operators » pousse parfois jusqu'à Guadix. La route est pénible mais belle et sans doute lui a-t-on conseillé de parcourir le quartier des *cuevas*, saisissant amas d'habitations troglodytes, stridence de couleurs — blanc, bleu, rose, vert — dans l'ocre uniforme d'une montagne aux flancs poussiéreux. Après l'Alhambra, ses frisures de stuc, ses cache-cache d'eau et de lumière, ou le méticuleux foisonnement floral du Generalife, le contraste est brutal. Mais ce même touriste, à moins d'être un forcené des chemins de traverse, n'ira jamais traîner ses savates à Baza, qui se trouve à une cinquantaine de kilomètres plus loin : dans ce gros village aplati, même la misère ne suscite pas l'attrait bariolé et morbide des cuevas de Guadix.

Capitale de la Batistania il y a plus de deux millénaires, Baza fut, après le déclin de Tartessos et avant la conquête romaine, l'un des plus grands centres de la civilisation ibérique. C'est aujourd'hui une bourgade alanguie, foyer d'émigration et de chômage.

Guadix ayant réussi à lui ravir au XVIe siècle le siège épiscopal, Baza souffre depuis cette époque l'amère solitude des vaincus. Choisie il y a deux ou trois ans pour y construire un hôpital régional, la ville obtenait pour la première fois une revanche institutionnelle, ce qui suscita une fureur inouïe à Guadix. Boutiques closes, manifestations de rue, grèves de la faim dans les églises, mairie assiégée, routes bloquées, voies ferrées arrachées : un âpre déferlement de violence a failli pour un motif somme toute futile, mettre à feu et à sang ce coin perdu de la province de Grenade.

L'affaire, sans doute, est incompréhensible si l'on ne tient compte de cette longue rivalité qui, outre les aléas d'une histoire confuse à plaisir, se condense en une légende et un rite : la légende de la Vierge éraflée et le rite du Démon fustigateur.

En 1490 Baza venait d'être reconquise par les troupes du Roi catholique après un siège interminable, prélude à l'effondrement total du royaume de Grenade, qui eut lieu deux ans plus tard. Il y avait là une ancienne église mozarabe et, dans l'euphorie de la récente victoire, des maçons s'affairaient à reconstruire d'urgence le vieux temple chrétien. Soudain, au coup de pioche d'un ouvrier, répond une voix sépulcrale (ou céleste : que chacun imagine ce qu'il voudra) : « *Ten piedad ! Ten piedad !* », soupirait-elle : « Aie pitié ! Aie pitié ! » Terrifié (ou ravi), le maçon lâche ses outils et court prévenir ses compagnons. On constate bientôt que, derrière le plâtre que la pioche a percé, se trouve blottie une Vierge avec l'Enfant Jésus dans les bras et une éraflure au visage, cicatrice laissée sur la sainte joue par l'outil sacrilège et sauveur.

Trois siècles auparavant et devant la menace imminente des barbares sectateurs du Croissant — les fameux almohades, fanatiques du désert appelés à la rescousse par les musulmans andalous agacés par les coups de boutoir des incursions chrétiennes — les partisans de la Croix, qui avaient jusqu'alors disposé d'une entière liberté de culte, l'avaient emmurée en attendant l'heure d'une revanche qui mit fort longtemps à sonner.

Immédiatement baptisée *Virgen de la Piedad*, la statue parlante devient l'objet d'une adoration unanime. Mais l'histoire ne s'arrête pas là. Car l'inventeur malgré lui était un maçon de Guadix et le dénommé Juan Pedernal dut se dire, après avoir fait réfléchir sa caboche, que la Vierge serait mieux à sa place dans sa ville à lui. Attendant la nuit pour accomplir son forfait, il place la statue sur une charrette et se met en route. Les animaux, cependant, refusent d'avancer — pattes entrâvées par une intervention de la Vierge qui n'avait pas attendu un si long temps pour être enlevée de la sorte par un malandrin de Guadix. Vite rattrapé par les Bastetans soupçonneux, le héros de la veille est roué de coups et la Vierge revient triomphalement dans sa ville, escortée par une garde d'honneur.

Les légendes de ce type existent à foison à travers l'Europe et il est parfaitement inutile d'y vouloir trouver un éventuel fond de vérité. Sa naissance est sans nul doute liée à la longue polémique qui opposa les deux villes à propos du nouveau siège épiscopal et qu'il serait lassant de retracer ici. C'est à propos de cette querelle de clocher (ou de cathédrale) qu'a dû se forger le récit légendaire, l'échec du voleur de statues compensant, à un niveau symbolique la défaite diocésaine des Bastetans. Plus intéressant, me semble-t-il est de chercher une cohérence au système des noms qui est, lui, propre à notre légende.

L'imploration miraculeuse de la Vierge — « Aie pitié ! Aie pitié ! » — semble destinée à rendre compte d'une incongruité : car la statue est une Vierge à l'Enfant et non une Pieta qui, comme chacun sait, figure une Mater Dolorosa avec le cadavre de son fils ployé sur ses genoux. Incompatible avec la représentation sculpturale, la dénomination « Virgen de la Piedad » est cependant cohérente avec l'endroit où elle se trouve : aujourd'hui dépendante des Franciscains, l'Église appartint, depuis sa seconde fondation en 1490 et jusqu'en

GRENADE

1845, à l'Ordre de la Merced. Or, en espagnol comme en français, « Merced » et « Piedad » sont synonymes. Cette Vierge à l'Enfant est donc simultanément une Notre-Dame de la Merci et, par suite, une Vierge de la Pitié.

L'inventeur s'appelle, lui, Juan Pedernal. Juan est, par excellence le prénom de n'importe qui, d'un homme du peuple, d'un humble, et l'on sait que la plupart du temps, les apparitions de la Vierge sont aux humbles réservées. Le patronyme est, pour sa part, lié au métier qu'il exerce. Plus usité que le mot « silex » en français, *pedernal* désigne en fait, dans la langue espagnole, une pierre particulièrement dure, la quiddité même de la substance pierreuse, la « pierréité » en quelque sorte — si l'on veut bien me pardonner ces emprunts au jargon de l'École. Mais « pedernal » désigne aussi, par métaphore, l'insensibilité : le cœur de pierre du voleur de Vierges. Et il évoque enfin, par paronomase, les pieds et l'activité qui leur est liée : marche nocturne du fuyard, interrompue par la volonté de la Vierge et les jets de pierre de ses poursuivants.

Pierreux et pédestre, lapidaire et lapidé, le maçon-voleur porte un nom où se lit son destin, un destin que le rite se chargera de perpétuer dans le temps.

PLEIN
LA POIRE

Depuis la fin du XVIᵉ siècle, les fêtes de Baza ont lieu le 8 septembre, jour de la Nativité de la Vierge, que les Bastetans consacrent à Nuestra Señora de la Piedad. Mais la veille et l'avant-veille se déroule à Baza un rite singulier où la ville entière revit de façon paroxystique un moment glorieux de son passé. Le 6 septembre, vers la fin de l'après-midi, fait son entrée le célèbre Cascamorras : c'est un habitant de Guadix, déguisé en démon fustigateur, avec un costume bigarré d'Arlequin (avant de devenir un personnage de la comédie italienne, Helle-kin est, comme son nom l'indique, un être surgi des gouffres infernaux) et un bâton à la main où pendent des vessies.

Ainsi accoutré, il vient de parcourir à pied les cinquante kilomètres qui séparent les deux villes, dans l'intention de voler la Virgen de la Piedad. La foule rassemblée s'y oppose avec une farouche violence et le malheureux Cascamorras — l'origine du nom est inconnue : il évoque pour un Espagnol quelque chose d'assez analogue à « qui en donne (ou en prend) plein la poire » — manie comme il peut ses vessies pour éviter les jets de pierre et les coups de poing.

Telle est du moins la scène de lynchage collectif que proposa, il y a une dizaine d'années, la Télévision espagnole au cours d'un programme truqué, puisqu'il ne fut pas filmé en direct mais reconstitué *ex professo*. Les images scandalisèrent à ce point les téléspecta-

101

teurs qu'il est encore aujourd'hui dangereux de se promener avec une caméra au moment des fêtes : les habitants de Baza n'ont pas pardonné la réputation de barbarie qui leur fut faite à cette occasion et ils mettent un soin particulier à expliquer que tout objet contondant est interdit et que la foule doit se contenter d'enduire le Cascamorras de suie, de boue ou de goudron, de le plonger dans les fontaines et de le rouler par terre, au risque évidemment de quelque égratignure.

Peut-être le rite est-il aujourd'hui moins agressif mais cela n'empêche pas la Mairie de Baza de compenser financièrement le Cascamorras — environ 2 500 francs pour sa prestation — et de souscrire à tout hasard une assurance-vie spéciale car un malheur — Dieu ne veuille — pourrait néanmoins arriver. Le 7 septembre, reposé et pansé de ses blessures, le Cascamorras parcourt la ville maison par maison : l'ennemi de la veille, ayant échoué dans son exécrable projet, est maintenant réconcilié avec les habitants, qui lui versent une obole pour la Confrérie de Guadix. Le 8 septembre enfin, après la messe, il co-préside la procession avec la statue de la Vierge et a droit à tous les honneurs.

Mais cette prévenance — hélas ! — n'est qu'un intermède. Le 9 septembre, le Cascamorras, où nous voyons à la fois une réincarnation du Juan Pedernal de la légende et une représentation carnavalesque de l'évêque de Guadix, recevra une nouvelle dérouillée, dans sa propre ville cette fois puisque, comme tous les ans, il revient les mains vides.

La tradition veut que si d'aventure il réussissait à emporter la Vierge, celle-ci resterait pour toujours à Guadix. Quel que soit l'adoucissement progressif des mœurs ou l'éventuelle habileté d'un Cascamorras particulièrement débrouillard, la chose n'est sans doute pas pour demain : le trajet qu'il doit parcourir à Baza avant d'arriver à la Vierge est long de trois kilomètres et un homme seul face à l'hostilité — rituelle certes, mais non moins efficace — de toute une population a moins de chances de ravir la statue que de terminer ses jours, tous os brisés, dans cet hôpital flambant neuf qui a suscité une jalousie si virulente chez ses concitoyens de Guadix.

——— PEDRO CORDOBA ———

PHOTOGRAPHIES DE MICHEL DIEUZAIDE

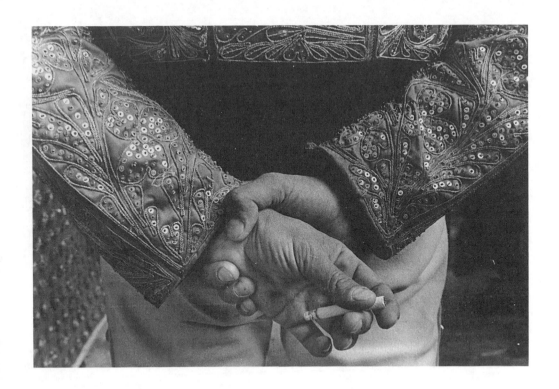

4

DES TAUREAUX
ET DES HOMMES

PETIT LEXIQUE TAUROMACHIQUE

Aficion : passion pour la corrida qui métamorphose une personne normale en *aficionado.*

Ganaderia : élevage de taureaux braves tenu par un *ganadero.*

Tienta : épreuve à laquelle sont soumis pour leur sélection les taurillons et les vachettes.

Matador : le torero en tant qu'il tue son taureau.

Novillero : jeune *matador* qui tue des taureaux de moins de quatre ans.

Toreo : ce que fait le torero, son art dans la mesure où il se réalise.

Rejoneador : torero à cheval.

La corrida s'organise en trois *tercios* (tiers) : piques, banderilles et mise à mort. Le dernier *tercio* a progressivement pris de l'importance au détriment des deux autres et on s'intéresse presque exclusivement à la *faena* avec la *muleta*, travail du torero avec une étoffe rouge plus petite que la cape, au cours du troisième *tercio*. Le public s'attache de moins en moins à la mise à mort elle-même ou *suerte de matar* (qu'on peut réaliser *recibiendo*, en attendant la charge du taureau, ou *a volapie*, et c'est alors l'homme qui s'élance, épée à la main, sur un taureau provisoirement arrêté). Mais, paradoxalement, l'estocade continue d'être valorisée à l'heure de décerner les trophées : quoi qu'il ait fait avec la *muleta*, le torero perdra les oreilles (celles du taureau) s'il tue mal.

PLAZA DE TOROS DE SEVILLA

13 de Mayo de 1984

GRADA

4

SOL

900 Ptas.

Fila 3 N.° 21

LA CORRIDA

DANS TOUS SES ÉTATS

SÉVILLE, JEREZ, SANLÚCAR : DANS UNE *GANADERIA*, UNE TAVERNE, AVANT OU APRÈS UNE CORRIDA, NOUS SOMMES ALLÉS VOIR DES ÉLEVEURS, DES TOREROS AURÉOLÉS DE GLOIRE OU DES JEUNES QUI COMMENCENT. ILS EXPOSENT LEURS CERTITUDES, LEURS DOUTES, LEURS ESPOIRS.

Ganadero et *rejoneador,* toute une vie auprès des taureaux et des chevaux, grand *aficionado* du *toreo* à pied qu'il ne pratique pas, Angel Peralta a tout vu, il sait tout. Il revient d'un débat sur la corrida qui s'est tenu à Nice. Tout éberlué par le comportement des belles âmes zoophiles, il n'arrive visiblement pas à croire ce qui s'est passé.

« *Ils nous ont coupé la parole. Nous avons été bousculés, agressés, frappés au visage. Et dire qu'ils prétendent honnir la violence.* »

Cet homme qui fait de la courtoisie un devoir ne comprend pas qu'un coup de poing tienne lieu d'argument.

« *Personne ne dit qu'on ne devrait pas tuer les mouches ou les moustiques, qu'il ne faudrait pas castrer les veaux pour qu'ils soient plus tendres...* »

Peralta met le doigt sur une contradiction des soi-disants zoophiles, qui ne s'intéressent qu'aux animaux sur lesquels ils peuvent projeter leurs fantasmes douceâtres. On s'identifie à un bébé-phoque, pas à un rat. Par ailleurs, qu'y a-t-il de plus paisible qu'un pêcheur à la ligne ? Or un simple changement de fréquence rend audible la douleur du goujon pris au piège. Mille fois plus atroce que celle des piques. Et l'autre, père tranquille de la torture, le cul sur son pliant.

« *Aucun animal domestique, destiné comme le taureau à la consommation humaine, ne vit quatre ou cinq ans. Ni le porc, ni le veau, ni le poulet, aucun. LE TAUREAU EST LE SEUL ANIMAL DONT LA VIE SOIT LA CONSÉQUENCE DE SA PROPRE MORT. Les autres ne vivent que pour mourir, leur vie est aussi sordide que leur mort. La mort du taureau lui offre au contraire une vie libre et joyeuse dont ses cousins à l'étable ne profiteront jamais. La mort est pour lui source de vie. Alors à ces gens-là, moi je demande : Comment défendriez-vous le taureau ? — En ne le tuant pas dans l'arène. — Il faut donc que je le mène à l'abattoir. À trois mois, sinon ce n'est pas rentable. Et sa mère, qu'est-ce que j'en fais ? Vous la prenez chez vous ? Non ? Alors, il faut que je la tue aussi... Ce que vous voulez c'est l'extinction d'une race. Ne comptez pas sur moi. »*

Paradoxalement, le seul argument rationnel en faveur de la corrida est d'ordre écologique : il y a belle lurette que les taureaux braves auraient disparu de la surface du globe s'ils n'avaient été préservés par le sacrifice rituel dont ils sont victimes. Car cette espèce doit sa survie — et même son existence — à la manipulation la plus étrange qui ait germé dans le cerveau de l'homme dans sa millénaire relation avec le monde animal.

Un taureau de corrida est l'animal le plus improbable qui soit, un être dont les qualités naturelles sont un produit de l'art, un cas sans doute unique dans l'histoire de l'humanité. Les éleveurs de taureaux braves ont mis toutes les ressources de la culture au service de la nature, ce sont des écologistes avant la lettre.

Peralta cite le cas des veaux de boucherie, non point pour comparer deux façons de mourir mais deux styles de vie, car seule la vie mérite d'être pensée. Immédiatement séparés de leurs mères, pattes entrâvées, panse bourrée de drogues pour accélérer leur croissance, yeux qui jamais ne verront la lumière du jour, les veaux que nous mangeons sont assommés au bout de trois mois...

Quiconque a de ses yeux vu une ganaderia de taureaux braves, les espaces énormes dont ils disposent pour courir en liberté pendant quatre ou cinq ans, les soins minutieux dont ils sont l'objet, peut-il nier que cette vie-là est cent fois préférable à celle de leurs malheureux congénères ? Les anti-taurins, héritiers en cela de toute une tradition, accordent plus d'importance à la mort — l'une « barbare » et l'autre prétendument « civilisée » — qu'à la vie dont ils sont de fait les contempteurs. Ils sont, bien sûr, dans leur droit. Mais il y a quelque confusion à mêler à cette morale fangeuse la bannière verte de l'écologie. Car les écologistes, eux, devraient savoir que la mort de la corrida serait la mort des taureaux : non pas la mort insensée et inexorable, comme toute mort, de l'individu, mais la mort totale de l'espèce.

Aucune solution de remplacement n'est envisageable, même pas celle, parfois préconisée, de la réserve. En supposant que l'État prît en charge les frais énormes que cela entraînerait, ce serait en pure perte. Les taureaux de corrida ne sont pas — faut-il le rappeler une dernière fois ? — des animaux sauvages comme les ours et les aigles, en voie de disparition sur le territoire espagnol et qu'il faut, eux, protéger dans des réserves. Les taureaux sont des bêtes semi-domestiques, sauvages dans la mesure exacte où ils sont domestiques, et les techniques de sélection et d'élevage sont tributaires du rituel dont ils seront l'objet.

S'ils étaient abandonnés à eux-mêmes dans un parc naturel, le sang des différentes lignées se mélangerait, il n'y aurait pas moyen — faute de pouvoir sélectionner les mères dans les *tientas* et de mesurer la bravoure des fils aux piques — de préserver la caste des bêtes, le plus bel animal du monde disparaîtrait à tout jamais : sa silhouette musclée, noire épiphanie à l'ombre des oliviers.

ON PEUT TOUT LIRE
DANS LES YEUX D'UN TAUREAU

Michel Leiris : « Le torero droit comme un cri. Tout près de lui le souffle. Et tout autour la rumeur[1]. » Modulations d'un espace sonore. Pour Leiris le torero est métaphore acoustique entre deux réalités du même ordre, souffle de la bête qu'il doit à la fois affronter et séduire, rumeur du public qu'il doit séduire sous peine d'affrontement.

Le taureau, le public. Tous deux imposent leur présence mais le torero reste seul. Ils nous parlent de cette solitude de cette double présence, que chacun vit à sa façon. Certains sont andalous comme José Luis Peralta, jeune *novillero* neveu du précédent, Espartaco, triomphateur absolu de ces dernières années, ou Fernando Cepeda un débutant de Séville qui s'est révélé l'an dernier à Madrid et se remet d'une blessure reçue à la Feria d'avril.

D'autres sont nés plus loin, en terre de Levant ou de Castille — Manzanares, Esplá, Capea — mais ils toréent ici, s'identifiant à ce public si particulier ou comprenant ses goûts, ses états d'âme, même s'ils ne partagent pas toujours ses préférences. Les uns sont plus « techniciens », les autres davantage « artistes » Rafael de Paula, lui, est à la fois andalou et gitan : un cas à part, un météore. Il ne quitte pas son taureau des yeux. Regards rivés, mariés l'un à l'autre.

« Je ne puis faire autrement, il faut que je devine dans ses yeux ses intentions, sa méchanceté, sa peur ou sa noblesse, que je prévois ses réactions, une par une. On peut tout lire dans les yeux d'un taureau. Je torée toujours ainsi et parfois, si le taureau s'y prête, si nos regards se laissent fasciner l'un par l'autre, je m'abandonne à ce rêve, un rêve à deux où plus rien ne compte. Le public ? Non, je ne le regarde jamais. Je pourrais toréer aussi bien sans public. »

Rafael de Paula : mystères insondables du toreo gitan. On pourrait croire qu'il a du mal à parler, intimidé par le magnétophone ou par le langage lui-même. Mais non, c'est qu'il faut lui laisser le temps de s'égarer dans les méandres de ses souvenirs — *« une corrida on la vit plusieurs fois avant qu'elle ait lieu et puis, ensuite, on n'arrêtera pas de la revivre, toujours »* — il faut lui laisser le temps de se perdre et de se retrouver dans le pouvoir des mots pour que peu à peu des phrases déconnexées, asyntaxiques, commencent à s'assembler, débouchent sur une expression cohérente et souple, expriment au plus près ce qu'il veut dire.

C'est de cette façon aussi qu'il torée, attendant — souvent en vain — l'inspiration, le moment fugace où le corps de l'homme et celui de la bête vont miraculeusement s'unir, moment qui peut ne jamais se produire ou qu'on peut rater par inattention et alors ce sera l'échec, un échec à nul autre pareil, ou qu'on veut apprivoiser immédiatement dans les plis de la cape et ce sera d'une beauté qu'on ne verra pas deux fois. Instant de grâce auquel tout est suspendu. C'est l'homme de tout ou rien, il n'est jamais médiocre, il ne sait pas, comme tant d'autres, se tirer d'affaire devant un taureau difficile en toréant, comme on dit, le public.

Seul, face à son taureau, il est pitoyable, blanc de trouille, en déroute ou, au contraire, rayonnant d'élégance, perdu aux confins bleutés du rêve. Le rêve, un mot qui revient souvent dans son discours. Il s'est fait faire des capes spéciales où le revers jaune est remplacé par un revers d'azur. Couleur d'horizon.

Paula ne voit pas le public, il l'entend. Ovation ou *bronca*, l'une et l'autre, à l'en croire, superflues. Sans doute est-il sincère. Dit-il pour autant vrai ? Surmonterait-il sa peur du taureau sans l'autre peur, celle du ridicule devant le public ? « *Aucun torero n'est pris lorsqu'il torée pour ses intimes dans une ganaderia* » dit Pedro Moya, Niño de la Capea. Et alors qu'il se définit lui-même comme technicien avant tout, Luis Francisco Espla renchérit : « *En tant qu'artiste aucun torero ne peut se passer du public* ».

Le public cependant n'est pas uniforme. Il n'est pas le même à Bilbao et à Séville ou, en France, à Vic-Fezensac et à Nîmes.

« *Au Nord de Madrid, on préfère les toreros dits "honnêtes", alors que nous le sommes tous, et au Sud, en particulier en Andalousie, on montre plus de sensibilité envers l'"artiste".* »

Manzanares n'a pas réussi à s'imposer à Madrid. Bien que né à Alicante, c'est près de Séville qu'il s'entraîne, en Andalousie qu'il se sent chez lui.

« *Le public de Séville est le plus sensible et aussi, contrairement à ce qu'on croit, le meilleur connaisseur, celui qui juge le mieux les taureaux, qui sait voir du premier coup d'œil qualités et défauts. Et, en même temps, celui qui apprécie la petite touche esthétique, l'apport personnel du torero. C'est le public idéal, surtout lorsqu'on a une psychologie spéciale, qu'on a besoin de soutien et d'affection.* »

Jose María Manzanares n'a plus tout à fait le corps d'adolescent fragile qu'il avait autrefois. Vingt saisons de mise à l'épreuve presque quotidienne face au taureau ont modelé le corps et durci le visage. Mais il conserve dans le regard quelque chose de cette porosité que l'on devine extrême devant un public qui ne saurait apprécier sa conception de l'art.

« *Le torero sensible a besoin de se sentir entouré par les siens, famille, apoderado, cuadrilla — ses spectateurs préférés — face à la pression que l'autre public, celui des arènes, exerce sur lui.* »

Magnanime envers le torero, le public sévillan — archétype du public andalou quand bien même ce dernier n'est pas uniforme —

sait pardonner les petites défaillances humaines, trop humaines : que n'a-t-il pas pardonné à Curro Romero, l'enfant chéri du terroir, dont certains se contentent de louer la prestance lorsqu'il défile avec ses compagnons avant que ne sorte le premier taureau. Mais on ne sait pas toujours si sous cette générosité apparente ne se cache pas un mépris foncier. La Maestranza — c'est le nom des arènes de Séville, les plus belles du monde, à n'en pas douter — est célèbre pour ses majestueux silences qui peuvent traduire la pure extase ou la plus souveraine des indifférences.

Y a-t-il un public de Séville ? Le lundi après la Feria, ce silence lui-même se tait, faisant place à d'autres rumeurs. On y voit des taureaux réputés « difficiles » — des *Guardiola* — face à des toreros modestes et les gradins, vidés de leur public mondain et souvent venu d'ailleurs, sont occupés par des aficionados locaux et des paysans, profonds connaisseurs de bêtes qu'ils côtoient tous les jours. Et sans que pourtant Séville cesse d'être Séville on se croirait ailleurs devant ces taureaux grands, beaux, bien faits et bien armés, s'élançant de loin vers le cheval sans manifester le moindre signe de douleur sous le fer qui leur inflige pourtant une profonde blessure.

JOUER
LES TAUREAUX

Pepe-Illo est le premier torero à avoir réfléchi sur les principes de son art, il en a défini les règles, énoncé la doctrine — ce qui ne l'a pas empêché de mourir dans les arènes, déchiqueté par la corne, lui qui avait tout misé sur la technique, refuge à l'évidence insuffisant. Mais il avait aussi dit le contraire : qu'en ce domaine tout est chance labile, hasard changeant. Sa *Tauromaquia*, écrite au XVIIIe siècle, est toujours une référence obligatoire, un véritable manuel qu'on récite encore dans les écoles taurines de Madrid ou de Jerez.

La tauromachie est donc l'art de « jouer les taureaux ». Javier Echevarría, un jeune philosophe espagnol, fait remarquer ce curieux emploi transitif du verbe. Pepe-Illo ne dit pas « jouer aux taureaux », comme font les enfants, ni non plus « jouer avec les taureaux » ce qui est pitrerie sans intérêt ou témoigne d'un autre rapport aux bêtes, tel qu'on peut le voir à Pamplune ou en Provence.

« Jouer les taureaux », c'est affirmer, autant de fois qu'il sera possible, le principe du hasard, et le jargon taurin le confirme, qui appelle « Suertes » — chances — les unités minimales d'un art lui-même minimal, toujours à la limite, à la tangence de la ligne d'homme et de la ligne d'animal. Il est des lieux, dit Leiris, « où l'on se sent tangent à l'homme et à soi-même ». L'un de ces lieux, ou plutôt l'un de ces sites — pour garder quelque chose de l'espagnol

sitio qui définit au mieux, tout en restant intraduisible, la technique du *toreo* — est évidemment la rencontre de l'homme et du taureau. Rencontre qu'il faut à tout prix éviter. Rencontre pourtant à
chaque fois frôlée, dans la subdivision à l'infini de deux autres
lignes : la ligne d'espace et la ligne de temps.

*« Trangresser la ligne de sécurité, la franchir dépend du taureau :
est-ce qu'il le mérite ou pas ? Prendre des risques inutiles avec un
mauvais taureau est stupide : de toutes façons, on ne réussira pas à
créer quelque chose de beau, une harmonie. Avec un bon taureau en
revanche, on est prêt à tout, plus rien ne compte... La rencontre à
ce moment-là est fluide, on oublie son corps, tout devient affaire
d'intuition. C'est l'utopie pure, la fusion de la technique et de l'art. »*

C'est donc toujours le taureau qui commande, c'est lui le maître
du jeu, lui qui distribue les « chances ». C'est pourquoi il est nécessaire de savoir tout de suite à qui on a affaire.

*« Dès que le taureau paraît, on voit s'il est joli, bien fait, s'il n'a
pas la tête trop haute — le poids et la taille des cornes, ce n'est pas
ce qui compte le plus. Il faut aussi guetter ses premières réactions,
sa façon de charger ou de s'arrêter d'un coup. Il ne faut pas plus
d'une minute pour percevoir cela. On peut se tromper bien sûr, mais
c'est assez rare. En tout cas, un taureau plaît ou ne plaît pas tout
de suite. Et pour que tu en arrives à oublier ton instinct de conservation, il faut que le taureau te plaise, zootechniquement. »*

Miroir de la séduction : la beauté du taureau est la première
chance, celle qui ouvre le jeu. S'il est séduit par la bête, l'homme
essaiera de la séduire à son tour et devra pour se faire se livrer
tout entier avec ses cartes à lui : son intuition et son courage, son
savoir technique et ses dons artistiques. Meneur de jeu, le taureau
est le maître. Mais l'homme doit s'imposer à lui, le dominer, accou-
pler son propre jeu au jeu du taureau pour être en mesure de vain-
cre, de contrôler l'ensemble des terrains.

*« Pour moi, il est essentiel de faire avec des taureaux ce que je
veux : les soumettre, les plier à mon jeu, leur montrer que c'est
l'homme qui commande, que mon courage est supérieur à leur bravoure.*

« QU'EST-CE QUE TORÉER ?
VIDER UN TAUREAU DE SA BRAVOURE »

*« L*e courage est indispensable, sans lui rien n'est possible.
*Tous les toreros sont courageux : même ceux qu'on dit peu-
reux. »* « *Mais pour créer la beauté, il faut aller au-delà du courage,
prendre des risques qu'on ne prend pas normalement. Il ne s'agit pas
cependant de sombrer dans l'absurde. Le courage inconscient de cer-*

tains toreros ne vaut rien. C'est le courage conscient qui fait qu'on s'expose tout en prenant mesure du danger »... « Celui qui n'a jamais peur n'est pas courageux. Le courage sans la peur — une peur ressentie, dominée, maîtrisée, cela n'existe pas. »

« Il faut garder la tête froide. La tragédie et l'impuissance du torero sont là d'emblée, elles sont données d'entrée de jeu, ce n'est donc pas la peine de les provoquer (...) Art et technique sont une dualité inséparable. La technique pure implique l'apparence de normalité, le public peut croire qu'il n'y a pas de danger, on a du mal à transmettre une émotion. Chez moi c'est la technique qui prédomine, l'aspect professionnel : tout ce que je fais est logique. Je me sens orphelin du côté de l'art parce que j'ai trop recours à la technique. C'est grâce à la technique qu'on peut faire avec un taureau ce qu'on veut, le soumettre à ses propres décisions. »

Mais l'art, dans tout cela ?

« L'art est un mystère, un don magique. On l'a ou on ne l'a pas. Ou plutôt, c'est une question de dosage : certains sont plus techniciens, d'autres davantage artistes. La technique s'apprend et continue de s'apprendre, moi j'apprends tous les jours, du taureau que j'ai en face ou en regardant mes compagnons. L'art, lui, est donné. En ce domaine on ne fait pas de progrès. »

Avec certaines nuances — que les lecteurs aficionados s'amusent à deviner qui dit quoi — tous s'accordent sur l'essentiel : pour tirer son épingle du jeu, le torero doit être à la fois intuitif et logique, courageux sans témérité, technicien et artiste. Aucun d'entre eux ne correspond à ce portrait idéal, aussi utopique que le taureau idéal dont tout le monde rêve mais qu'on ne verra jamais.

C'est pourtant vers cette utopie que tout est tendu si l'on veut, comme dit Angel Peralta « Crear la suerte », créer la chance, la dessiner sur le sable sans la subir du dehors, être soi-même artisan de ce qui arrive. C'est cela, affirmer le hasard.

Depuis le XVIIIe siècle, de nombreuses suertes ont disparu — on peut les voir dans les gravures de Goya — d'autres sont en train de disparaître comme la suerte des piques, qui a cessé d'être une « chance » pour devenir un massacre, ou la suerte de la mise à mort, car la vraie *suerte de matar* est *recibiendo*, en attendant la charge du taureau comme toutes les autres « chances » où c'est toujours au taureau qu'on donne l'initiative. Ce qui s'est imposé aujourd'hui c'est le concept de *Faena*. Faena : mot espagnol qui évoque la notion de « travail » alors que suerte renvoie à celle de « jeu ». La faena consiste en une accumulation de passes alors qu'anciennement l'art tauromachique était fait d'une diversité de chances. Une variété presque infinie de chances, mais forcément renouvelées, car si on répétait toujours la même chance, on finirait logiquement par perdre.

La suerte ou chance tauromachique a trois moments. Il faut, disent les canons de l'art en leur jargon, la « marquer », la « charger » et la « vérifier ». Quand elle se réduit à la dernière étape, ce n'est plus une chance, seulement une passe.

Beaucoup de toreros, souvent au sommet de la gloire, s'en tiennent aux passes, à la faena. C'est ce qu'aime le public, peut-être parce qu'il n'a jamais vu autre chose. Presque tous ceux que nous avons rencontrés insistent sur l'importance de la *muleta*, sur la liaison des passes qui arrache les « Olé ! » sur les gradins.

La corrida en est donc arrivée à un point où il n'y a plus que deux issues : ou bien, on va si loin dans cette voie que la distinction des terrains de l'homme et de la bête se trouve abolie ainsi que la notion de suerte qui en dépendait ; ou bien, on en revient à une conception plus classique, privilégiant la clarté géométrique du jeu. Paco Ojeda a choisi le premier chemin, Fernando Cepeda, malgré sa jeunesse, semble pencher pour le deuxième.

Les pieds lourdement ancrés au sol, Ojeda enroule le taureau autour de ses hanches dans un va-et-vient incessant, obsédant, qui casse toutes les règles de la logique tauromachique. Dans son cas il ne suffit pas de dire qu'il domine le taureau, ce sont les terrains eux-mêmes qu'il dompte et utilise à son gré. Novatrice dans la mesure où elle redéfinit les géométries variables et respectives de l'homme et de la bête, sa tauromachie met en œuvre une esthétique de l'invraisemblable.

Cepeda, lui, peut donner l'impression du jamais vu pour des raisons inverses. Son toreo est, sans doute inconsciemment, retour aux sources. Nous l'avons vu à la Feria d'Almería en août 1987. Il citait au centre des arènes, il marquait les « chances », il les chargeait : la passe alors n'était plus passe, mais vérification de la « chance », de cette chance-là qui ne se reproduirait plus. Il y eut beaucoup de chances distinctes, non pas beaucoup de répétitions de la même passe. Il marquait sa chance avec une précision géométrique, il la chargeait en avançant la jambe sans contorsions, il la réalisait en courant la main avec profondeur. Puis il tua mal, très mal, et ne coupa pas d'oreille.

On sent dans le propos des toreros actuels une sorte d'ambiguïté à propos de la mise à mort. Les uns, comme Cepeda ou José Luis Peralta, qui ne savent pas encore tuer, se plaignent de ce qu'une mise à mort ratée puisse faire perdre les oreilles et donc les contrats, mais ils n'envisagent pas pour autant qu'on puisse la supprimer comme au Portugal : « *On tuera toujours les taureaux.* » Angel Peralta, lui, est plus radical :

« La mort n'a pas d'importance. Bien sûr, il faut tuer proprement, vite et selon les règles. C'est beaucoup mieux ainsi. Mais on a considérablement exagéré, on a donné à cette suerte une valeur qu'elle n'a pas. Aujourd'hui, le torero n'est pas seulement un matador. »

C'est que la suerte de matar n'est pas comme on dit, la « suerte suprême ». Si on affirme le hasard, on doit reconnaître que toutes les chances sont égales et toutes différentes, qu'il ne saurait y avoir une chance inférieure ou supérieure aux autres, encore moins une chance majeure ou absolue.

JACQUES LACAN : LA VÉRITÉ EN ART E(S)T LE LEURRE[2]

L'artiste, qu'il soit poète, danseur, acteur ou torero, doit s'engager dans son art, on exige de lui une authenticité, une sincérité de tout son être. C'est seulement ainsi que triomphe la vérité de l'art, qui est plus vraie que la vérité de la vie et c'est pourquoi nous imaginons Cervantes avec les traits filiformes de Don Quichotte ou que Tarzan finit par devenir Tarzan, poussant le cri de la jungle au bout d'un drap tortillé en liane. L'art impose sa propre réalité avec une telle force qu'elle réussit à effacer les réalités quotidiennes.

Mais l'art est aussi illusion, fiction, tromperie et le mot « hypocrisie » désignait à l'origine le jeu de l'acteur.

L'art tauromachique est la forme accomplie de l'art, quintessence de tous les arts confondus, parce qu'il porte au point de plus haute incandescence ces deux lignes contradictoires.

Angel Peralta. « *Toréer c'est tromper sans mentir. Le taureau arrive avec la vérité de sa bravoure et le torero l'attend avec la vérité de son art. Mais la rencontre de ces deux vérités est fictive. L'une dévie l'autre, la prend au leurre. Tel est le principe même de la corrida.* »

L'art convertit le mensonge en vérité, la duplicité en sincérité, la fausseté en authenticité. Face au taureau il faut savoir maîtriser ces aspects contradictoires, les fondre dans un répertoire de chances toujours recommencées. Sans authenticité, le leurre ne peut triompher. Quand on ment sans tromper, on échoue, et un échec face à la bête peut coûter très cher : au mieux la bousculade, au pire la blessure ou la mort. Le triomphe est exactement le contraire : tromper sans mentir est le comble de l'art.

La grande erreur des aficionados est de vouloir justifier la corrida. D'abord parce que les abolitionnistes ont toutes les raisons sauf une : la raison écologique. La corrida est justifiable. Mais aussi, plus profondément parce que la corrida ne doit pas être justifiée, qu'elle doit rester à tout prix résolument et lumineusement injustifiée. C'est l'inverse de ce que l'on a coutume de penser : la corrida n'a nul besoin de justifications car sa seule raison d'être est de justifier : donner un sens au non-sens livide de la mort.

Nietzsche se révolta, avec une énergie qui vibre encore dans la pensée contemporaine, contre cet abîme de la raison : l'existence de la douleur, de la maladie et de la mort. Il ne voulut point accepter les consolations d'usage : la souffrance est absurde et rien ne saurait justifier le néant. Loin d'être nihiliste, la philosophie de Nietzsche est purement affirmative, désespérément positive. Le nihiliste nie la vie ; le nietzschéen ne cesse de l'affirmer et il le fait avec une force telle qu'il en vient à affirmer la mort, ce dernier taureau, définitivement fixé sur nos pupilles, qui nous attend tous.

Affirmer la mort : n'est-ce point ce qui a lieu aussi lors de la semaine sainte andalouse ? Cette religiosité baroque, que d'aucuns accusent de paganisme, a du mal à envisager une mort qui ne soit pas aussi spectacle, fête, joie débordante dans les rues. Elle a du mal à accepter que la vie soit mauvaise, que la vie soit coupable, que la mort nous rachète du péché de vivre. Elle ne croit pas, tout simplement, à l'idée de péché : la vie est par essence innocente, la vie n'est pas quelque chose qui ait besoin d'être justifié. Loin de donner un sens à la vie, la mort l'en dépouille, la mort est l'insensé. Quel esprit retors et vénéneux a-t-il pu penser le contraire ?

C'est pourquoi la corrida ne pouvait naître que dans un pays où le christianisme lui-même est pris d'assaut par une multiplicité de forces dyonisiaques, par des énergies positives, bariolées de couleurs. Insurrection esthétique des forces de vie contre l'inexorabilité de la mort, la corrida est un grand exorcisme de tout le négatif. Transformant la cruauté en beauté et l'horreur en jouissance, la corrida témoigne, contrairement à ce qu'on pourrait croire, d'une culture qui affirme par-dessus tout les valeurs de la vie.

PEDRO CORDOBA
ET
——— *ARACELI GUILLAUME* ———
Araceli Guillaume, membre de la Casa Velasquez.

1. **Citation extraite de** *Miroir de la tauromachie*, **Fata Morgana, 1981.**
2. **Cette citation apocryphe peut aussi s'écrire « La vérité de l'arrêt, le leur ».**

FRANÇOIS ZUMBIEHL

LE SENTIMENT ANDALOU

DU TOREO

DEPUIS L'AUBE DE LA CORRIDA MODERNE, LA PRÉÉMINENCE DES HOMMES
DU SUD S'EST AFFIRMÉE.

Les fondements de la corrida espagnole, telle qu'on peut la voir aujourd'hui dans toutes les régions de tradition taurine, sont contemporains de la Révolution française. En même temps que se construisent les premières arènes permanentes, les règles du jeu se fixent sous l'influence de Pedro Romero, héritier surdoué d'une fameuse dynastie de toreros de Ronda, et du sévillan *Pepe-Hillo*. Ce dernier écrit le premier traité de tauromachie — *De l'art de ne jamais être pris en défaut par les réactions de l'animal encorné* —, ce qui ne l'empêche pas d'être tué en 1801 — dans la plaza de Madrid, fin tragique et glorieuse qu'immortalisera Goya.

Autre père fondateur, Francisco Montes *Paquiro* (1805-1849) est né dans la province de Cadix. Il mit doublement en lumière le matador, puisqu'il inventa le célèbre costume, et limita définitivement le rôle du picador (rappellons qu'au cours des siècles précédents c'était le cavalier qui tenait la vedette). « César de la tauromachie », selon Théophile Gautier qui l'admira avec ferveur, il fut un maître dans la pratique et dans la théorie, étant l'auteur d'un second traité.

Donc, depuis l'aube de la corrida moderne, la prééminence des hommes du Sud s'est affirmée ; l'expansion du spectacle en Espagne, en France, en Amérique latine n'a fait que la confirmer. Les raisons ? Certes, la concentration en Andalousie d'un grand nombre d'élevages braves, ce qui a pour le moins facilité l'apprentissage des jeunes toreros et leur familiarité avec ces bêtes. Mais comment ces taureaux, dont on dit que leurs ancêtres préhistoriques sont venus d'Europe centrale en passant par les Pyrénées, ont-ils fini par se fixer dans les plaines limoneuses du Guadalquivir ? Il faut croire qu'ils étaient déjà arrivés quand Hercule les ravit à Géryon aux abords de l'antique Gades, près de ses fameuses colonnes.

Et pourquoi est-ce là, et non pas dans les autres régions où ils ont transhumé, que la tauromachie a connu son éclosion la plus raffinée ? Faute de pouvoir en retrouver tout le fil, contentons-nous, comme l'adage andalou, d'attribuer cela au miracle : « L'art du toreo est descendu du ciel. »

À Séville, Jerez et Ronda, au Puerto de Santa María et à Sanlu-

car, les toreros quoi qu'ils fassent se sentent chez eux. Une connivence particulière s'est établie entre eux et les spectateurs, dont
beaucoup, il est vrai, appartiennent à leur monde : éleveurs, professionnels du taureau en tout genre, banderilleros et vétérans qui
reviennent sur les gradins avec la famille pour réchauffer leur nostalgie... À les voir couvés par ces regards, gorgés de *faenas*, indul-
gents à force d'expérience, on en vient à douter que la blessure et
la mort aient leur place dans ces arènes baignées par la lumière rose
et bleue des fins d'après-midi.

Il n'y règne pas la cacophonie festive des plazas du Nord, ou
l'atmosphère orageuse de Madrid dont les aficionados constituent
une masse pesante qu'il faut progressivement conquérir avant que
n'éclate le *ole* unanime, clameur d'apothéose qui nous fait trembler
d'émotion. Les voix du public andalou, plus mesurées, sont presque
toujours amicales. Elles accompagnent plus qu'elles ne consacrent
un triomphe, et lui donnent comme un parfum d'intimité.

Ce public se signale d'abord par une qualité d'attention parfaitement palpable : c'est lorsque le torero s'engage dans son œuvre et
ébauche les premières passes de tâtonnement, le fameux silence de
Séville qu'on célèbre avec respect. Sa densité est telle qu'il fait entendre le vol des hirondelles traversant l'arène, et le claquement des
banderilles sur le dos noir du fauve. Mais au moindre geste heureux, jaillit comme une fusée le cri d'approbation de toutes les poitrines saisies à la même fraction de seconde par l'éblouissement de
l'évidence.

LA CLAMEUR
ACCOMPAGNE L'ENVOL

On reproche parfois à ce public de s'attacher trop légèrement aux jolis détails, au lieu de voir l'architecture de
l'ensemble. Il est vrai que son extrême acuité lui permet de surprendre au vol et de saluer, même au milieu d'une faena incertaine, la
beauté la plus ténue. Il réagit d'ailleurs avec une pondération non
moins remarquable. Selon son degré, la réussite du torero peut être
reconnue par un « ¡ *Bien !* » assez traînant, quelquefois agrémenté
d'un « ¡ *Si, señor !* » Parvenue à son plein épanouissement, elle fait
naître le « *ole* » rituel, très accentué sur la première syllabe, et
incomparablement plus vif que celui de Madrid. Mais une faena qui
tourne court, ou simplement une passe approximative, provoquent
avec la même symétrie le decrescendo : les *oles* s'étouffent et font
place aux murmures, et puis vient cet autre silence de la
Maestranza[1], plus humiliant que les sifflets et la *bronca*.

La prestation de la *banda* de musique est un reflet éloquent de
cette plasticité sévillane. Son chef, le *maestro Tristán*, jouit du pri-
vilège unique de faire jouer ou s'arrêter l'orchestre à son gré, selon

l'évolution du spectacle. Son jugement n'a jamais été pris en défaut. On l'a même vu interrompre brusquement le solo de trompette du pasodoble *Nerva*, parce qu'il déchaînait trop l'enthousiasme et faisait de l'ombre au matador. C'est que la faculté d'admiration de l'Andalou n'est pas compartimentée. Dans la corrida comme dans la rue, il recueille avec avidité toutes les étincelles de la grâce, là où elles sont offertes. Après sa grande faena de la Féria, Ojeda donna une dernière pincée d'art à son tour d'honneur en délivrant les colombes qu'on lui avait jetées, et en les lançant vers le ciel avec le superbe mouvement d'une passe de poitrine. La clameur accompagna l'envol.

De la rumeur générale émergent parfois une voix, une phrase qui suscitent à leur tour une vague d'assentiment, lorsque dans un condensé inspiré elles résument à cette minute la sensibilité populaire. Tel, face à la déception qui monte devant les premières passes bousculées de Curro Romero, tente de reformer le cercle de la ferveur et d'imposer le silence propice : « Taisez-vous ! Écoutons-le toréer. » Et lorsque l'œuvre accomplie aura récompensé sa foi, il s'écriera joyeusement : « je n'échangerais pas ma place avec Rockefeller ! » Tel autre imagine en termes familiers un paradis pour la noblesse et la bravoure dont un taureau a fait preuve jusqu'à la mort : « Et maintenant il va paître dans les *marismas*[2] du ciel. » Les mauvaises prestations sont sactionnées par des réactions négatives, mais sans la hargne qui sévit ailleurs : « Curro, je te hais ! » lance emphatiquement un admirateur déçu par l'idole, mais convaincu d'une prochaine réconciliation.

LA SÉDUCTION PAR EFFET DE SURPRISE

Si tauromachie rime presque avec Andalousie, les toreros du pays n'aiment pas en général se voir classifier dans ces « écoles » inventées par des critiques en mal de catégories. On a ainsi glosé sur le hiératisme du style cordouan, sur la grâce fleurie de Séville, sur le classicisme profond de Ronda, en pensant bien entendu à *Manolete*, à Antonio Ordonez, et à Manolo Gonzalez. En réalité il ne serait pas sérieux de prétendre faire rentrer dans le même moule Rafael *El Gallo*, dont la fantaisie peut être qualifiée de sévillane, et ses contemporains nés aussi à l'ombre de la Giralda : son frère *Joselito*, le premier des *enfants savants*, son beau-frère Sanchez Mejías, monstre d'intrépidité, et encore moins Belmonte, génie tout de clair-obscur.

De même, dans les années soixante, le talent d'un Paco Camino est assurément plus proche du rondeño Ordoñez que de l'hypersévillan Curro Romero. Comme le confirme le Maître de Ronda[3], il

n'existe pas des écoles andalouses. Il existe en revanche un sentiment diffus du toreo dans lequel communient, au sud de Despeñaperros[4], acteurs et spectateurs.

Le public andalou est plus à même qu'un autre d'apprécier les
finesses techniques par lesquelles l'homme étend sa maîtrise sur un
taureau. Mais en réalité il guette tout geste, toute figure qui au-delà
du savoir-faire lui donnera le *pellizco*, le frisson esthétique, unique
objet de son engouement. Selon son intensité et sa durée cette valeur
ajoutée de l'art, due à l'inspiration, reçoit une appellation différente :
la *gracia*, s'il s'agit tout simplement de la grâce avec un soupçon
de sel et de fantaisie ; *el angel* (prononcez *age*), si c'est le don venu
d'en haut de dessiner d'aériennes et lumineuses arabesques ; le
duende enfin, si l'on évoque le génie mystérieux que l'artiste extrait
de ses profondeurs intimes[5].

Dans le toreo la création étant par excellence instantanée, sa
séduction tient en grande partie à l'effet de surprise. De l'aveu même
de Pepe Luis Vazquez orfèvre en la matière, les Andalous sont particulièrement sensibles à ces bonheurs d'improvisation qui consacrent l'ingéniosité d'un torero. Ils savourent avec une évidente gour-
mandise la dentelle des passes d'ornement, ces riens qui parfois leur
tiennent lieu de tout. Ils sont comblés quand c'est l'œuvre elle-même,
et non pas seulement le paraphe qui la conclue, qui s'impose comme
une trouvaille. Comment ne pas se lever d'enthousiasme lorsqu'on
voit Curro Romero se faire acculer apparemment contre le cheval
par un taureau pressant, et transformer soudain la véronique impossible, faute d'espace, en une rayonnante *revolera* qui laisse le fauve
et les spectateurs médusés !

Et lorsqu'on n'attendait plus rien de ce vieux sorcier de Rafael
El Gallo, il fait à une bête qui ne s'y prêtait guère « ses choses »
qui ont à peine un nom, allégresses gitanes cadencées par cette sérénité immémoriale qu'on appelle le temple. Ojeda commence généralement ses faenas dans le style ample et classique apparenté à
Ronda. Son rythme nous pénètre aussitôt comme la respiration éter-
nelle et fragile, parfumée par les brises de la *marisma*. Et puis, à
force de se centrer avec son taureau, il devient lui-même l'axe rigide
et vertical d'un mouvement qui fait naître des figures presque
invraisemblables.

Les passes sont à ce point liées qu'il est tout à coup difficile d'iso-
ler l'instant où l'une meurt et où s'épanouit la suivante. Le taureau
s'arrête au beau milieu de la passe comme s'il ignorait à son tour
le parcours que cherche à lui imposer le leurre. Mais l'étoffe reste
là, immuable, et le remet doucement sur le chemin. Ojeda, ou quand
la tauromachie devient labyrinthe.

Un dicton andalou, peu gentil pour ceux du Nord, marque une
frontière géographique entre l'art qui coule de source et l'activité
besogneuse : « De Despeñaperros vers le bas (de la Péninsule) on
torée ; de Despeñaperros vers le haut, on travaille. » Cette concep-

DES TAUREAUX ET DES HOMMES

tion aristocratique, qui symbolise à elle seule toute une civilisation, fait de la gratuité la forme suprême de la réussite. Par voie de corollaire toute attitude forcée pour arracher le succès passe pour disgracieuse ; elle est un crime contre l'esthétique, sinon contre la morale. Dégager une impression de naturel et de facilité, toréer comme si de rien n'était, obtenir le maximum d'effets avec la plus grande économie de moyens, c'est accéder à l'art tout autant classique et baroque d'un *Bienvenida* ou d'un Vazquez. Il suffit d'ailleurs d'écouter Pepe Luis s'émouvoir quarante ans après de la façon dont le *Gallo* réalisa aux bandérilles un *quiebro* magistral en montrant prestement le bout de sa chaussure[6].

Mais pour jouir de cela, il faut être doté de l'abnégation andalouse, et ne pas être avare avec le temps : attendre calmement que l'inspiration surgisse chez le torero ou le *cantaor*, attendre son taureau, et même alors « le laisser respirer »[7] et attendre sa charge à la bonne distance, au lieu de le circonvenir. Que si toutes ces conjonctions ne se produisent pas, il vaut cent fois mieux passer pour désinvolte que de produire un effort pour un résultat médiocre.

La négligence, la litote — en l'occurrence faire peu pour dire beaucoup — sont inhérentes au *temple*, surtout lorsqu'il est à l'œuvre dans l'art énigmatique et volage de certains gitans d'Andalousie la Basse. Les bras s'affaissent, et la cape s'ouvre lentement avec une sorte d'insouciance paresseuse, comme si ces secondes d'éternité suffisaient à l'artiste, comme s'il était malséant de faire preuve d'une insistance sacrilège. La plume d'un critique a recueilli, à propos d'un fameux *quite* de Rafael de Paula « des siècles de mythologie, de choses surnaturelles, de prodiges condensés dans la brièveté de trois véroniques et l'exténuant évanouissement de la cape qui les parachève ».

Les toreros de ce style ont un tel pouvoir de suggestion que l'on n'est jamais sûr après coup d'avoir vu tout ce qu'on a ressenti. Qu'ils « débouchent seulement le flacon des essences » (tout un programme !), et les effluves enivrent l'aficionado en suppléant à la réalité, et plus encore si cela se passe à Séville ou à Jerez. Curro Romero, Rafael de Paula... ou le toreo onirique.

RESTER SIMPLE
DANS LE TRIOMPHE

La seule faute impardonnable, celle qui est contre la grâce, est de se faire pesant. Il ne faut pas s'accrocher au temps qui s'écoule, pourvu que ce soit en douceur — encore une fois le temple. Il faut au contraire, avec élégance et lucidité, mettre un terme à l'œuvre à peine dessinée sur l'arène. Voilà pourquoi à Séville on est si attaché au *remate*, à cet art d'interrompre avec un bonheur singulier une séquence réussie au moment exact où l'émotion risquerait de se tarir. Ici, comme dans le flamenco, la beauté de la chute est sans doute plus précieuse, et mieux inscrite dans les mémoires, que celle de l'élan.

Que faut-il au juste pour devenir « le torero de Séville » ? Car si beaucoup de matadors naissent sur les berges du Guadalquivir, la ville n'accorde son amour, ou plutôt sa complaisance, qu'à quelques élus : *Chicuelo*, Pepe Luis Vazquez, et bien entendu Curro Romero. Manolo Vazquez, le frère de Pepe Luis, et lui aussi maestro entre les maestros, assure avoir mis près de quarante ans pour être enfin prophète chez lui. Et la consécration vint ce fameux jour de la His-panidad où il fit ses adieux à sa chère Maestranza. Ses compatrio-tes lui avaient, paraît-il, difficilement pardonné son accès d'humeur lorsqu'un compagnon, jeune novillero comme lui, l'avait supplanté dans un quite[7] à l'un de ses taureaux. Et que dire de Paco Camino qui malgré tout son talent ne réussit jamais à se faire adopter ?

Pepe Luis a donné une partie de la réponse : avec les Sévillans il ne faut pas le prendre de haut. Ils aiment qu'on reste simple dans le triomphe comme dans le désastre, et qu'on laisse élégamment entendre ainsi qu'on s'en remet aux impondérables et aux caprices du *duende*. Humain, trop humain toreo de Séville ! Tes merveilles fragiles, avant de s'évanouir dans leur transparence, nous arrachent parfois des larmes, parce que nous les tenons pour inespérées. Alors soudain tout paraît lumineux sur le sable doré, et même la Giralda, si l'on en croit la fantaisie populaire, se penche un peu plus sur l'arène pour mieux admirer les envols de l'étoffe.

──────── *FRANÇOIS ZUMBIEHL* ────────

Attaché et conseiller culturel en Espagne de 1975 à 1982. Collabore à la revue *Toros*, et en Espagne à la revue *Toros 92*. En Espagne a collaboré à l'ouvrage collectif sur cinquantenaire des arènes de Madrid (1981) et au tome 7 de l'encyclopédie *Los Toros* publiée par Espasa-Calpe. A publié *El Torero y su Sombra* en 1987 (Espasa-Calpe, Madrid). En France, a publié aux éditions *Autrement* en 1987 *Des taureaux dans la tête*.

1. Nom des arènes de Séville.
2. Les plaines marécageuses à l'embouchure du Guadalquivir.
3. Antonio Ordoñez. Cf. son entretien dans *Des taureaux dans la tête* par François Zumbiehl, Autrement, 1987.
4. Le défilé qui marque la frontière entre la Manche et l'Andalousie.
5. Il faut se reporter à la splendide dissertation de Garcia Lorca sur le sujet : *Teoría y juego del duende*.
6. Cf. l'entretien avec Pepe Luis Vazquez dans *Des taureaux dans la tête*, Autrement, 1987.
7. Les passes de cape qu'on fait à un taureau après l'avoir écarté du cheval.

MARIE-CHRISTINE REVERTE

LE CHEVAL,

UNE CULTURE POPULAIRE

LE CHEVAL EN ANDALOUSIE, C'EST AVANT TOUT LA FORMIDABLE ÉCOLE ANDALOUSE DE DRESSAGE, QU'ELLE SOIT DE VIENNE OU TOUT SIMPLEMENT D'ANDALOUSIE, DE JEREZ DE LA FRONTERA. MAIS C'EST AUSSI L'UNIVERS DES PALEFRENIERS, DES DRESSEURS, DES MI-DRESSEURS MI-PAYSANS, DES MAQUIGNONS ET À TRAVERS EUX DE TOUTE SORTE DE PROPRIÉTAIRES...

Les *ferias* en Andalousie débutent juste après la semaine sainte et circulent tout l'été de village en village. À l'origine, ces ferias étaient des foires aux bestiaux coïncidant avec le jour du saint protecteur du village, donnant lieu parallèlement à toute une série de réjouissances : bals, corridas, etc. Les paysans quittaient les champs, s'endimanchaient et se rendaient en famille au village, emmenant les quelques moutons, vaches, chèvres, ânes, mules ou chevaux bien lustrés qu'ils désiraient vendre ou échanger. Ceux qui n'avaient rien y allaient humer l'ambiance et rencontrer des amis, des parents qu'ils ne voyaient qu'à cette occasion.

À une époque où les dimanches n'existaient pas, la feria, seul jour chômé de l'année, était sacrée. Bien des fiançailles ont été conçues à cette occasion, des fiançailles qui se prolongeaient durant de longues années avant d'aboutir au mariage. Les fiancés ne se rencontraient qu'à cette époque : après la feria chacun regagnait son *cortijo* (grandes fermes vivant pratiquement en autarcie appartenant à de grands propriétaires terriens et qui abritaient plusieurs familles de paysans), éloigné, souvent à plusieurs heures ou journées de marche du village. Ces ferias étaient placées sous le signe de la séduction : les bêtes devaient séduire pour trouver un acquéreur, les jeunes hommes et les jeunes filles à marier, ainsi que leurs familles encore plus désireuses de leur trouver femme ou époux « convenable » entraient aussi dans ce jeu.

À cheval et bons cavaliers, les hommes avaient plus de chances de gagner à ce jeu-là. Peu importait qu'ils soient ou non propriétaires de leur monture, l'impression initiale étant souvent décisive, elle permettait d'établir un premier contact, même diffus : des regards qui se croisent à plusieurs reprises, le rêve et le temps faisant le reste. Un contact difficile à obtenir dans une société aux mœurs très conservatrices, où les hommes d'une famille veillaient scrupuleusement sur leurs femmes, filles ou sœurs, ne leur laissant aucune liberté de mouvement, et ne permettant à aucun « étranger » de les approcher ; tout cela au nom du « qu'en dira-t-on ».

C'est ce « qu'en dira-t-on » qui a fixé les règles d'un jeu subtil d'approche, de séduction, tout un code basé sur une allure, une attitude, une apparence : la beauté, la force, le charme, l'élégance, la droiture.

Le cheval représentait un atout maître dans ce jeu d'apparences, dressé à l'espagnole, l'encolure bien ronde, balançant la tête de droite à gauche en marchant à petits pas rapides sans oublier de bien lever les pattes avant, faisant des demi-tours vifs sur une pression à peine perceptible des rênes ou du pied, attendant patiemment et sans broncher, bien carré sur ses pattes que son cavalier échange quelques mots avec un voisin, ou boive un verre de *fino*, il est le complice silencieux, soumis et alerte de l'homme qui met ainsi en valeur sa force (il a vaincu l'animal) et sa supériorité ; il réhausse aussi, par sa fière allure, la beauté du cavalier faisant corps avec lui. De plus, il constituait aussi un signe extérieur de richesse témoignant d'une certaine condition sociale : ces cavaliers pouvaient être des « señoritos » (grands propriétaires terriens) montant leurs plus beaux chevaux ; des « capataces » (contre-maîtres) qui, surveillant le travail des champs et les parcourant de long en large avaient des chevaux attitrés ; des métayers possédant un attelage de chevaux qui à l'occasion pouvaient être montés ; des petits propriétaires terriens (selon les régions) ; des commerçants ; et des notables bien sûr.

Ce tableau correspond à l'Andalousie d'il y a encore 15 ou 20 ans, l'Andalousie « féodale » des cortijo.

DES PUR-SANG
ET DES CANASSONS

Cette Andalousie n'a pas complètement disparu de nos jours : elle conserve encore son caractère essentiellement rural, même si les tracteurs, les voitures, les mobylettes et les camions ont remplacé en grande partie les bêtes de trait et contribué à éliminer les foires aux bestiaux. On n'a plus besoin de telles foires, la voiture et le téléphone aidant aux déplacements rapides et à la circulation de l'information, lorsqu'on désire acheter un cheval, une vache ou un mouton on se rend directement chez le propriétaire pour les voir et conclure le marché. Les courtiers en bestiaux *(corredores)* se chargent d'établir les contacts entre acheteurs et vendeurs, au prix d'une commission. Ces courtiers installent leur quartier général dans certains bars bien connus des habitants.

Si les foires aux bestiaux ont disparu, les ferias demeurent, synonymes de « fête » du village ou de la ville. Et le cheval reste l'ultime témoin à quatre pattes (avec le taureau) des foires du passé. Son rôle n'en est que plus réhaussé. On lui demande avant tout d'être aimable, de savoir se tenir dans n'importe quelle situation. On veut aussi qu'il soit gracieux. Même s'il ne paye pas de mine à première vue, un cheval peut avoir beaucoup d'allure et être très apprécié s'il sait bouger avec grâce et élégance ; il décrochera des regards d'admiration et d'envie, et c'est bien de cela dont il s'agit. Un bon cavalier sait mettre en valeur les qualités de sa monture, même si celle-ci est un peu quelconque. Si l'animal est beau et racé, c'est mieux bien sûr.

Cependant un beau cheval, aussi racé soit-il, qui rue en compagnie d'autres chevaux, ou bondit au moindre coup de klaxon, sera peu apprécié par son cavalier (et son entourage) : d'abord parce qu'il ne pourra pas se promener tranquillement pour glaner des regards, ensuite parce que ces incartades du cheval montreront aux gens (à la gente) si redoutés (encore le « qu'en dira-t-on ») que le cavalier n'est pas maître de sa monture, et ne sait donc pas bien monter (quelle honte !). Finalement les amis à cheval l'éviteront pour ne pas avoir d'ennuis et notre ami se retrouvera tout seul pour prendre un verre. De quoi lui couper l'envie, et de prendre le verre, et de monter ce satané canasson qui le tourne en dérision devant tout le monde. On pardonnera plus à un cheval sa laideur s'il a les autres qualités, la *gracia*.

En résumé, le cheval idéal, celui qui a toutes les qualités énumérées ci-dessus et qui en plus sait exécuter des pas de haute école espagnole, est un superbe cheval de parade, et un bon citadin.

Dieu sait s'il y a des chevaux : que ce soit à la Feria de Arcos de la Frontera, de Jerez, de Sanlucar de Barrameda, de Ronda, de Grenade, sans oublier Séville ou le pèlerinage du Rocio dans la province de Huelva ; pourtant, pendant l'année on n'en voit pas beaucoup. D'où sortent-ils tout à coup ?

Et bien d'un peu partout ; d'une écurie que l'on croyait être un cabanon pour outils de jardinage, de chez un paysan qui les garde avec ses vaches, pour lui, ses enfants, un parent ou un ami vivant en ville, de chez un dresseur de chevaux qui en loge plusieurs en pension. Dans certaines régions, à Sanlucar de Barrameda par exemple, on les ramène de la *marisma* (les marais) où ils ont passé une partie de l'année en semi-liberté. D'autres chevaux viennent de chez un petit propriétaire qui les bichonne toute l'année, ou de chez un grand propriétaire qui emploie en permanence garçons d'écuries et dresseurs. Ce sont aussi ces chevaux que l'on voit attelés aux voitures destinées à promener les touristes en ville (comme à Séville, Cordoue, Jerez etc.) et qui à l'occasion sont loués par leur propriétaire (souvent un gitan), comme cheval de selle, à qui paiera le prix le temps de la feria.

Ainsi on voit se greffer toute une économie autour de ce monde du cheval dans les ferias, qui fait vivre ses agents une bonne partie de l'année.

IL Y A
UN TRUC...

Les fournisseurs de chevaux sont bien entendu, pour la plupart, des maquignons, des personnes qui se consacrent au commerce des chevaux et autres bestiaux. Ils achètent et vendent mais ne font pas que cela, ils louent ou font travailler leurs chevaux pour limiter les frais d'entretien en les attelant, par exemple comme on l'a vu précédemment, à des voitures pour touristes. Ils possèdent aussi parfois une petite exploitation agricole. Ils n'ont jamais beaucoup de chevaux chez eux, mais savent où en trouver le moment venu, en fonction de la demande. Il est rare qu'ils gardent un cheval longtemps car cela suppose des frais qui augmentent au fil des jours, à moins qu'il s'agisse d'un cheval mal en point dont ils espèrent tirer parti une fois requinqué et avec un semblant de dressage qui s'effacera vite si l'acquéreur n'est pas bon cavalier.

Les gens achètent des chevaux surtout dans le but de les exhiber pendant et en dehors des ferias. Rendre un cheval présentable pour une feria n'est pas très difficile : il suffit qu'il soit bien rond, lustré et qu'il donne l'impression d'être doux et gentil, « noble ». De nombreux trucs sont mis en œuvre pour occulter les vices de caractère de l'animal le temps de deux ou trois présentations à l'acheteur potentiel. Ainsi j'assistai un jour chez un maquignon à la « mise en état » d'une jument que des personnes intéressées devaient venir voir le lendemain. C'était une bête superbe, qui sans cavalier marchait très bien, avec de belles élévations, mais refusait d'avancer avec un importun sur le dos. À tel point qu'elle se jetait par terre dès qu'on lui enfonçait les talons.

Rien n'y faisait, coups de fouet, coups de bâton, éperons... elle se cabrait et se laissait tomber. C'est finalement un ami (jeune légionnaire recousu de partout), plus brute que la jument, qui eut raison d'elle. J'ignore encore comment il est ressorti indemne de ses cabrioles au sol avec l'animal. Celui-ci finit par avancer plus ou moins docilement, toujours avec une hésitation au départ mais cédant à ses coups de pied et aux coups de bâton qu'on lui administrait par derrière. Le lendemain matin il recommençait son cirque mais on parvint, toujours avec Miguel (le légionnaire) à le convaincre d'avancer.

L'après-midi, devant les visiteurs, il se montra plus docile, toujours en présence de Miguel, dessus ou à côté, et le marché fut conclu, pour pas trop cher quand même, laissant à l'acheteur, un médecin, l'impression d'avoir fait une bonne affaire, et ne laissant pas trop de remords à Rogelio (le maquignon) car il n'avait pas trop abusé de la situation (il aurait pu en tirer un meilleur prix mais des scrupules, ou un sens aigu des affaires l'en avaient dissuadé). Une semaine plus tard, le médecin revint, très en colère, à cause de sa récente acquisition, mais, ma foi, nous étions tous là pour témoigner que l'animal était superbe et marchait très bien le temps de son séjour chez Rogelio. On n'était pas responsables de ce qui avait pu arriver après son départ !

Il est évident que ce marchand de bestiaux n'aurait pas essayé de vendre cette bête à n'importe qui, en l'occurrence il avait flairé le pigeon. Et il y en a de plus en plus.

Le marché du cheval connaît ses hauts et ses bas pendant l'année. Les hauts se situant bien sûr à la fin de l'hiver, à l'approche de la Feria de Séville (qui donne le coup d'envoi aux autres ferias) et du pèlerinage du Rocío. Plus la date approche, plus les prix montent. Un mois avant *el Rocio* on ne trouve presque plus de chevaux à vendre dans les provinces de Huelva et Cadiz. Ceux qui restent sont les moins bons et les plus chers dans le rapport qualité/prix.

Beaucoup de gens achètent des chevaux avant le célèbre pèlerinage, les gardent le temps des quelques ferias auxquelles ils désirent participer et les revendent ensuite pour ne pas avoir à les nourrir le restant de l'année. Il arrive qu'ils achètent pluieurs années de suite le même cheval qu'ils revendent, à perte évidemment, une fois les festivités passées, souvent au même vendeur, qui leur rend le service de bien vouloir reprendre l'animal. Après l'été, les prix sont au plus bas, logique de l'offre et de la demande oblige. On retrouve souvent les mêmes chevaux à louer dans les ferias les plus importantes. Ainsi, un cheval loué au Rocío et à Séville rapporte à son propriétaire au minimum 10 000 F : de quoi payer largement sa pension de l'année et dégager un bénéfice.

SALON
DE COIFFURE

Les chevaux ne sont pas tout : encore faut-il qu'ils aient de l'allure. C'est là qu'entrent en jeu les « enjoliveurs », les artistes, les « esthéticiens ». Les dresseurs accomplissent un travail de longue haleine tout au long de l'année. Ils débourrent des poulains, les éduquent, en font des *señores caballos* (des chevaux dignes de ce nom), corrigent les mauvaises habitudes des chevaux mal élevés, tentent de tirer le meilleur parti de l'animal qui leur est confié. Ils travaillent chez eux le plus souvent avec les chevaux qu'ils logent et/ou (s'ils ont le temps) vont monter des chevaux chez des particuliers à raison d'un tarif horaire.

Les dresseurs andalous sont réputés dans toute l'Espagne. Les grands propriétaires de chevaux se les arrachent dans le Nord. Mais eux, préfèrent bien souvent rester chez eux, même s'ils gagnent moins. Ils sont très sollicités dès la fin de l'hiver. On leur confie des chevaux un mois ou deux avant les festivités pour qu'ils les préparent. Certains propriétaires de chevaux logés chez le dresseur se souviennent soudain qu'ils ont un cheval et qu'ils ont depuis quelque temps oublié de payer la pension. On règle vite les comptes : on veut être bien avec lui pour qu'il prépare au mieux l'animal. Tout le monde est prêt à donner un coup de main. Les chevaux commencent à sortir de leurs trous d'hibernation. Tous les petits propriétaires qui travaillent en ville mobilisent leurs week-end pour aller voir le cheval, le bichonner, le monter. Une feria, un Rocío, ça se prépare longtemps à l'avance si on veut en profiter pleinement.

La Feria arrive. C'est l'effervescence. Tous les chevaux sont là, dans des boxes loués pour l'occasion. Les femmes et les hommes ont accroché leurs costumes fraichement repassés et font leur toilette avant de les enfiler. Il ne manque plus qu'une dernière touche et c'est Pedro qui va la donner.

Pedro est coiffeur de chevaux. Il s'installe sur le terrain de la Feria avec sa *4L* où il transporte toutes sortes de peignes et de brosses, d'élastiques et de rubans de toutes les couleurs. Il a déjà ses clients. Pour coiffer un cheval il demande 5 000 pts (environ 250 frs) hors rubans. Il en a pour une heure de travail par cheval, car ce n'est pas fait n'importe comment : ses coiffures sont garanties toute la journée (ce n'est pas tout le monde qui peut prétendre la même chose !). Et puis, il faut choisir les couleurs de ruban qui iront bien avec le cheval et le cavalier. Faut-il faire un jeu de tresses qui ramasse la queue du cheval, ou au contraire qui la laisse pendre ? (ça dépend de sa croupe). On tresse la crinière ou on fait des chignons ? Rouge ou vert ça ira ? En tout cas c'est superbe ce qu'il fait.

En une matinée (de 9 h à 14 h) il coiffe cinq chevaux. À Séville il travaille sept matinées, même chose à Jerez. Ce sont bien sûr les plus riches qui font coiffer leurs chevaux et il s'en porte très bien. Il a d'excellents clients qui reviennent tous les ans. Pedro est en plus un grand connaisseur de chevaux, il sait très bien dresser quand il veut. Il a même été embauché à Madrid par un grand propriétaire, mais il n'a tenu que deux mois loin de chez lui. Il fait les vendanges, cultive son potager et possède deux superbes chevaux sur lesquels il ne manque pas un Rocío. Il vit un peu du chômage, un peu de travaux saisonniers. Tous les ans à la Feria de Séville on lui fait des offres d'emploi. Il y a même un Italien qui veut l'emmener en Italie pour des histoires de chevaux.

Les offres venant de Madrid et de Barcelone se multiplient car ces deux villes organisent aussi leur mini-Feria « de Séville » et elles manquent de bons chevaux et de bons dresseurs. Par contre, elles ne manquent pas d'argent. On assiste actuellement à un regain d'intérêt pour le cheval dans les fêtes de village un peu partout en Espagne, à l'image des ferias andalouses. Il semble qu'après avoir tourné le dos à la vieille et dure campagne des ânes et des mulets, les citadins redécouvrent ou réinventent ses joies à travers le cheval. Voilà une reprise inattendue pour un marché qui semblait promis à disparition.

—— *MARIE-CHRISTINE REVERTE* ——

5
SÉVILLE

PAR FRANÇOIS ZUMBIEHL ET ALAIN LAVAUD

LA PASSION

SELON SÉVILLE

QUI PRÉTEND QUE LE RECUEILLEMENT EST LE SIGNE LE PLUS PROBANT
DE LA VRAIE DÉVOTION ?

La semaine sainte sévillane fait d'abord l'effet d'une immense pal-
pitation qui saisit la ville entière. Même la Feria est incapable de
faire battre à ce point le pouls de chacune de ses rues, lorsqu'elles
se chargent de foule pour voir passer à l'heure dite, au sommet de
la vague soulevée par l'attente, le Christ et la Vierge. Mais cet instant d'émotion suprême n'est que le couronnement, la partie émer-
gée d'une activité réglée par un code et une chronologie pratiquement immuables depuis l'âge baroque.

Pendant les mois qui précèdent leur grande sortie annuelle, les
confréries ont dans leur quartier et leur chapelle de résidence leurs
célébrations particulières : retraites, messes pour leurs défunts,
réception solennelle d'un nouveau confrère admis à prêter serment
et à présenter son obole, rite du *baisemain* à l'Image tutélaire... Et
puis il faut bien que le conseil de la confrérie se réunisse aussi souvent qu'il est nécessaire pour arrêter l'ordonnance de la procession :
la place des pénitents dans le cortège qui est fonction de l'ancienneté (les plus jeunes sont les premiers, exilés loin devant le *paso*[1],
la décoration florale, et tous ces apprêts faits pour réjouir les yeux
et asseoir les réputations.

Si vous passez un soir devant l'église, vous entendrez peut-être,
venant de l'intérieur, les commandements sourds du *capataz*[2] et les
halètements des *costaleros*[3] avec un bruit traînant et rythmé de
pas ; c'est la manœuvre qu'on répète. Indépendamment de ces préo-
cupations pieuses, les confrères se retrouvent à la moindre occasion
au bar du siège ; devant quelques tapas et un verre de *fino* on se
détend, on parle football ou *toros*, on savoure les charmes de la vie
de club. On est au fond une grande famille.

Lorsque la confrérie est enfin dans la rue, son temps de passage
aux différents jalons de l'itinéraire est fixé à la minute près. Les
retardataires se voient infliger une sérieuse réprimande par le *Chapitre de la Prise d'Heures* et la presse locale commente avec sévé-
rité un tel laisser-aller, même s'il s'explique par la ferveur excessive des admirateurs qui a freiné le cortège. Ceci est surtout vrai

durant le *trajet officiel*, entre la Place de la Campana et la sortie de la cathédrale. Après, on est plus indulgent pour l'improvisation.

Et que le spectateur passif, vissé sur sa chaise rue Sierpes, ne s'étonne pas de voir passer après *La Descente de Croix*, l'*Arrestation du Christ*. Ici c'est encore l'ancienneté des confréries porteuses d'Images qui décide des préséances, n'en déplaise à l'Évangile.

Chaque nuit du Jeudi Saint, depuis 1777, des représentants du *Gran Poder*[4] se déplacent auprès de ceux de la *Macarena*[5] qui condescendent, par amour du Christ, à les laisser passer devant.

FÉTICHISME, IDOLÂTRIE ?

Ah, certes, les descendants de M. Homais n'ont pas grand chose à comprendre de la dévotion sévillane, incarnée jusqu'au paroxysme. Chaque Image pourvue d'un nom sacramentel et, pour les plus célèbres, d'un surnom donné par une affectueuse révérence, est l'expression particulière d'un moment de la Passion, d'un sentiment, d'une perfection plastique avec lesquels des fidèles et tout le peuple d'un quartier s'identifient depuis l'enfance. C'est avec ce Christ et cette Vierge, à cet instant précis de leur douleur et de leur agonie, qu'ils ont noué pour la vie des liens d'une familiarité qui confond le visiteur.

Pour un regard non initié la centaine de représentations du Fils et de la Mère promenées tout au long de la Semaine peuvent dégager une lassante impression de ressemblance. Mais pour le Sévillan ces visages taillés au XVIIᵉ siècle par Juan de Mesa, Martinez Montañés, Roldán, sa fille la Roldana et tant d'autres artistes réputés ou anonymes, sont tous un reflet irremplaçable de la peine.

Éclat triomphant de la Macarena, *Reine du Ciel et de Séville, sûre d'elle et de son empire, dont on ne sait si elle pleure ou si elle sourit... Douceur attendrie de l'Esperanza de Triana, suzeraine de l'autre rive du fleuve, au visage pétri d'olive et de jasmin, penché dans un grand élan de compassion aimante vers son peuple... Visage tuméfié, boursouflé de larmes et pourtant si beau de la plus poignante peut-être des douloureuses, Nuestra Señora del Valle... Charme incomparable de la Vierge de l'Étoile à la carnation si tendre, si juvénile... Perfection des traits un peu pâles de la noble Vierge de la Victoire, encore appelée la Cigarière... Regard noyé et extatique de la Mère de Dieu de la Palme... Simplicité hautaine dans l'isolement de son grand manteau lisse et bleu de la Vierge des Eaux... Et toute la cohorte de ces visages multiples, impassibles ou ruisselants de larmes de cristal, d'autant plus baignés de larmes qu'ils sont plus populaires, d'autant plus secs qu'ils appartiennent à une confrérie socialement plus élevée... Profil aigu d'Altesse de la plus noble race sous la man-*

tille noire, de la Vierge des Gitans, grâce contemplative de la Vierge de la Plus Grande Douleur en sa Solitude...

Cristo del Gran Poder, *tragique et menaçant, plus judaïque que chrétien, plus janséniste que catholique, taillé à la gouge, aux pieds duquel le pécheur se pénètre de son insignifiance... Christ de la Conversion entre les deux larrons, presque encore adolescent,* Grand Pouvoir *qui n'aurait pas encore eu le temps de souffrir... Christ des Étudiants dormant dans la sérénité de l'accomplissement de la Parole...* Cachorro, *admirable Cachorro dont on aimerait éponger le filet de sang presque coagulé qui coule le long de ses muscles distendus.*

Certaines de ces figures sont de véritables étoiles et servent d'emblème à la confrérie qui a la chance d'en être dépositaire. Elles « sortent » durant les deux jours marquants, le jeudi et le vendredi, et durant la nuit qui en est le pont mystique. Quand se produisent la Macarena, la Esperanza de Triana, l'*Angustias* des Gitans, le Christ de la Passion, Celui du *Gran Poder* ou du *Silencio*, l'Autre se résigne à être le parfait acolyte. Mais au bout du compte entre le Fils et sa Mère les premiers rôles sont équitablement répartis.

Entre confréries, le matin du jour processionnel, on se rend visite. On vient courtoisement saluer les Images qu'on a déjà montées sur le *paso*. On a disposé les massifs d'œillets blancs ou les bouquets d'angle, de glaïeuls rose pâle, pour la Vierge. La traîne est déployée, et à l'aide d'une échelle une femme donne ce je ne sais quoi de particulier en arrangeant le voile et la couronne. Tout à l'heure il n'y aura plus qu'à allumer la forêt de cierges qui auréole le visage et le plonge, au gré du vent, dans un clair-obscur pathétique ou dans une lumière caressante. Quant au Christ en agonie, il est crucifié sur un golgotha d'œillets rouges.

Le visiteur, accueilli par les présents vêtus comme pour un cocktail, peut se demander les premières secondes s'il assiste aux derniers préparatifs d'une noce ou à une veillée funèbre. On ne le tire pas complètement de son incertitude lorsqu'on le prend chaleureusement par le bras pour le conduire devant l'un des pasos : « Viens voir comme elle est belle ! » C'est pourtant à cette heure, au degré d'exubérance de ses membres, que la confrérie affiche le plus clairement sa catégorie sociale : aristocratique quand il s'agit du Silencio[6], où on vous laisse admirer en chuchotant la somptuosité ambiante ; très bourgeoise pour les deux grandes rivales, celles de la Macarena et de la *Esperanza de Triana* ; plus populaire, celle des *Gitans* de San Román, même si la duchesse d'Albe en est la Camériste d'honneur.

Là, dans les bars qui entourent la vieille église, on n'hésite pas à vous raconter par le menu toutes les collectes, les tombolas et récupérations de bouteilles vides qu'il a fallu mettre sur pied pour être à la hauteur, et refaire les dorures du paso.

Mais dans la rue et à la nuit tombée, il n'y aura plus de retenue ni de classe sociale. Quand par exemple la Esperanza aura franchi le pont de Triana, elle sera bousculée par une cohue déferlante et un peu folle. Car la Esperanza n'est pas seulement la Vierge des bonnes familles, des marins, dont elle est la patronne ; elle est aussi la Vierge de tous les invertis de Séville.

LE FILS,
LA MÈRE

L'Un s'avance à découvert, « méritant la Grâce » pour son peuple, l'Autre suit, « répandant cette Grâce autour d'elle », protégée par son dais aux fils d'argent et ses cierges enflammés.

Sur le passage du Christ, il n'y aura ni cri, ni mouvement désordonné de foule ; on saisit sur les lèvres les murmures de prière et de compassion, et on lit des regards d'une particulière intensité. Dans cette onde de silence et d'émotion renfermée, les *saetas* bien nommées, *flèches* d'amour lancées d'un balcon par un *cantaor* ou un amateur, atteignent plus sûrement leur but. Le cortège s'arrête instantanément pour les écouter :

Lleva el rostro ennegrecío	Ton visage est tout noirci de poussière,
de polvo, sudor y sangre,	sueur, et sang,
y tó el cuerpo dolorío	et tout ton corps endolori
de los martirios tan grande	par les martyres si grands
que tán dao los mal nacíos.	que t'ont infligés les méchants
La blanca Luna se para	La blanche lune s'arrête
a verte de la Cruz pendiente,	pour te voir suspendu à la Croix,
y un rayo de su luz clara	et un rayon de sa claire lumière
besa tu divina frente	baise ta Face divine
y hace de plata tu cara	et couvre ta Figure d'argent.

Ces Images d'une souffrance si réelle sont surtout poignantes pour le fidèle qui se sent pécheur. Seul le *Cachorro* inspire, au-delà de la vénération, une tendresse qui ne craint pas de s'exprimer. C'est peut-être parce que, plus que tout autre, il est fils de Séville.

La confrérie avait commandé au célèbre sculpteur Francisco Ruiz Gijón l'image d'un Christ crucifié. L'artiste ne trouvait pas l'inspiration et remettait de jour en jour son ouvrage lorsque, sortant de son atelier, il est témoin d'une rixe entre deux gitans. L'un enfonce sa longue navaja dans le corps de l'autre qui expire dans l'instant. Ruiz Gijón rejoint son atelier et achève rapidement le Très Saint Christ de l'Expiration *qui un an plus tard, à l'occasion de la Semaine Sainte, sort en procession solennelle dans les rues de Triana. Nous sommes dans la deuxième moitié du XVIIe siècle. Le Christ est admirable, bouleversant, d'une plastique inégalée.*

Les spécialistes les plus avertis l'ont étudié, des médecins même en ont examiné l'étrangeté : la moitié du corps est encore vivante, les muscles, les nerfs tendus dans un ultime effort de vie, l'œil droit embrassant pour la dernière fois l'image de la création, tandis que l'autre moitié s'est laissée aller à la quiétude de la mort, le regard éteint, d'un blanc laiteux et translucide ; de la bouche entrouverte s'exhale le dernier souffle.

Alors de la foule jaillit un cri déchirant, ce ay !... prolongé qui annonce les douloureuses improvisations du chant flamenco, un ay ! perçant qui s'étouffe en un sanglot « ay !... pero si ese es mi cachorro ! Celui-ci est mon chiot, mon petit ! » La mère avait reconnu son fils mort un an auparavant dans le visage exsangue du Christ de l'Expiration.

Mais voici que la Vierge passe : la Vierge est là, brusquement, sous un dais de velours vert brodé d'or aux six colonnettes d'argent travaillé, dans un ruissellement de flammes de cierges, de fleurs de cire, de candélabres, d'œillets et de glaïeuls blancs. Elle avance, la Vierge de Grâce et d'Espérance, portée à tous petits pas, légèrement penchée en avant, un chapelet de perles dans une main, un mouchoir de dentelle dans l'autre, étonamment proche, royale pourtant, couronnée d'or, revêtue de son manteau d'apparat de velours vert orné de lourdes broderies... Elle passe, elle s'éloigne précautionneuse dans l'exiguïté de la rue, attentive à ne pas érafler la moindre des colonnettes de son dais magnifique contre l'avancée des balcons.

Dans l'obscurité désormais descendue, sa silhouette menue, sa divine grâce d'idole promenée au-dessus de la multitude sont un féérique anachronisme, une charmeuse incongruité, inaccessible à celui qui, débarqué d'un DC 10 n'aurait pas abandonné son système de références quotidiennes pour saisir tous les sédiments que cinq siècles de culture populaire ont déposés dans cette prodigieuse ville qu'est Séville.

Comme si la foule ressentait un immense besoin de soulagement après avoir communié avec l'angoisse du Christ, elle lance à profusion à la Vierge des *piropos*, des cris du cœur galants, à peine plus poétiques que ceux qui saluent l'apparition d'une belle à un coin de rue. N'essaie-t-on pas de la consoler en la prenant au doux piège de la coquetterie, en l'assurant qu'au-delà de la Mère éplorée elle reste à jamais Femme, que toute peine en ce monde est régénérée par l'éternel printemps de la beauté ? Oui, ces gerbes d'exclamations tentent d'allumer un peu plus le sourire qui affleure, comme malgré elle, sur le visage en larmes de la Macarena. Et du plus loin qu'on l'aperçoit dans la nuit, là-bas sur le pont de Triana, une voix masculine passablement éraillée, rappelant curieusement celle du muezzin l'annonce : « *Esperaaaaanza !* », à laquelle répond aussitôt un chœur improvisé, scandant fortement : « *Guapa ! Guapa !... Guapa ! Guapa y Guapa !* »[7]. Les saetas qu'on lui consacre sont de purs piropos qui vantent ses charmes et la persuadent gentiment de ne pas prendre les choses trop au tragique ; on lui prédit l'heureux dénouement qu'elle ne semble pas soupçonner :

De tus ojos d'esmerarda,	De tes yeux d'émeraude
por tu carita de só,	Sur ta figure de soleil,

chorrean como luseros *las lagrimas der doló*	ruissellent comme les rayons les larmes de la douleur.
No aflijas con tu quebranto *esa cara tan bonita :* *que manana es Viernes Santo* *y er sábado resusita.*	Ne tourmente pas ta figure si Jolie : demain est Vendredi saint, et Il ressuscite samedi.

Et puis surtout, pour la plus grande joie de ses admirateurs, on la berce, sans doute pour endormir sa peine. Sur place les costaleros la balancent sur son brancard au rythme langoureux d'une sorte de valse triste. Au tintement des clochettes de l'orchestre, lorsque la banda attaque *Campanillero*, fait écho le son des colonnettes et des candélabres du paso entrechoqués à la même cadence. La ferveur explose en vivats, en sourires extasiés, en applaudissements.

LE CHRIST, MARCHANT
VERS SON DESTIN

Une fois pour toutes, il est vain de prétendre démêler ce qui dans une telle manifestation tient au sentiment religieux et à la jouissance esthétique. Les odeurs de l'encens ne s'évaporent pas rapidement vers le ciel ; elles se confondent avec celles des œillets et des jasmins dans ces nuits où Séville, en célébrant — avec quels raffinements ! — la Passion, donne libre cours à sa sensualité. L'accomplissement du rite et la solennité de la circonstance n'empêchent pas, bien au contraire, l'éclosion de l'enthousiasme que soulèvent, dans le génie andalou, tout geste, tout moment inspiré et irremplaçable. Comme en tauromachie, on fête ici tout ce qui est à la fois codifié et prodigieusement éphémère. On éprouve sans se lasser le frisson du détail et l'amour du risque artistement surmonté.

Il y a des silences dont la densité rappelle étrangement ceux de la Maestranza[8] : le paso avec son immense dais est en train de se frayer un passage pratiquement impossible à travers la porte de l'église. On n'entend plus que les ordres brefs du *capataz*, chargé de guider la manœuvre et d'animer la troupe des *costaleros*, et le bruit rythmé des semelles glissant sur le pavé. Pourquoi tout ceci fait-il penser à l'effort des galériens pesant sur les avirons ? La foule massée en face perçoit le fléchissement du paso parvenu sous les arcs du portail, puis sa lente avancée par mouvements alternatifs qui font résonner les colonnettes et vibrer les lambrequins. Au millimètre près, et sans un accroc, le lourd vaisseau illuminé franchit la passe, puis se relève enfin à l'air libre.

La salve d'applaudissements salue l'apparition de l'Image rendue pour une journée à son peuple, mais elle récompense tout autant la dextérité des porteurs. Ils auront d'ailleurs l'occasion au cours de la sortie de faire admirer l'ampleur de leur répertoire, en pratiquant l'art de la *levantá*[9] : à l'arraché — le paso se soulevant d'un coup dans un frémissement inquiétant de candélabres et de fleurs —, ou « à la force du poignet » — et alors on verra le paso monter en douceur comme par l'effet d'une miraculeuse lévitation.

On l'a compris, la semaine sainte est un monde de rencontres improbables et magiques entre les lumières, les ombres, les sons et les mouvements. Une levantá s'accomplit, au bruit sec du marteau frappé sur le brancard par le capataz, et à l'instant précis où l'aurore du Vendredi rosit le visage gitan de la Vierge des Angoisses. Derrière la Giralda, la lueur crépusculaire nimbe de pastel le manteau noir de *Marie de la plus grande Douleur en sa Solitude*. Le jeudi soir, lorsque le *Christ de la Passion* retourne dans son église du Salvador, le raclement des pas sur la rampe fait bouger le bas de sa tunique exactement à la même cadence, si bien qu'on croirait le voir marcher lui-même vers son destin, inexorablement, et sur une mer de têtes. Et sur ce seul martellement, monte vers le ciel une saeta dramatique, récitant le Notre-Père...

Quelques minutes plus tard on verra, dans une autre confrérie, des pénitents en herbe sortir du cortège pour réclamer à leur père un caramel. Séville a vraiment le secret de faire cohabiter sans heurt l'émotion, la désinvolture et la gravité. Qu'elle le garde, et qu'elle ne rompe jamais ce fragile équilibre entre les contraires. L'harmonie du printemps sied merveilleusement à la Passion et en épouse la douleur. Certes, le dimanche de Pâques un paso de Résurrection est promené, sans pénitents, sans lumières, sans saeta. Je le trouve, personnellement, de fort mauvais goût. La semaine est bien finie dans la nuit du samedi. Le dimanche, heureusement, on se retrouve à la Maestranza.

FRANÇOIS ZUMBIEHL
ET
——— *ALAIN LAVAUD* ———

Les textes en italiques sont de Alain Lavaud.
1. Le brancard richement orné sur lequel sont hissées les Images.
2. Le responsable de la troupe des *costaleros*. Il marche devant le *paso*, vêtu d'un costume noir très strict.
3. Les porteurs. Salariés requis, ou *confrères*, placés sous le *paso* (on ne voit que leurs jambes), ils le portent sur les épaules protégées par une sorte de drap.
4. *El Cristo del Gran Poder*, sculpté par Juan de Mesa en 1620.
5. *María Santísima de la Esperanza Macarena*, la plus célèbre Vierge de Séville. Elle est l'œuvre d'un artiste inconnu.
6. La confrérie du Silence est la plus vénérable. Sa fondation date du XIVe siècle.
7. Belle !
8. Nom des arènes de Séville.
9. La levée du *paso* sur les épaules des *costaleros*.

ALAIN LAVAUD

LA COLOMBE

ET LE CHASSEUR

**A Manuel y Antonia
A Angel y Enriqueta
A Joaquin, Cristobalina, Diego, Maria José...
A tous ceux sans lesquels le Rocio ne serait
pas authentiquement ce qu'il est.**

COMME LES RUISSEAUX REJOIGNENT LES RIVIÈRES QUI À LEUR TOUR SE JETTENT DANS LES FLEUVES POUR GAGNER L'OCÉAN ; UNE FOIS L'AN, PEU AVANT PENTECÔTE, DES CONFINS D'ANDALOUSIE, ET D'AU-DELÀ, DES CENTAINES DE MILLIERS DE PÈLERINS CONVERGENT VERS LE ROCIO.

C'est un petit village, un simple hameau, sans autonomie municipale, relevant du gros bourg d'Almonte, à seize kilomètres de là. Le paysage est pauvre : du sable, des broussailles, des fourrés de cystes, quelques bouquets d'eucalyptus et de pins, des champs de romarin où vivent le lièvre et le lynx, des étendues plates d'eau saumâtre, peuplées de couleuvres et d'échassiers, hérons et flamants roses. Et puis le ciel, rien que le ciel, immense, démesuré, auquel toujours dans ce delta du grand fleuve, on est infailliblement renvoyé.

On accède généralement au Rocio par la route de Séville à Huelva, en piquant à gauche, vers la mer, à la hauteur de la Palma del Condado. Quelques centaines de maisons basses au toit de chaume, certaines, plus récentes, au fronton prétentieux, toutes blanches de chaux, se pressent dans un entrelac de rues sablonneuses, autour du sanctuaire. Il se distingue de loin à sa haute façade blanche percée de loges pour les carillons et surmontée de lanternes de céramique bleu vif.

Au fond de la vaste nef claire et sobre, dans les œillets, les glaïeuls, les roses de toutes couleurs qui jonchent le sol et escaladent son autel, sous un dais d'argent aux quatre fines colonnettes ciselées, trône la Vierge à l'Enfant qui suscite le plus grand courant de ferveur populaire de l'Occident chrétien.

Cette dévotion remonte au tout début du XIVe siècle. La première référence écrite qui nous en soit parvenue date de 1337 quand le roi chasseur, Alphonse XI et ses compagnons écumaient le Comté de Niebla des hardes de sangliers, laies et marcassins.

Selon la légende, les chiens d'un chasseur de Villamanrique égaré du côté d'Almonte seraient tombés à l'arrêt devant un fourré. Intrigué, leur maître, après avoir élagué le taillis au couteau se serait pâmé devant un visage adorable. Revenu de sa stupeur, il charge sur ses épaules le divin fardeau pour le ramener à Almonte, mais la fatigue et la chaleur l'endorment auprès de sa céleste découverte. Au réveil, la Vierge a disparu. Elle est retournée à l'endroit même d'où le chasseur l'avait enlevée, et où les Almontègnes éleveront son premier sanctuaire.

La réalité historique est à peine moins émouvante puisque l'apparition de la Vierge du Rocio, alors appelée de las Rocinas, s'inscrit dans ce grand mouvement occidental de ferveur mariale qui au XIIIe siècle produit les miracles de la Sainte Vierge de Gautier de Coincy, les milagros de la Virgen de Berceo et les Cantigas de Santa Maria d'Alphonse X le Sage.

Cousine de la Virgen de los Reyes — patronne de Séville — comme le roi Saint-Ferdinand qui conquit la ville sur les Maures l'était de Louis IX de France, le Saint des croisades, cousine également de la Sainte Anne, titulaire de la basilique sévillane de Triana, de l'autre côté du Guadalquivir, la Vierge du Rocio a les mêmes traits énigmatiques, le même sourire de Joconde, les mêmes paupières tombantes, les lèvres minces aux commissures légèrement relevées que l'on retrouve dans l'iconographie gothique à Chartres, à Amiens, à Paris ou à Reims. La Vierge du Rocio serait-elle donc française ? Il se pourrait.

LA PROCESSION

Dans ce hameau où demeurent à peine quelques centaines de gardiens, manœuvres agricoles, gardes-chasses, employés de la réserve naturelle de Doñana, ils sont venus plus d'un million cinq cent mille en ce jour de Pentecôte à travers champs et montagnes, chemins et rivières : ceux de Jerez de la Frontera et du Puerto de Santa Maria ont traversé le Guadalquivir à la hauteur de Sanlúcar de Barrameda sur des barges, dans des barques où ils ont entassé les chevaux et les bœufs, carrioles et tracteurs, joueurs de fifres et vachers. Ils sont venus à cheval, les femmes assises en croupe, entourant du bras la taille de leur cavalier ; à pied, le haut bâton de pèlerin au poing ; en lourdes charrettes bâchées de toile blanche sur des cerceaux, ornées de guirlandes et de fleurs de papier. Tirées par un couple de bœufs blonds ou roux, elles transportent toute une intendance de bonbonnes et de fûts de vin, de jambons et d'ustensiles de cuisine. Sur des matelas de tissu rayé, bourrés de craquantes feuilles de maïs séchées, reposent les enfants et les plus âgés.

Derrière, suivent des tracteurs enrubannés, des voitures tous terrains surmontées de baluchons cahotants et d'une jeunesse bruyante : longue théorie hétéroclite et pittoresque qui précède ou qui suit le précieux étendard, le *sin pecado*, emblème de la confrérie. Celui de Triana, la plus ancienne des deux confréries rocieras de Séville, est d'une richesse inouïe : de drap d'or rebrodé, il est orné de figurines d'ivoire sculpté, de diamants, rubis et émeraudes, frappé des fleurs de lys sur champ d'azur de la famille des Orléans-Montpensier, qui furent un temps les hôtes princiers du Palais de San Telmo. Ce gonfalon est voituré entre deux très hautes roues sous le baldaquin d'une charrette de pur argent, ciselée, ornée de statuettes pieuses, de symboles agricoles, pampres, gerbes, javelles, d'un effet à la fois champêtre et somptueux.

Toutes n'ont pas la baroque magnificence de celle de la Palma del Condado ; certaines plus modestes n'en sont pas moins touchantes dans leur primitive simplicité, telle la *carreta* de Carrion de los Cespedes en bois tourné, à laquelle le blanc et bleu laqués donnent un air de vague ressemblance avec les voitures de marchands de glaces d'autrefois. Décorées de plantes et de fruits de saison, rameaux d'olivier, épis de blé vert, branches de vigne, lys ou iris sauvages, quenouilles de maïs, tournesols éclatants, elles sont l'objet de soins incessants, le soir au campement dans le cercle serré comme pour repousser une attaque de Peaux-Rouges. Elles feront une entrée triomphale au Rocio, précédées des autorités de la confrérie en grande tenue, des cavaliers, des invités d'honneur, telle la Reine d'Espagne, dont la foule, avec une affectueuse et respectueuse sympathie touchait la pointe de la botte et le bas de la robe à volants.

LA FOULE
EN ATTENTE

Le mercredi qui précède Pentecôte, arrivent ceux d'Almonte. Maître d'œuvre des cérémonies, la Hermandad Matriz, autrement dit la confrérie originelle, accueillera toutes les autres, ses filles, jusqu'au samedi soir lorsque la plus prestigieuse, celle de Triana, fera la dernière son entrée, en grand apparat. Les caravanes de pèlerins se succèdent, accueillies avec de grandes démonstrations de joie : on se retrouve, on se reconnaît, on salue avec effusion des amis, de lointains parents venus d'autres villages et dont on sait qu'ils ne manqueront pas le rendez-vous annuel. Certains parmi les premiers arrivés ont poussé, à leur rencontre, jusqu'à la « Frontière », le pont de l'Ajoli, qui pour un vrai rociero divise l'univers en deux mondes complémentaires : Séville et Huelva.

On patauge joyeusement dans les marais ; les années sèches, le ruban coloré de la caravane s'étire, entre ciel et terre dans un poudroiement doré par le crépuscule. On conduit botte-à-botte, jusqu'au terme réparateur du voyage, après les haltes inconfortables des nuits précédentes, à la belle étoile : maisons, privées pour les mieux nantis, ou communautaires pour les autres, véritables caravansérails dont elles partagent la grande cour centrale entourée de galeries, sur laquelle donnent des cellules de moines. Silencieuses, solitaires tout au long de l'année, elles se peuplent en un instant d'une foule bigarrée et de cette élégance que le costume andalou confère à l'homme le plus rustaud, à la femme la moins partagée. Celles-ci ont serré leurs têtes dans des foulards ; elles ondulent gracieusement dans de longues jupes. D'une année sur l'autre la mode évolue, les grands volants remplacent les fronces serrées, les étoffes unies, les cotonnades à pois l'emportent sur les tissus fleuris.

Les hommes se coulent dans des pantalons à taille haute de drap noir rayé de gris qui tombent à mi-mollet sur les bottes de cuir : coiffés du feutre gris ou beige à ruban noir et à larges bords plats, leur veste courte sans revers laisse voir la chemise blanche finement plissée ou brodée, boutonnée jusqu'au col et portée sans cravate. Les unes comme les autres arborent sur la poitrine la grosse médaille d'argent distinctive de leur confrérie suspendue dans un cordon de soie tressée verte et blanche.

A partir du samedi soir les derniers protagonistes de la fête ayant rejoint le lieu magique, chaque acteur étant à son poste, la vie au Rocio va se transformer en l'effervescente attente de l'annuelle sortie de la Vierge. Tous les ans le miracle se renouvelle : là où un million cinq cent mille personnes concentrées sur quelques centaines de mètres carrés devraient exploser en rixes, en altercations, en affrontements nés de l'encombrement, personne n'indispose personne, la cohabitation est parfaite. Quelques bousculades parfois, un cheval emballé, un évanouissement, une insolation, deux tempéraments un peu vifs excités par le vin, se prenant de bec ; on n'en vient jamais aux mains ; il se trouve toujours un proche pour avertir, d'un ton ferme et amicalement réprobateur : « *Hombres, por favor, estamos en el Rocio* » (Je vous en prie, amis, nous sommes au Rocio) et les deux adversaires d'un moment échangent l'accolade de paix.

« SI NOUS ALLIONS VOIR LA VIERGE ? »

*E*n aucun autre lieu au monde il n'est possible de trouver une meilleure qualité de générosité, un pareil sens d'une hospitalité sans rien d'ostentatoire. Le rociero s'honore de donner.

Je retrouve un jour un pédiatre sévillan, chez les amis qui m'ébergent. Nous sommes là une trentaine. On a servi une succulente paella au feu de bois : on a baptisé, en versant sur leur tête et selon la coutume, du sel et un vin ambré du Condado, deux nouveaux rocieros dont c'est le premier pèlerinage ; on chante les sevillanas de l'année :

La historia de una paloma
que bajo desde los cielos...

L'histoire d'une colombe
qui descendit des cieux

On gratte la guitare, on marque le rythme des fandangos et des rumbas flamencas en claquant dans ses mains... Le pédiatre n'est pas le dernier : danseur élégant, partenaire empressé de la maîtresse de maison. On les applaudit, on les félicite, on les encourage :

« *Vamos pa la tercera !* » (les Sévillanes vont obligatoirement par quatre). Au cours d'un répit, étonné de retrouver ce médecin parmi nous, je lui demande (question absurde d'étranger encore imparfaitement instruit des pratiques locales) : « Qui connais-tu ici ? Qui t'a invité ? — Moi ? personne. Je passais, j'ai vu qu'il y avait de l'ambiance ; je suis entré. »

Alors au moment le plus inattendu, quand la fête bat son plein, sous l'effet de quelle subite inspiration, une voix couvre-t-elle la réjouissance et propose : « Si nous allions voir la Vierge ? » Jamais, au grand jamais, je n'ai perçu la moindre réticence, la plus petite dérobade. En quelques minutes, les femmes nouent leur foulard, les hommes rajustent le col de la chemise, on se brosse, on se coiffe, on attrape une guitare et un tambourin, et l'on se dirige en chantant — procession miniature — vers le sanctuaire.

Nuit et jour par le grand portail qui donne sur le parvis, ou par la porte latérale qui ouvre sur les marais, des milliers de pèlerins entrent et sortent, qui sont allés faire un brin de visite à leur Reine et Mère et contempler son visage. Que lui expriment-ils ? Tout ce qu'un jeune homme de Huelva, aux apparences d'ailleurs bien futiles, un peu jouisseur, un peu noceur, me confiait un jour, après de durs revers, dans un grand élan de sincérité meurtrie : « De toute façon, il n'y a que deux choses qui comptent dans ma vie : la Vierge du Rocio et ma mère... » (la mère venait en second).

C'est le même sentiment qui meut les garçons d'Almonte, particulièrement chaque sept ans lorsque la Vierge vient séjourner neuf mois dans leur église paroissiale.

Ya pasaron siete años...	Sept ans ont passé
Y puedo verte otra vez...	*et je peux enfin te revoir...*
	(dit la sévillane)

Aux abords du Chaparral, grande esplanade de terre battue, avant le coucher du soleil, les ouvriers agricoles rentrent des champs. Ils descendent de leur monture et en attachent les rênes à la grille de fer d'une taverne. Le meilleur moment de la journée commence pour eux, longue soirée de palabres, arrosée de vin blanc du pays tiré de la barrique, accompagnée de crevettes au naturel, ou de pieds de porc au piment doux. Il n'est pas rare de surprendre ce type de dialogue :

— « Tu as vu Manolo ?

— Il est allé passer un moment avec la Vierge.

— Et ce putain de José Maria ! Qu'est-ce qu'il fout ?

— Il va venir. Il m'a dit qu'il passerait d'abord voir la Vierge. »

Manolo et José Maria ont vingt ans, les mains calleuses, un teint écroui par le soleil et le grand air, une fiancée qu'ils épouseront l'année prochaine. Il est conseillé, en outre, de ne pas leur marcher sur les pieds.

Cette vénération effusive des rocieros authentiques ne s'explique pas. On la vit, on la partage.

L'OUTRAGE
À LA VIERGE

*M*e croira-t-on si j'écris que le visage sublime sous la couronne, entouré de l'orle de fin tissu d'or incrusté de quatre émeraudes change d'expression : je l'ai vu gris, triste et taciturne un jour de grand soleil alors que la lumière baignait la nef à travers les vitraux clairs ; je l'ai vu radieux, triomphant, illuminé d'un sourire ineffable par une sombre journée d'hiver. Par quelle mystérieuse alchimie passe-t-il de la pâleur d'une soucieuse intériorité à l'éclat d'un joyeux épanouissement ? Les interprétations sont diverses et, pour celui qui les chercherait, les explications rationnelles sont probablement aisées, mais le Rocio — où dans l'antiquité païenne aurait été rendu un culte à la déesse Astarté —, fait partie de ces mondes magiques, de ces lieux inspirés où les signes ont valeur de symboles individuels ou collectifs. La Vierge parle par messages que les rocieros interprètent.

Dans la nuit du dimanche au lundi, à la première lueur du jour, selon la coutume, — mais leur fièvreuse impatience devance l'aube de quelques heures — les garçons d'Almonte, solides gaillards aux manières brutales, escaladent la grille de bronze au risque de s'empaler, pour enlever la Madone. Cela tient du rapt et en a toute la violence. Pendant plusieurs heures, agrippés aux barreaux qui cernent la niche, bousculés, pressés par la multitude des fidèles réduits au rôle de spectateurs fervents, l'aumônier a contenu leur fougue en récitant le rosaire et les litanies. Jusque-là, la Vierge appartient encore à la hiérarchie ecclésiastique, mais désormais, une fois sur leurs épaules, la divine image n'est plus désormais qu'à ses ravisseurs. Sauvages, ils repoussent de toute la puissance de leurs pieds, leurs coudes et leurs poings la moindre intrusion étrangère.

Portée par la foule, la Vierge est expulsée de son église, où flotte une poussière dorée par les cierges, vers l'immensité noire de la nuit prolongée par les marais jusqu'à l'Atlantique. Dans le flux et le reflux de cette mer humaine, la Vierge du Rocio sous son dais, revêtue du manteau de cérémonie va tanguer, rouler, gîter dangereusement. Elle vogue vers les maisons de ses différentes confréries où l'accueillent, devant le porche, l'étendard et le conseil de direction conduit par le Frère Majeur, qui tient dans sa main le haut bâton de métal, aussi précieux que la crosse d'un évêque. Huevar, Pilas, Salteras, Espartinas, Paterna, Escacena del Campo, Chucena, Villalba del Alcor, Aznalcazar, aucun village de l'Aljarage sévillan ne sera oublié. Villarasa, Trigueros, San Juan del Puerto, Bonares, Moguer et Palos de la Frontera, recevront leur idole successivement et selon un ordre immuable.

Rien de comparable avec l'ordonnance rigoureuse des processions de semaine sainte, mais la précarité hasardeuse de ce périple conduit nécessairement la céleste promeneuse vers les ports, havres de grâce où elle reçoit un hommage de souveraine.

Au lendemain d'élections qui avaient vu triompher une coalition socialo-communiste, la municipalité de Hinojos avait décidé de déplacer le monument de la Vierge monté depuis toujours sur la place centrale du village. Cette disposition avait provoqué un émoi considérable. Il n'était plus question que de l'outrage dont la Vierge était accablée. Comment le prendrait-elle ? Le bruit courait qu'elle sauterait l'étape d'Hinojos où les pèlerins vivaient dans une anxiété consternée. Alors qu'elle approchait de la « Casa Hermandad », il y eut un flottement, comme lorsque les vents tournent, que les voiles pendent et que le navire balance dans l'indécision. Les hommes et les femmes de la confrérie étaient raidis dans l'attente.

Et soudain, dans un grand élan résolu, le vaisseau somptueux cingla vers Hinojos et s'y attarda longuement sous les vivats. Huit fois on crut que la Vierge partait, huit fois elle revint, ne se décidant pas à abandonner ceux qui avaient souffert pour elle. Dans cette Andalousie plus rouge ou rose que blanche, le culte à la Vierge du Rocio dépasse les clivages politiques et les idéologies. Atteinte au patrimoine culturel, blessure à la sensibilité religieuse, la mesure du Conseil municipal était surtout une erreur grossière.

LA VIERGE CHOISIRA

Dans le petit matin livide du Rocio, lorsque le brouillard étouffe les sons et gomme les contours, la Vierge approchait, grise et grave de la confrérie de Triana. Au sortir de l'église, à la nuit encore noire, une colombe blanche se posa sur le dais. Ni les soubresauts qui le cabraient, ni les vivats de la multitude ne l'en avaient délogée. Lorsque la Vierge fit face à l'étendard magnifique, le premier rayon d'un soleil timide vint toucher ses traits, et elle sourit. A ce même moment la colombe s'envola. Après une fraction de stupeur muette, la foule explosait en applaudissements ravis : à chaque homme, à chaque femme aux yeux baignés de larmes, la Vierge venait de parler.

Pour se rendre, une fois tous les sept ans dans son église paroissiale d'Almonte, la Vierge emprunte, en pleine campagne, un chemin de traverse. Elle a été revêtue pour la circonstance d'une tenue de bergère très dix-huitième siècle : une capeline de paille fleurie de coquelicots, bleuets marguerites et boutons d'or, posée droit sur sa chevelure sombre, un court manteau de velours ponceau brodé de diamants, et dans ses mains l'Enfant Jésus couvert lui aussi d'un petit chapeau pastoral. La réforme agraire engagée par le Gouvernement autonome avait attribué à de nouveaux agriculteurs des terres jusque-là en friche. De florissantes cultures de céréales ou de melons semblaient devoir interdire le passage de la Vierge du Rocio. Traverserait-elle des champs cultivés, au risque de perdre irrémédiablement les récoltes ? Ferait-elle le détour qui lui était proposé, vers la route nationale, rompant ainsi avec une pratique séculaire ?

Almonte était divisé ; le Conseil municipal partagé ; les esprits exaltés. On s'échauffait ; on en vint même aux mains. La presse locale de Séville, de Huelva, s'enflamma ; on en parla à Madrid. Véritable affaire Dreyfus andalouse, des familles se scindèrent en deux partis. Des barrières furent installées ; du fil de fer barbelé, des cadenas apparurent. En ce matin radieux du mois d'août, le Rocio était en effervescence. Certains même s'étaient munis de gourdins. Par où passerait le cortège ? Et la réponse revenait le plus souvent, insolite, incongrue pour un observateur profane : « La Vierge décidera... La Vierge choisira... » Vers le soir, peu avant le crépuscule, dans un désert de broussailles et de sable, elle approchait de la croisée des chemins, suivie sur un front de plusieurs dizaines de mètres de milliers de pèlerins plus menaçants pour les terres et les récoltes que les chevaux d'Attila.

Tirerait-elle à gauche vers la route ? Continuerait-elle tout droit ? Il y eut quelques instants d'insoutenable attente. Elle balança d'un côté, de l'autre, puis s'engagea résolument, de front, vers les cultures. Les barrières furent forcées, les cadenas sautèrent. Mais la Vierge, évitant avec soin la végétation, longea rigoureusement la lisière entre un champ et un autre. Les fidèles sur un rang de quatre ou cinq suivaient docilement les méandres de cette sinueuse colonne. Un cultivateur flanqué de ses deux jeunes fils abasourdis, encore armés de leurs bâtons, avait la gorge nouée : « C'est incroyable ! Ils ne m'ont même pas écrasé un melon ! » La Vierge avait affirmé sa volonté.

IL SE PASSE VRAIMENT QUELQUE CHOSE

*L*e Rocio n'échappe ni à la dérision, ni à la défiance, ni à l'incrédulité. Il en triomphe cependant. Un jeune couple progressiste m'avait accompagné une année avec un ami commun, informaticien, sévillan lui aussi, lui aussi progressiste, sceptique mais non pas blasé, plus préoccupé de justice sociale que de religion ; il avait connu pour cela les matraques de la police franquiste. La veillée s'était passée pour eux en joyeuses libations, chants, danses, amitiés soudaines, éclats de rire, en longues embrassades et tapes sur le dos, de feux de camp en tables d'hôtes, à travers les ruelles sur-peuplées et bruyantes. Vers quatre heures du matin, j'eus toutes les peines du monde à les convaincre que, somme toute, ils étaient venus là pour assister à la sortie annuelle de cette Vierge du Rocio qui les intriguait. A contrecœur, ils me suivirent vers le sanctuaire. Ils ne m'épargnaient pas sarcasmes amicaux et moqueries qui m'aga-çaient en troublant mon émotion.

Notre amie était particulièrement cinglante. L'amitié en Andalou-sie se mesure aussi à la capacité d'encaisser les railleries conjuguées de tout un groupe. Nous sommes arrivés alors sur l'esplanade, où se pressait une foule immense, à l'angle de la basilique... Elle navi-guait déjà dans la nuit, sur fond de rumeur opaque, coupée de loin en loin par une voix puissante et anonyme : « Viva la Blanca Paloma », et la foule reprenait d'un seul cri : « Viva. Viva la Reina de las Marismas — Viva. — Viva la Patrona de Almonte — Viva. — Viva la Virgen del Rocio — Vivaaa. »

Acclamations inlassablement reprises au long du pèlerinage. Tout à mes émotions, je n'avais pas pris conscience qu'insensiblement les sarcasmes s'étaient éteints dans mon dos. Pourquoi, lorsque je me retournais enfin, le couple était-il devenu livide et muet ? Pourquoi le jeune informaticien pleurait-il silencieusement ?

Le pèlerinage au Rocio est une attente, un avent mystique qui pré-suppose l'abdication de la raison, occupée par des événements mineurs et solennels : réception des confréries, au fur et à mesure de leur arrivée, par la Hermandad Matriz ; grand messe de Pente-côte concélébrée en plein air sur l'esplanade de l'Eucaliptal par l'archevêque de Huelva revêtu des ornements sacerdotaux rouges imposés par la règle liturgique ; retraite aux flambeaux dans les embrasements colorés des bengales roses, jaunes, violets, verts jusqu'à la porte principale du sanctuaire...

Mais le lundi, un peu après midi, tout est consommé : la Reine des Marais est de nouveau chez elle. Il reste à entreprendre le retour par les mêmes chemins, dans les mêmes charrettes, sur les mêmes chevaux. Les vêtements avachis et poussiéreux, la taille un peu tas-sée, les silhouettes courbées, mais comme sur celui des enfants aux-quels on vient de parler de fées et de princesses endormies, il reste sur les visages tirés de fatigue le reflet d'un éblouissement : une Vierge de gloire, une fois l'an, dans les marais du Guadalquivir, s'offre à la ferveur de son peuple.

——————— *ALAIN LAVAUD* ———————
Conseiller Culturel, Ambassade de France au Nicaragua.

JE SUIS

SÉVILLAN

COMMENT DÉCRIRE L'ACCUMULATION DE SENSATIONS QUI ÉMANE DE SÉVILLE ? DIFFICILE À TRANSMETTRE. ON NE PEUT PAS APPRENDRE DANS LES LIVRES À SAVOURER CETTE EXCITATION, IL FAUT VIVRE LÀ POUR PRENDRE LE POULS DE CETTE TERRE BÉNIE, SE PROMENER DANS SES RUES, RESPIRER L'AIR DES JARDINS... ET SURTOUT, ÊTRE SÉVILLAN !

Au début, Dieu créa les cieux et la terre. La terre était déserte et vide. Dieu créa alors la lumière, les étoiles et le soleil, et il vit que c'était bien. Il créa les mers et les fleuves, les arbres et les fleurs. Et il vit que c'était bien. Il créa alors les animaux et les oiseaux du ciel, et il vit que tout était bien.

Dieu dit alors : « Créons l'homme à notre image ». Il vit que celui-ci était seul, et c'est alors qu'il créa la femme. Après avoir tant travaillé, il se disposa à faire un petit somme. À son réveil, il dit : « Wouah ! C'est bien beau tout ça ! » C'est alors que Dieu prit le monde entre ses mains et l'embrassa. Les marques de ses doigts sont les cinq *rias* galiciennes, et le baiser, le baiser, et bien, ce fut... Séville. Tout cela est décrit dans la Genèse, et si ça n'y est pas, c'est parce que celui qui l'a écrite a dû l'oublier.

SUR LES RIVES
DU GUADALQUIVIR

Moi, Sévillan de naissance et *trianero*[1] de cœur, je ne sais pas ce qui est le plus important : avoir eu la chance de naître à Séville (on fait la queue pour ça), ou avoir choisi sa capitale, son quartier *trianero* comme petite patrie.

Que peut-on écrire de Séville ? Tout et rien. Comment peut-on raconter la joie qui imprègne son atmosphère, quel adjectif choisir pour parler du bleu du ciel qui couvre ses rues, comment dessiner les campaniles de ses couvents, comment faire sonner les cloches de la Giralda pour saluer celle qui est sa patronne, la Virgen de los Reyes, le matin du 15 août ? Comment sentir la fleur d'oranger mêlée à l'encens, toujours au printemps, devant un *paso Cristo*, ou ce qu'est le doux balancement de la *mecida*[2] d'un *paso patio*, l'art de ses *cantaores* ou *bailaores*, ou de quelle couleur est l'étendard d'or de sa

Real Maestranza de Caballeria[3], ou comment se définit le temps au cours duquel le *Romero* de son meilleur toréador arrête les montres et accélère les cœurs ?

Je crois que cette infinité de sensations confluent en un mot : la plénitude. D'autres vous diront que ce sont là les topiques typiques. Eh bien, bénis soient ces topiques qui se font réalité dans les rétines et dans les cœurs de ceux qui la contemplent. Séville est la ville des dualités, elle a toujours, et sous toutes ses facettes, deux pôles qui se repoussent et s'attirent à la fois. Ils n'auraient aucune raison d'être l'un sans l'autre. Et là, on s'approche déjà de Triana.

Nous, trianeros, nous disons que Séville est le centre du monde, et que Triana est sa capitale. Donc, imaginez que le monde est un quartier de Triana. Wouah ! Quelle image ! Et si pour parler de Séville il faut se laver la bouche, pour parler de Triana, il faut se laver tout entier. Bon, on sait que Dieu a embrassé le monde. L'une de ses lèvres : Séville, l'autre : Triana ; et au milieu, le fleuve le plus chrétien, le plus *torero*, le plus gitan : le Guadalquivir. Il nous sert de trait d'union avec nos frères hispano-américains, et à la fois de séparation géographique avec Séville.

Le fleuve qui connaît les reflets des images *trianeras* dans ses eaux, qui porte le dernier souffle d'un Christ agonisant, *El Cachorro*, et qui ralentit son cours pour contempler la beauté de celle qui est la mère des trianeros : l'*Esperanza de Triana*. Fleuve qui sait ce que sont les triomphes toreros dans la Maestranza, et la grâce *torera* de ceux qui sont nés près de lui. Fleuve qui se vante d'avoir entendu les meilleurs cantaores que les forges et les ateliers de potiers trianeros aient jamais donné. En définitive, fleuve qui apporte le sel de Cadix à Triana.

UNE MÈRE, DES TATIES

*T*riana n'est plus Triana. Aujourd'hui, elle garde encore un cachet spécial parce que sont « art » ne s'est pas perdu, mais il a subi de grands changements. Jusqu'aux années 40-50, Triana était composée de deux parties : celle des gitans, et celle des civils. Dans l'une se posaient les « flamencos », dans l'autre lès *payos*[4], là où existait une caserne de la *Guardia Civil*, d'où le nom. Ça s'est perdu maintenant.

Côté gitan, il y avait des bringues à tous les coins de rue, de la grâce dans les patios, des croix de Mai et des baptêmes qui attiraient tous les Sévillans. Il y avait aussi de la fatigue, mais on l'oubliait en chantant et en dansant. Côté civils, il y avait des ateliers de potiers et leurs forges, et une grâce spéciale. Leurs patios aussi étaient gais, et on y respirait l'orgueil de se voir scellés à l'air trianero.

Triana dans l'ensemble — car payos et Gitans cohabitaient — avait ses propres pièces d'identité, qui la différenciaient de Séville. Elle avait sa propre « Cathédrale », *Sena Santana*, où demeure, aujourd'hui encore son « évêque » ; son propre « maire », sa propre semaine sainte qui, bien qu'elle passe aujourd'hui par Séville, a dans ses *pasos*[5] et dans ses porteurs, une façon très particulière de marcher ; sa propre *Feria*, sa veillée de Santiago et Santa Ana ; ses propres styles et *palos* de chant par *soléa*, et d'autres palos flamencos, sa propre procession du Corpus Christi, sa propre confrérie du *Rocío*, celle qui a peut-être le plus de *solera* avec celle de Villamanrique, et tant et tant de choses qui la rendent particulière.

Aujourd'hui, toutes ces choses ne sont que des souvenirs, bien qu'il en reste beaucoup que le temps ne pourra effacer parce que beaucoup de trianeros qui vivent dans la diaspora des quartiers nouveaux continuent à apprendre à leurs fils qu'ils sont trianeros. Et la joie que vit le quartier est digne d'être vue quand, un vendredi saint, ils traversent tous le pont pour acclamer celle qui est leur mère, *La Esperanza* — ici on dit : « Elle est la mère de Dieu, les autres, seulement des taties » — ou, à Pentecôte, comment ils traversent pour saluer leur sans-péché miraculeux qui va se prosterner aux pieds de la Blanche Colombe, la *Virgen del Rocío*. C'est pour ça que le fleuve, en passant par Triana, ralentit son cours pour l'observer, et que la Giralda, jalouse, se dresse pour pouvoir la voir.

ET EN PLUS, C'EST IMPOSSIBLE

Et tous les quartiers de Séville sont comme ça, Santa Cruz qui, avec ses rues étroites et coquettes, ses géraniums et ses jasmins dans des pots de fleurs, en connaît un rayon sur les mots d'amour ; Alameda qui, aujourd'hui, n'est que le souvenir de ce qu'elle était : le monde des flamencos battait au rythme des *soleares* dans ses caves — la Norte, Siete Puertas — où la sacristie connaissait le flamenco pur de Manuel Torres, El Carbonerillo, El Sevillano, Caracol, Nina de los Peines, Mairena, et tant d'autres qui ont grandi cet art ; San Bernardo, qui a lui aussi dû voir émigrer ses habitants, et qui déborde de joie tous les mercredis saints ; l'Arenal, où les gens du port animaient le quartier, et où les enfants observaient l'objet de leurs « fantasmes » : la Plaza de la Real Maestranza... Mais ce sont désormais des souvenirs que le temps ne pourra pas effacer.

La configuration des quartiers a peut-être changé, leurs coutumes, leurs maisons aussi, mais les gens, eux, n'ont pas changé. Ces gens sont toujours gais, ouverts, sensibles, amoureux de l'amitié. Il ne faut pas grand-chose pour chanter des *sevillanas* : danser et battre des *palmas*[6]. Les réunions dans les bars et les tavernes ne se perdront pas. Les gens ici vivent dans la rue, ils se parlent en buvant quelques verres de *Manzanilla*[7] de Sanlucar, ou une bière avec des tapas, ou une *cana*[8] de Jerez, le *fino*, celui qui a la couleur du ciel d'Andalousie et de son soleil.

. Ici, boire est un rite qui soutient l'amitié. Toute la vie se passe dans la rue, et on doit ça au climat qui permet presque toute l'année de se réunir dehors. Dans les bars, on parle de football, de corridas, du *Rocío*, de notre semaine sainte, et de la *Feria*, et de tout ce qui vous passe par la tête, on joue aux dominos et aux cartes. À leur tour, d'autres prennent leurs canas de Manzanilla avec des tapas.

À l'origine, la tapa servait à couvrir *(tapar)* le taste-vin ; on demandait une rondelle de n'importe quelle charcuterie : jambon, *lomo*, ou encore fromage. Plus tard, ça a évolué en tapas de cuisine maison, ou le fameux *pescaito frito*[9], pour lequel la préparation et la pavie sont particuliers. Je vous répète les mots du troubadour de Séville, *El Pali*, qui nous regarde sans doute depuis les lagunes célestes : « Celui qui prend le chemin de la plage pendant la semaine sainte, ou qui n'a pas mangé de pavie, ne peut pas être sévillan. »

Toute personne habitant ici se fait sa propre « carte culinaire » et connaît, selon ses goûts, les coins où l'on peut manger les charcuteries montagnardes, ou le poisson de Sanlucar de Barameda. Ici donc, on vit dans la rue, grâce au climat. Et ça se comprend. Comment les Nordiques, qui se gèlent, pourraient boire une bière avec des tapas, à la terrasse d'un bistrot, sur la place de leur village ?

Et on dirait que ça se répand, que ça devient à la mode. À New York, *copear*[10] et *tapear*[11] sont très en vogue ; et moi je me demande bien comment ça pourrait être pareil de voir la Maestranza, le pont de Triana, la Giralda, la *Torre del Oro*, le Guadalquivir, en mangeant des sardines grillées dans la calle Bétis, que de manger des tapas en regardant ce truc, là, l'Empire State Building, ou les voitures qui passent dans cette 5e avenue, plus longue qu'un dimanche sans argent. Et je dis comme le *Guerra* (le toréador, pas l'homme politique) « Ce qu'on peut pas faire, on peut pas, et en plus c'est impossible. »

ÉCHANGES D'IDÉES

Avant, je vous l'ai dit, Séville était la ville des dualités : ici, il y a toujours deux pôles pour tout. Séville et Triana, par exemple. Mais je vais vous en montrer d'autres.

À Séville, il y a deux équipes de foot, bon, n'exagérons rien, il y en a une. La mienne. Celle qui porte le nom de la ville : le Sévilla F.C. L'autre, une bande de copains, avec un nom de rue : le R. Betis. La rivalité qui existe entre ces deux équipes est forte, bien qu'elles pratiquent toutes les deux le football de l'école sévillane, celui qui plaît par ici, celui qui est « artistique ».

Nous, on ne veut qu'une seule chose : que l'équipe adverse perde. On se contente au bout du compte que notre équipe reste juste au-dessus de l'autre (comme on dit ici : papa sur maman), et comme vous vous en doutez, toujours avec le glaive de la parole sur la gorge de l'adversaire. Il y a même des petits malins qui laissent pour consigne qu'à l'heure de leur mort, on les fasse membre de l'équipe adverse, comme ça, c'est un des « autres » qui meurt. C'est en général ceux du Bétis qui font ça, et nous on dit qu'ils le font pour aller au ciel parce que normalement, ils vont sûrement en enfer.

Nous, les sévillistes, on a un stade : la bombonnière de Narvion, eux, ils ont un baby-foot. Dans les affrontements entre supporters des deux bords, il y a des « échanges d'idées » qui rappellent les dialogues entre père et fils, entre amis et copains, entre le chef et l'employé. C'est une rivalité saine ; comme pour le reste, il faut la vivre pour la connaître.

Il y a d'autres pôles. Pendant la semaine sainte, chacun appartient à sa confrérie, mais en ce qui concerne les statues de vierges, ce sont celles de la Macarena et la Esperanza de Triana qu'on vénère le plus. La Esperanza Macarena, mondialement connue, celle qu'on appelle la reine des cieux et de Séville, qui est au cieux parce qu'il n'y en a pas de plus jolie qu'elle, la Vierge qui pleure et qui rit en même temps, celle qui soulève clameur et prière par son pas majestueux dans les rues de Séville. Sur l'autre trottoir, l'Esperanza de Triana, la Reine des trianeros, la mère de Dieu, qui étreint le cœur de ceux qui ont la chance de pouvoir la contempler.

Pour les corridas, la division et la polémique ont toujours existé, Juan et José, Belmonte ou El Gallo, l'« art » ou le pouvoir. Aujourd'hui on perpétue la tradition ; Romero ou Espártaco, le bohème ou le gladiateur, la pincée ou la force. Les familles ont toujours existé dans le chant : Caracol ou Mairena, dans les villes : Jerez ou Séville, la Alameda ou Triana ; payos ou Gitans. Il en est ainsi pour toutes les facettes de la vie, parce que, « des goûts et des couleurs... », chacune d'entre elles avec ses partisans.

Je vais vous raconter quelques anecdotes pour que vous puissiez comprendre à quel point on a ça dans le sang. Belmonte voit s'ouvrir devant lui la *Puerta del Principe* [12] par un grand après-midi de corrida. Ses fans le portent en triomphe jusqu'à Triana. En passant devant l'église de Santa Ana, comme elle était ouverte, ils entrent et prennent des brancards pour la prochaine procession. Le curé les jette comme des pharisiens et des marchands du temple, et leur dit en plus : « Si au moins ça avait été Joselito... »

Un curé, pendant les prières de la messe dominicale, demande aux fidèles de prier pour que « cet après-midi, le Séville gagne les Bétis ». Un Gitan qui entend chanter un payo, dit : « celui-là, il chante à te casser les os, mais moi je lui dirai sûrement pas olé ». Statuts du club sévilliste : « Article un : toujours haïr le Bétis. » On est comme ça, c'est tout.

PAS DU FOLKLORE

Vous avez remarqué qu'on ne peut pas parler de Séville sans parler de ses fêtes de printemps : la semaine sainte et la Feria. Pour les Sévillans, notre fête par excellence, c'est la semaine sainte. La *Feria*[13], ça peut être n'importe quel jour de l'année où on s'amuse.

Parler de la semaine sainte, c'est parler de dévotion, c'est parler de sentiment, et ça, on l'a dans le sang. Cette dévotion, elle n'existe pas seulement le jour de la sortie processionnelle, on la porte en dedans le jour même où on naît, c'est sûrement à ce moment-là qu'un père fait de son fils un membre de sa confrérie.

Chaque Sévillan vit sa « propre » semaine sainte. Il a des endroits préférés, il aime telle ou telle rue, il sait où l'on peut entendre une *saeta*, il sait comment marcher dans une *bulla*[14], quelles sont les « entrées » ou les « sorties » qui valent la peine, où l'on peut boire une bière pour rester en forme. Il s'établit son propre « programme », il sait quel est l'« orchestre » de telle confrérie, combien elle a de porteurs, et qui est le chef qui les dirige. Et bien sûr, sa propre confrérie « se promène » dans les rues. « Se promener », c'est porter correctement ses pasos, que la chandellerie et les fleurs soient « comme il faut », que les horaires soient respectés, que les *bandas*[15] jouent les meilleurs morceaux. En résumé, la meilleure, ça a été ma confrérie, elle s'est bien « promenée ».

En tout cas, je ne sais pas pourquoi on veut donner de tout ça une image profane et folkloriste. Cette fête n'aurait aucune raison d'exister sans son fond et sa forme religieux, pour les Sévillans, c'est très clair, et c'est un sujet qui offense beaucoup le Sévillan et ses confréries. Ce fond religieux, il existe parce que, si la confrérie défile un jour seulement, les 364 autres, il y a le culte aux titulaires, la cohabitation entre membres et confréries, la distribution de bourses de charité aux nécessiteux, les lieux de réunion pour la jeunesse, les liens entre confréries et paroisses, l'organisation des manifestations culturelles et sportives entre membres et confréries ; ce que l'on voit dans la rue, ce n'est donc que la pointe de l'iceberg, c'est l'arbre, pas la forêt.

Je ne peux en tout cas pas nier que, dans la rue, la confrérie est d'une grande beauté plastique, voir comment elle avance dans les ruelles où jamais on ne croirait qu'elle pourrait passer, voir le mouvement (ce qu'on appelle la mecida) d'un dais au son de *marchas*[16] comme *Amargura* ou *Pasan los campanilleros*, voir marcher un pénitent, entendre la voix cassée du chef dirigeant les porteurs, ce sont des moments d'une beauté poignante, et peut-être que pour quelques-uns, il n'y a que ça qui compte.

Ici, on prie d'une façon très particulière. Pour certains, il se peut que ce ne soit pas correct, et même incorrect ; il y en a d'autres que ça étonne. Ici on prie en chantant des sevillanas à la Vierge, en lui criant — à la Macarena ou à l'Esperanza de Triana — « *Guapa !* » « *Guapa !* » (fille). On pleure en voyant son visage, on décore les balcons des plus beaux atours, pour qu'en passant elle soit contente, on se masque, ou on la porte ; et de bien d'autres façons encore, et toutes du fond du cœur. Et qui peut dire qu'elles ne sont pas correctes ces façons, ou que celui qui est là-haut ne les estime pas autant que les autres ?

Et ça, je vous assure que c'est pas du folklore. C'est pas du folklore de voir un homme pleurer parce qu'il regarde son fils faire sa première « *levantá* »[17] du paso, depuis les balcons du ciel, et peut-être que cet homme n'est pas allé à la messe depuis des années ; tout comme c'est pas du folklore de voir les femmes marcher pieds nus, de nombreux vendredis, s'approcher de San Lorenzo où se trouve le Seigneur de Séville : le Grand Pouvoir ; et c'est pas non plus du folklore de voir arriver jusqu'à la chapelle une petite vieille avec un très modeste bouquet de fleurs des champs, pour que son Esperanza de Triana les porte pendant la procession, et de voir pleurer des hommes forts comme des tours parce que ces petites fleurs se sont fânées en chemin.

Et on enlève les grands bouquets de fleurs tropicales qui ornaient la statue, pour que la *Señora*, la Mère de Dieu, la Reine de Triana, les porte à ses pieds, le plus près possible d'elle ; parce que sûrement, ces fleurs des champs ont plus de valeur pour elle que ces grands bouquets. Et qui est-ce qui me dit, à moi, que ça c'est du folklore ? Qui est-ce qui peut me jurer que ce n'est pas prier ?

Autre chose : il vous est sûrement difficile de comprendre comment un communiste endurci peut défendre la Virgen del Rocío, et affirmer que le Grand Pouvoir tuera celui qui touche un seul de ses cheveux ; mais qu'il ne veut pas entendre parler de soutanes. Je vous le répète, Séville est différente, il faut la vivre. Et vous devez comprendre que tout ça, ça se porte dans le sang, ça se tête depuis tout petit.

Chacun a donc son « programme ». Il y a un moment pour chaque chose. Ça va de l'austérité d'une confrérie « de silence », dont les membres sont en général du centre de Séville, à la joie débordante qu'exprime un quartier pour manifester sa tendresse envers ses fils. Être dans une bulla, ou dans un lieu plus recueilli. La bulla, c'est l'agglomération de gens devant un paso ; on ne l'apprend à personne, mais tout le monde sait comment se tenir, il faut savoir marcher pour ne pas se piétiner, savoir regarder pour ne pas perdre un détail, savoir se sortir de là, savoir même respirer. Ça et bien plus encore, c'est ma semaine sainte.

DANSER,
C'EST SÉRIEUX

Pour vivre la Feria, il faut connaître quelqu'un qui puisse servir de guide. L'entrée de la plupart des *casetas* n'est pas publique, et c'est là que se déroule la vie de la ville pendant sept jours, plus les préparatifs, c'est-à-dire deux ou trois jours de plus. Ce qui est le plus difficile à croire, c'est que les gens travaillent et qu'ensuite ils vont à la Feria et ensuite au travail, quelquefois sans voir un lit.

C'est une fête différente, ce n'est pas une fête « barbare », comme celle d'autres villages, c'est une fête seigneuriale. On ne boit pas pour tomber dans les pommes, on boit pour être gai, pour chanter et danser. Mais c'est vrai aussi qu'on ne peut pas attendre autre chose de peuples qui s'amusent en travaillant, en coupant des troncs d'arbres, en soulevant des pierres, en tirant la charrue à bœufs.

Pour nous, danser les sevillanas c'est sérieux, c'est une danse dans laquelle prédomine la grâce, le mouvement des mains et de tout le corps, où la femme tourne autour de l'homme, elle s'approche de lui, elle s'éloigne, où elle affiche son élégance et son allure, l'homme en général ne fait qu'accompagner. La protagoniste, c'est la femme. Ça nous fait rire de voir des gens qui croient savoir danser.

Au-delà de nos frontières, on a monté des écoles de danse à tous « les coins de rue », et on donne même des cours de deux jours. Tu peux y passer toute ta vie sans rien apprendre ! Ce qu'on aime, c'est manifester ses propres sentiments à l'intérieur des canons. Moi, je préfère quelqu'un qui ne sait pas danser, qui fait ce qu'il sent, à quelqu'un qui parade comme dans un défilé militaire. Et on en voit beaucoup comme ça, comme si à l'école de danse on leur disait : « Toi ma petite, après la Feria, le Ballet National ».

On dit des Sévillanes que leur danse est une chanson d'amour, que les regards se croisent, que la femme avance, recule et que l'homme, comme toujours, est à ses pieds. La réalité de la Feria est connue — ses casetas, ses sevillanas, les promenades à cheval, ces belles femmes avec des robes à falbalas, assises en croupe à côté de cavaliers en costume-boléro, les attelages décorés, le chapeau à large bord et l'œillet — mais ce qui est encore plus connu, c'est la Cathédrale du toreo, la place qui donne le prestige, le rite de la fête qui ici, plus que nulle part ailleurs, se vit sous toutes ses facettes : la Real Maestranza de Caballeria.

N'importe quel Sévillan *aficionado* a en lui quelque chose du toréador, n'importe lequel a un jour fait une *verónica* avec bravoure dans sa salle de bains, avec une serviette ; ou en sortant de la corrida, après avoir vu une verónica, il la mime avec une cape imaginaire. Quel toréador n'a pas rêvé de voir son nom sur les affiches de la

Maestranza ? Quel toréador n'a pas rêvé de cette *faena*[18] qui lui ouvrirait la *Puerta del Príncipe* ?

Dans cette arène où les silences sont éternels, on aime l'art ; et on le sait bien : « De Despeñarperros vers le bas, on torée, vers le haut, on travaille. » Ici, on aime le taureau avec son juste poids et ses justes défenses, ce qu'on appelle « *en su caja* »[19] ; les mastodontes, qu'ils aillent ailleurs. On préfère le toreo de sensibilité, de goût, de bravoure, lent, à celui de force, coriace, véloce et vulgaire. Notre goût est fait pour l'art, et quiconque développe ainsi sa créativité face au taureau sera toréador de Séville, on ne regarde pas son lieu de naissance, on a des exemples avec El Viti, Bienvenida, Antoniete, Lucio Sandin. Ce dernier, qui a malheureusement perdu un œil dans cette place de taureaux il n'y a pas longtemps, a dit plusieurs fois qu'elle avait quelque chose de magique, qu'il se transfigurait dans le patio des *cuadrillas*. (L'eau a « quelque chose » quand on la bénit.).

Mais la plupart des toréadors sont sévillans ; ou alors andalous. C'est la terre que Dieu à choisie pour la faire héritière de cet art. Parmi ces toréadors, quelques-uns sont déjà entrés dans la légende : El Gallo, Belmonte, Joselito, Gitanillo de Triana, Pepe Luis, Manolo Gonzalez ; et d'autres, qui sont toujours en activité : Paula (?), el Gitano de Jerez, Pepe Luis Vazquez — tel père tels fils —, Cepeda.

Au-dessus de tous, Curro Romero. Un toréador qui a une bonne cinquantaine d'années, et qui provoque toujours l'expectative. Le toréador du tout ou rien, celui qui arrête les montres avec sa cape, celui qui étreint les cœurs : le gouffre ou la cîme, la majestuosité, la bravoure, l'art, celui qui est toréador même quand il marche. On dit de lui : « Celui qui n'aime pas Curro, n'aime pas sa mère. » Il ne connaît pas le moyen terme. Soit la gloire, soit l'échec cuisant.

J'ai vu des gens pleurer après trois verónicas, d'autres quitter la place de taureaux en disant : « J'ai vu tout ce qu'il y avait à voir ». Un toréador qu'on attend toujours. Qu'on ne peut pas mesurer au nombre de corridas, ni aux oreilles coupées, parce que, comme il dit lui-même : « les oreilles tachent de sang », « je ne suis pas un travailleur, je suis toréador ». Et si on regarde les statistiques, c'est celui qui est sorti le plus souvent par la « grande porte » de Madrid, et par celle du Príncipe de Séville ; celui qui a été le plus souvent porté en triomphe dans la Maestranza. C'est lui aussi qui a eu le plus d'engueulades dans les deux places. Avec ça, je crois qu'on a tout dit.

Mais Séville, c'est ça et bien plus encore, ce sont ses monuments, ses traditions : le *Corpus*, le Rocío, l'Immaculée, la *Virgen de los Reyes*, ses villages, leurs habitants : Jerez, Sanlucar los Puertos, le chant et la danse, ses couvents, ses problèmes sociaux, ses marchés, les hommes politiques qu'on a « gagnés », sa gastronomie, l'espoir de 1992 avec l'Exposition Universelle, le parc de Maria Luisa, la poésie qui émane de la terre, mais surtout les gens.

Pour toutes ces raisons, vous comprendrez que quand on naît sur cette terre qui forge le caractère, où l'art et la grâce sont toujours présents, où la vie se pose et la joie resplendit, où la lumière et la couleur prédominent, où l'on chante et danse, où l'on bat des palmas parce qu'on naît avec *duende*, quand on naît sur cette terre de Maria Santissima... eh bien, on peut être orgueilleux de naître sévillan ! *(Traduit par Christine Dermanian.)*

<hr>

LUIS OYONARTE Y MOLINA

Médecin

<hr>

1. Trianero : habitant de Triana, quartier de Séville.
2. Mecida : de mecer, bercer.
3. R.M. de Caballería : nom de la place de taureaux.
4. Payo : non-Gitan.
5. Paso : sculpture représentant un fait de la Passion du Christ.
6. Palmas : mains.
7. Manzanilla : vin blanc d'Andalousie.
8. Cana : verre long et étroit.
9. « Pescaito frito » : friture de poisson.
10. Copear : prendre des verres.
11. Tapear : manger des tapas.
12. Puerta des Principe : Porte du Prince, réservée aux toréadors qui ont bien « travaillé ».
13. Feria : foire, fête.
14. Bulla : foule qui précède un paso.
15. Banda : petit orchestre.
16. Marcha : air de musique.
17. Levantá : levée.
18. Faena : travail, en l'occurrence, jeu du toréador.
19. « en su caja » : « dans sa caisse », de bonne taille.

6

SOLEIL ET OMBRES

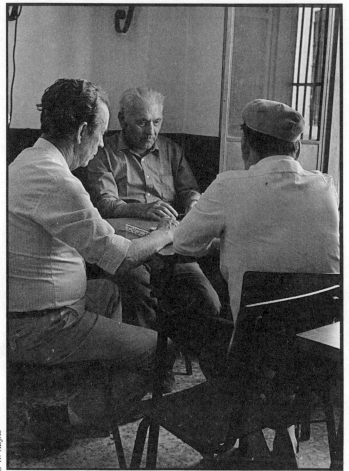

TERRE RICHE,

PROVINCE PAUVRE

LARGEMENT OUVERTE SUR LA MÉDITERRANÉE ET SUR L'ATLANTIQUE PRO-
CHE DE L'AFRIQUE, LONGTEMPS OCCUPÉE PAR LES ARABES ET MÊME L'UN
DES HAUTS-LIEUX DE LA CIVILISATION MUSULMANE, L'ANDALOUSIE EST
POURTANT SI ESPAGNOLE QUE BIEN SOUVENT SUR SON SOL S'EST JOUÉ
L'AVENIR DU PAYS.

La bataille de Guadalete, en 711, ouvre la péninsule aux disciples
de Mahomet. Cinq siècles plus tard, à Las Navas de Tolosa, la défaite
de l'armée arabe marque la fin de l'Espagne musulmane ; même s'il
faut encore attendre presque trois siècles pour que le dernier roi
maure abandonne définitivement Grenade en 1492. Précisément
l'année où Christophe Colomb, parti du port andalou de Palos, donne
aux rois de Castille les terres du Nouveau Monde. Séville devient
presque aussitôt la capitale économique du vaste empire sur lequel
le soleil ne se couche jamais : sur les bords du Guadalquivir, la
fameuse *Casa de Contratacion* a conservé jusqu'à aujourd'hui les souvenirs des siècles impériaux. Certes, l'Andalousie ne profita guère
des trésors sans cesse renouvelés qu'apportaient les galions, mais
Séville était reine.

Bien plus tard, ce sera à Bailen que résonnera le premier coup
de tonnerre annonciateur de la chute de Napoléon : en 1808 le général Dupont doit s'incliner devant une armée de guérilla. Et c'est à
Cadix, en 1812, que les *Cortes*, sous la pression des événements
d'Europe, adoptent la première constitution libérale d'Espagne, une
constitution amplement contestée qui allait être prétexte à plus d'un
demi-siècle de guerres civiles.

Si la dernière de ces guerres civiles (1936-1939) tourne à l'avantage de Franco, c'est en partie parce que, dès le début, il a pu s'assurer, à travers le fameux général Queipo de Llano, de Séville et d'une
partie de l'Andalousie. D'ailleurs, la Phalange, ce mouvement qui se
prétend révolutionnaire et sur lequel Franco s'appuie, est presque
andalou : José Antonio Primo de Rivera, son fondateur, est andalou
d'origine, et même député de la province de Cadix. C'est à travers
la réalité andalouse qu'il a pris conscience de la nécessité d'un changement. Dans une de ses interventions au Parlement, il évoque une
visite électorale dans un village déshérité, Prado del Rey : « Il pleu-
vait à verse, les rues étaient des espèces de torrents sur lesquels
s'ouvraient des tanières pires que des étables de bêtes. Là, les gens

n'ont pas la moindre idée de ce qu'est la culture, la vie collective, le confort et l'hygiène.

Nous étions en automobile et, comme il faisait froid, nous avions nos pardessus. Quand nous avons essayé de parler, les gens de Prado del Rey sont sortis de leurs maisons et ont commencé à nous jeter des pierres... Je vous assure que dans le fond de mon cœur, je reconnaissais que nous, qui voyagions en voiture et qui avions des pardessus relativement confortables, nous méritions amplement que les gens de Prado del Rey nous envoyassent toutes leurs pierres sur la tête... »

Misère profonde, depuis des siècles, du peuple andalou. Certes, pendant longtemps, l'Andalousie conserva réputation et réalité de province riche — riche par son agriculture — qui paye, encore vers 1850, le tiers des impôts de l'Espagne. Mais cette richesse est une façade : derrière, se cache la pauvreté des ouvriers agricoles, des paysans sans terre et des tout petits propriétaires. Une situation aussi vieille que la Reconquête et que l'irruption des chevaliers chrétiens du Nord dans les royaumes maures : pour prix de leurs victoires et du sang versé, les chefs de guerre se taillent, selon leur grade et leur popularité, de vastes domaines dans les terres de l'ennemi ; entre les latifundios, quelques petits propriétaires, mais surtout les terres communales des communautés paysannes.

Pendant trois siècles, grands propriétaires fonciers et représentants de la bourgeoisie vont se livrer à un grignotage résolu des terres communales et des petites propriétés pour augmenter sans cesse leurs possessions : la terre est à l'époque la seule vraie richesse, la seule preuve de promotion sociale.

TOUJOURS
PLUS RICHES

Déjà au XVIIᵉ siècle, moins de trois cents familles contrôlent la plus grande partie des terres d'Andalousie. Au XIXᵉ siècle, le processus de concentration atteindra presque son maximum. A deux reprises, pour renflouer son trésor, l'État espagnol procède à la *desamortisacion*, c'est-à-dire à la vente forcée des biens de main-morte : d'abord, en 1835, les biens d'Église ; ensuite, en 1855, les biens communaux. Les petits paysans, par manque de ressources, ne purent acquérir ces terres, même s'ils en avaient le plus grand besoin. Les grands propriétaires, eux, s'agrandirent ; après tout, c'était aussi le souhait des dirigeants de l'époque, qui faisaient confiance à la grande exploitation agricole pour relancer l'économie.

Mais l'échec économique et la misère du peuple étaient au bout de ces projets. D'une part les latifundiaires n'avaient pas l'intention de se lancer dans la lutte pour la production et laissèrent incultes ou en pacage pour les taureaux de combats des milliers d'hectares ; d'autre part privés des terres communales, les petits paysans se retrouvèrent sans aucun instrument de production.

Échec économique, donc, mais les latifundios étaient définitivement assis. A cette époque prend forme le visage agricole que connaîtra l'Espagne encore un siècle plus tard, à la veille de la guerre civile de 1936. A ce moment, les « Grands d'Espagne » (ils sont 99) possèdent ensemble 577 350 hectares et beaucoup de ces grandes propriétés se trouvent en Andalousie.

Au début des années 1960, au moment ou l'Espagne va enfin sortir de son Moyen Age économique, les 175 propriétés de plus de 500 hectares de la province d'Almería occupent 29,9 % de la terre cultivable de la province ; dans la province de Cadix, 243 propriétés de ce type occupent 47,2 % de la terre ; dans la province de Cordoue, 232 latifundios recouvrent 30,9 % de la terre ; dans la province de Huelva, 264 propriétaires se répartissent 49,5 % de la terre ; à Jaen, 265 disposent de 35,2 % de la terre ; à Malaga, 27,5 % de la terre est aux mains de 138 propriétaires et à Séville, 35 % de la terre cst répartie entre 411 propriétaires.

Tout aussi grave que le latifundio, la monoculture n'offre qu'un travail temporaire — préparation des sols, mais surtout récoltes — aux ouvriers agricoles. Or, cette monoculture est massive en Andalousie : vigne, blé, oliviers[1].

La culture du blé ne demande, par hectare et par an que 14 jours de travail. Mis à part quelques travaux d'entretien au printemps et à l'automne, c'est en hiver, au moment de la récolte, que l'olivier fournit du travail : près de quatre mois ; aussi dit-on couramment que l'olivier est le « pain de l'hiver » des ouvriers agricoles. Les monocultures entraînent un chômage saisonnier important (huit à neuf mois par an) doublé d'un chômage permanent et poussent à l'émigration. Ce n'est que récemment que des cultures nouvelles ont été introduites — tournesol, betteraves à sucre, coton, fraises, etc. — mais elles n'ont apporté aucune solution au problème du chômage, au contraire, car ces cultures, dont certaines peuvent être mécanisées, ont pris la place de l'olivier, arraché sur des milliers d'hectares.

FLAMBÉES
DE COLÈRE

Grands latifundios, terres incultes, monocultures, dispensent, depuis des décennies, le chômage, la faim et la misère à travers toute l'Andalousie. Sur ce « terreau », à l'aide de quelques chiches « bienfaits », les caciques, notables locaux, prospèrent, achètent des clientèles, s'instituent grands électeurs... En face du latifundio, presque pas d'industries — et au XIXe siècle, ce n'est pas encore l'époque du tourisme — sauf des industries d'extraction de matières premières : pyrites de la province de Huelva (Rio Tinto) et plomb et houille de Cordoue (Peñarroya). Mi-ouvrier, mi-paysan, le mineur participe selon les saisons, aux travaux des champs ou aux campagnes d'extraction ; mais il est mal payé, et plus encore le mineur andalou, qui reçoit bien souvent des salaires inférieurs de 30 pour cent à ceux de ses collègues du Nord.

Partout, des situations de pauvreté. La colère gronde et la révolte souvent éclate. « Jacqueries » violentes mais sans lendemain des ouvriers agricoles, occupations de latifundios, incendies de récoltes. Répressions brutales par la force publique. La garde civile n'a-t-elle pas été créée par le général Narvaez (un andalou, soit dit en passant) pour maintenir l'ordre dans les campagnes, c'est-à-dire pour protéger les grands propriétaires des bandes de paysans affamés ? En Andalousie, les dates des flambées de colère populaire s'égrènent sur le chapelet de la misère et du désespoir : 1840 (Casabermeja, province de Malaga) 1847, 1855, 1861, (Loja : les « croquants » s'attaquent directement à la caserne de la Garde Civile et la répression est lourde : 6 condamnations à mort et 100 condamnations aux travaux forcés) 1869, 1870 (Malaga) 1872 (Jerez).

Répression, condamnations, peine perdue ! Rien n'arrête les ventres-creux. En 1933, c'est Casas Viejas, l'annonce terrible des farouches combats désespérés de la guerre civile toute proche. Le 11 janvier, la police intervient pour empêcher une réunion qu'un groupe d'ouvriers agricoles anarchistes veut tenir dans ce petit village de la province de Cadix. Il n'en fallait pas plus pour faire exploser le baril de poudre. Le célèbre Seis Dedos, sa fille et une poignée de *Jornaleros* transforment une humble maison en puissant fortin sur lequel la Garde d'Assaut (*los Asaltos*) récemment créée, se cassera plusieurs fois les dents ; il faudra employer de puissants moyens, y compris l'aviation, pour écraser la résistance d'une poignée de miséreux.

Casas Viejas, les anarchistes. Il y a presque un siècle qu'ils font partie, profondément, de l'histoire andalouse. Plus exactement, les ouvriers agricoles ont longtemps confondu socialisme, anarchisme, partage des terres. Pour eux, l'État, le pouvoir, est une chose à abattre, tout simplement, parce qu'au service des riches. Avec le temps, les anarcho-communistes (tendance Kropotkine) qui mettent l'accent sur l'initiative révolutionnaire individuelle, prévaudront en Andalousie, et plus précisément dans les campagnes : en 1882, la Fédération anarchiste andalouse compte 39 000 adhérents, mais plus de la moitié de cet imposant effectif (20 000) est fourni par les campagnes pauvres.

Casas Viejas : une sévère répression s'abat sur les campagnes environnantes, préfigurant celles dont les troupes de Franco se rendront bientôt coupables, et le nom du village est effacé. Cela n'empêche pas les jornaleros de chanter, plus fort que jamais,

¿Cuando querra,	Quand voudra-t-il,
Dios del cielo,	le Dieu du ciel
Que la justicia se vuelva	Que la justice revienne
Y los pobres coman pan	Pour que le pauvre mange du pain
Y los ricos coman hierba ?	Et le riche de l'herbe ?

Car la réforme agraire, approuvée en 1932 — et appuyée sur un article de la récente constitution républicaine dont s'est dotée l'Espagne —, se révèle rapidement être une immense farce. Certes, elle prévoit l'expropriation des latifundios pour installer 50 000 familles paysannes par an. Mais l'expropriation ne porte que sur les propriétés de plus de 700 hectares de terres « pauvres », et l'on peut donner beaucoup d'interprétations à ce terme de « pauvre ». En deux ans, il y aura 90 000 hectares expropriés et moins de 9 000 familles bénéficiaires de la réforme.

Plus question, évidemment, de réforme agraire pendant toute la période franquiste. Simplement, le maintien du statut quo agraire et la force publique mise au service du respect jaloux de la propriété.

À dire vrai, l'Andalousie n'est pas tout à fait en odeur de sainteté auprès de Franco et de ses fidèles. Pour la double raison que la vaste province est traversée par deux courants qui parfois se rejoignent : le courant anarchiste, précédemment cité, et le courant « nationaliste », taxé de séparatiste et même de communiste. Certes, le nationalisme andalou n'a rien à voir avec le nationalisme basque, qui, à plusieurs reprises, a saisi les armes contre le pouvoir central, ni avec le nationalisme catalan, plus feutré que le précédent, quoique sachant employer la force à l'occasion. Mais les franquistes ne s'attardent pas aux nuances. L'une des premières victimes de ceux qui combattent pour une Espagne indivisible sera Blas Miguel de los Santos Infante Perez, plus connu comme Blas Infante — ou encore comme le « père de la patrie andalouse » —, assassiné à quelques kilomètres de Séville, aux premières heures du 11 août 1936.

L'homme était né à Casares, province de Malaga, le 5 juillet 1885, dans une famille de petits notables provinciaux et, après des études de droit, il sera avocat et notaire.

Lorsque Blas Infante commença à prendre conscience de l'entité andalouse, le présent siècle est déjà bien entamé et, les fermentations nationalistes travaillent l'Espagne depuis longtemps. La Catalogne (avec Cambo) et le pays Basque (avec Sabino Arana Goiri) ont depuis quelque temps élaboré une doctrine et affirmé leur droit à la reconnaissance de leur identité nationale. La lointaine Galice, aussi, se réveille.

LA REVENDICATION D'AUTONOMIE

*P*artout, en même temps que les revendications de justice sociale, apparaissent des projets pour une nouvelle organisation politique de l'Espagne : conscients de leurs diversités et de leurs particularités, les peuples en ont assez du centralisme, mais conscients des impératifs de la géographie, ils cherchent la meilleure forme de coexistence : république, république fédérale, confédération des régions autonomes, fédération ibérique, tout est envisagé. Le catalan Pi i Margall pose que, « les états qui doivent former la confédération espagnole doivent être ceux qui, autrefois, furent des royaumes, des principautés, des comtés indépendants et qui formèrent les grandes provinces du temps du roi Ferdinand VII ». Les solutions se posent, s'opposent, se chevauchent, se confondent parfois, éclatent en bouillonnement que d'aucuns estiment dangereux.

L'Andalousie n'avait pas échappé à ce vaste et complexe mouvement, bien au contraire, qui tenta de transformer les structures rigides du pouvoir centraliste. Déjà en 1835 il y avait eu un certain « mouvement juntero » (de *junta*, assemblée politique) qui culminera avec la Junte souveraine d'Andujar (province de Jaen). Plus tard, des hommes comme Firmin Salvochea, proposeront des solutions autonomistes et fédérales. En 1883 sera proclamée à Antequera la « Constitution pour les cantons andalous » dont l'article premier est ainsi rédigé : « L'Andalousie est souveraine et autonome ; elle s'organise en démocratie républicaine et représentative et elle ne reçoit son pouvoir d'aucune autorité extérieure à celle des autonomies cantonales créées par pacte ».

La revendication d'autonomie se fera plus pressante dans les dernières années du XIXᵉ siècle, lorsque les industriels de catalogne et du Pays Basque, après la perte des dernières colonies (Cuba, Puerto Rico, Philippines) partent à la conquête du marché intérieur — essentiellement celui du centre et du Sud, Castille, Extrémadure, Andalousie — et imposent à leur profit un protectionnisme qui va ruiner l'artisanat et la petite industrie du sud ; ces provinces n'auront plus qu'un rôle agricole (mais soumises à la concurrence internationale, pour maintenir les bas prix nécessaires à une politique de bas salaires) et de réservoir de main-d'œuvre industrielle.

C'est à ce moment qu'arrive Blas Infante. Il connaît la riche histoire de sa province, ses apports à l'Espagne, ses possibilités. Il voit l'Andalousie bafouée, trahie, vendue, amputée de sa force, la terre. « La terre la plus riche d'Espagne, dit-il, est interdite au travail ; les taureaux de combat s'engraissent sur des terres que l'on dénie aux hommes, lesquels sont obligés d'émigrer ».

Pour lui, récupérer, « libérer » cette terre constitue la condition essentielle du retour à la prospérité économique et à la dignité des hommes. Pas de doute, « le peuple des travailleurs agricoles récupérera sa terre, que le veuillent ou non les scélérats qui vivent du sang du peuple, que le veuillent ou non les latifundiaires et les caciques... » Et d'affirmer que son combat, sur ce point, est le même que celui des socialistes et des anarchistes.

Blas Infante n'est nullement un séparatiste. Il ne cesse de le répéter : « La Fédération doit être le but de tous nos travaux... Nous voulons la liberté de l'Andalousie à l'intérieur de la Fédération Ibérique, pour qu'elle puisse régir sa vie et son développement sans qu'aucune loi ne l'assujettisse à une règle qui méconnaîtrait ses nécessités propres... » Et la devise qu'il donne à l'Andalousie nouvelle est on ne peut plus claire : « L'Andalousie pour elle-même, pour l'Espagne et pour l'Humanité. »

Franco mort, le franquisme officiellement oublié, l'autonomie a été accordée aux nationalités historiques (Catalogne, Galice, Pays Basque) ainsi qu'aux grandes régions, dont l'Andalousie. Mais c'est bien souvent une autonomie de façade et les Andalous ont quelques motifs de se plaindre. Certes, il y a eu début d'industrialisation, chantiers navals, industrie aéronautique, raffineries de pétrole et industries chimiques, et surtout développement foudroyant du tourisme sur la côte atlantique : Marbella, Torremolinos, Fuengirola, etc. Mais le grand problème de la terre n'a pas été résolu. Les jornaleros n'ont pour vivre que le salaire de quelques semaines et une maigre allocation de chômage pour le reste du temps. L'agriculture industrielle progresse, mécanisée, motorisée, remplaçant implacablement l'homme par la machine.

L'Andalousie, à l'ère du Marché Commun, continue d'écrire une grande partie de sa vie quotidienne avec l'encre tenace de la pauvreté et de la misère.

———————— CHRISTIAN RUDEL ————————

Journaliste. Auteur, entre autres, de *L'Espagne d'après*, éditions Encre.

1. Au début des années 60, les céréales occupent 48,6 pour cent des terres de la province de Cadix, 37,8 p. 100 de celle de Huelva, 36,4 p. 100 de celle de Cordoue, et 30,8 p. 100 de celle de Grenade. Quant à l'olivier, il s'adjuge 48,4 p. 100 des terres de la province de Jaen, 36 p. 100 de celles de Séville, 35,8 p. 100 de celles de Cordoue et 29,7 p. 100 de celles de Malaga.

MARIANA EICHELBAUM

UN VILLAGE BLANC

DU CÔTÉ

DE L'ATLANTIQUE

JOURS TRANQUILLES DANS UN PUEBLO ANDALOU.

Le bus est parti de Cadiz au début d'une soirée d'août poisseuse. Le crépuscule rosit les champs desséchés, les bruits conjugués du moteur et de l'air conditionné isolent de la chaleur et du silence encore accablants. Deux vieillards discutent avec animation de leur magasin de vidéo à Vejer, un village voisin surtout réputé pour ses grottes et monuments mégalithiques datant de l'âge du bronze, dont le célèbre Dolmen de Aciscar.

Il fait nuit noire lorsqu'apparaît enfin Conil. Des maisonnettes banales carrées, blanches, bien alignées, auréolées de leurs antennes de télévision paraboliques.

Les constructions modernes font place peu à peu à des demeures andalouses telles qu'on les rêve, avec leurs murs épais et irréguliers, blanchis à la chaux, des portes voûtées et des volets en bois peints de bleu vif ou de vert. Surgie soudain de nulle part, une étrange muraille fortifiée sous laquelle s'ouvre une porte, celle du vrai Conil...

Des groupes d'adolescents riant très fort, des couples enlacés, des familles plus que nombreuses, des nuées enfantines crient et courent dans les rues nocturnes comme dans une immense cour de récréation, une foule agitée, souvent vêtue de ces petites choses tellement en vue sur toutes les plages. Partout des terrasses de cafés, des restaurants, des glaciers et des pubs, des dancings tous débordant de monde et de musiques de toutes sortes — depuis le flamenco jusqu'au Top 50 le plus pur. Et le brouhaha aromatique du jasmin et du poisson frit, du chèvrefeuille et de la viande grillée, et des produits solaires.

Au comptoir d'une *tasca*, jeunes touristes et vieux villageois dégustent côte à côte quelques *tapas* de calamars frits, seiche grillée ou poulpe à la vinaigrette, arrosées de vin rouge ou de jerez blanc, ou de coca-cola light à zéro calories la bouteille. À une table, des hommes à la peau tannée sobrement vêtus et chaussés d'espadrilles chantent de vieilles chansons tandis que, à l'autre bout du comptoir, des

174

vacanciers en stretch fluo jouent au flipper et aux machines électroniques.

La Calle de Cadiz, rue principale et centre de l'agitation, fourmille. Quelques couples la quittent silencieusement pour se fondre dans l'obscurité des ruelles voisines qui toutes semblent tourner sur elles-mêmes pour toujours revenir à leur point de départ. Le labyrinthe sait cependant surprendre ses victimes consentantes en leur offrant soudain une place ornée d'une étrange fontaine garnie de géraniums, dont les lions verts de mousse crachent de l'eau claire et fraîche... Le son éternel de l'eau calme, inconsciente de la démence des juke-box des mortels, à quelques centaines de mètres seulement. Aux abords du cinéma d'été à ciel ouvert, une vieille femme et sa petite-fille viennent déposer des assiettes pleines de restes de nourriture pour les nombreux chats du coin, tous régulièrement choyés par les villageois.

Quelques marches et la Calle Amargura, la rue de l'Amertume, débouche sur une grande et massive construction couleur safran, sobrement décorée de fioritures blanches et flanquée d'une tourelle : l'ancien Couvent des Minimes, dont l'édifice primitif date du XIVe siècle et qui a subi diverses transformations afin d'abriter, depuis le XVIe siècle, la Mairie, le Tribunal et les bâtiments d'école. Conil possède en fait une longue histoire dont témoigne le musée du village (situé près d'une petite église romane d'une blancheur contrastant avec son architecture) et curieusement ouvert au public les vendredi, samedi et dimanche soir de 22 h à 2 h du matin exclusivement !

DU PALÉOLITHIQUE
AUX TOURISTES

L es fouilles archéologiques — malheureusement trop rares — effectuées dans la région ont permis de découvrir des fossiles et des silex remontant au tout début du paléolithique.

À la fin du IIe millénaire av. J.-C., les Phéniciens débarquent sur ces côtes et trouvent un développement réduit de la métallurgie du bronze. Jusqu'au VIe siècle avant notre ère, toute la région commerce étroitement avec les colons grecs et puniques. On aurait également trouvé ici des traces d'invasions liguriennes, celtes et étrusques ! Cette zone de factoreries consacrée à la recherche des métaux et à la pêche au thon passa ensuite aux mains des Carthaginois, qui fondèrent à partir de là d'autres colonies sur tout le côté atlantique de l'actuelle Andalousie. Sous la tutelle de Rome à partir du IIe siècle av. J.-C., harassée par les Barbares au VIe siècle, puis dominée par les Byzantins, les Visigoths et enfin les Arabes, la présente région de Cadiz est habitée depuis l'Antiquité par un peuple dont le type physique et les racines culturelles profondes sont le résultat des plus divers éléments européens, africains et asiatiques.

La naissance de Conil même se situe vers la fin du XIIIᵉ siècle, avec la conquête chrétienne de Séville par Fernando III, événement qui allait en fait décider du destin de la Basse-Andalousie. À partir de ce moment, Conil entre dans l'histoire en tant que cité commerçante vivant essentiellement de la pêche (du thon en particulier) et de l'agriculture (fruits et légumes). Le noyau autour duquel surgit la ville au cours des XIVᵉ et XVᵉ siècles est le Château de la Tour de Guzman, construit sous Don Alfonso Perez de Guzman, dit « le Bon ». Il n'en demeure plus aujourd'hui que la Tour, ainsi qu'une partie des murailles et de la Cour des Armes, en partie occupée par des demeures en ruine.

Dès le début du XXᵉ siècle, le tourisme commence son invasion (dans les années vingt, l'existence à Conil d'une source d'eaux thermales attirait les visiteurs amateurs de cures). Depuis 1985, les pêcheurs chassés par les trop nombreux plagistes préfèrent décharger leur marchandise dans les villages voisins...

JOSEFA

Conil, huit heures du matin. La tranquillité des rues désertes paraît étrange après la frénésie de la nuit. Sur la « place aux lions », derrière les murailles couleur de sable, pas un chat n'est visible (ou plutôt, justement, seuls quelques chats qui semblent apprécier pleinement ces heures encore calmes où le village leur appartient). Dans la rue Ortega y Gasset, du nom d'un grand philosophe espagnol, une silhouette vêtue de noir se découpe élégamment sur fond de mur blanc ; celle d'une vieille femme — Josefa — descendant lentement les marches étroites et immaculées de sa blanchissime maison. Josefa part assister à la messe, comme tous les matins, avant qu'il ne fasse trop chaud et que le *levante* — l'air brûlant qui vient du Sahara et qui balaye ces côtes pendant tout l'été — ne l'oblige à se réfugier dans la pénombre de la maison, fenêtres ouvertes et volets clos.

En traversant le village pour se rendre à l'église, elle observe les estivants, attablés aux terrasses des cafés. C'est l'heure du petit déjeuner : café-tartines ou traditionnel *chocolate con churros* — tasse de chocolat chaud très épais accompagné de beignets fins et allongés saupoudrés de sucre. Les appareils photos cliquettent déjà sous les parasols. Jukebox et radios reprennent vie.

Les terrasses se vident peu à peu. Le soleil, déjà haut, devient cuisant. Les gens commencent à envahir la plage : plus de trois cents mètres de sable blanc jusqu'à la mer (par marée haute) et une longueur de 40 km presque sans interruption pour Conil et les villages voisins. Les gamins portent fièrement et laborieusement sur les épaules pieuvres, requins et autres monstres en plastique gonflable.

Josefa regagne son refuge de fraîcheur et de silence. Un monde qui est la parfaite antithèse de celui des « autres, sur la plage ».

Même si elle vit très loin de la *movida conileña* — la movida, c'est l'esprit de mouvement, né à Madrid il y a plus de dix ans et répandu maintenant dans toute l'Espagne de l'après-Franco —, cela ne l'empêche pas de connaître parfaitement la situation et d'en tirer ses propres conclusions. Ses cinq enfants, dont deux filles qui ont quitté Conil pour se marier à Cadiz et à Madrid, ses voisins les plus proches qui partagent souvent ses copieux repas sont ses informateurs. Josefa n'a pas besoin de lire le quotidien pour comprendre que le Conil où elle est née est définitivement mort.

« C'est normal », dit-elle, tout en préparant rapidement un déjeuner substantiel et en dressant la table pour sept personnes. « Les choses changent autour de nous, les vieux (gros rire). Et ça doit changer, c'est bien. Et ce n'est pas trop tôt ! De toute façon, il faut moderniser l'Andalousie, autrement les jeunes ne trouveront aucun travail, et ça ira de mal en pis par ici. Le tourisme est nécessaire, il nous fait vivre en grande partie. Bien sûr, pour l'instant, ce sont plutôt les étrangers qui s'enrichissent dans la région : ils arrivent, ouvrent un restaurant ou autre commerce pour l'été puis, à l'automne, repartent les poches pleines dépenser cet argent ailleurs, et attendre l'année suivante pour recommencer. Mais cela aussi changera, les Andalous apprendront à gérer des affaires qui rapportent vraiment. »

Le rideau de perles multicolores tinte dans la pièce voisine : la fille aînée de Josefa, Paqui (diminutif de Francisca) arrive accompagnée d'Antonio, la soixantaine rayonnante. Antonio est un vieil ami de la famille ; il est chauffeur d'autobus de la ligne qui relie Cadiz à Vejer, Barbate et Conil. Autrement dit : les *turistas*, il les voit tous les jours, lui ! Et il les aime bien. « Surtout les jeunes, renchérit-il, j'admire ces gosses — car ce sont souvent des gosses, non ? — qui arrivent parfois de très loin pour visiter l'Andalousie, leur gros sac sur le dos. Moi, je suis connu ici comme un grand voyageur, et je ne suis jamais allé plus loin que Granada, à mon âge ! Mais qui sait ? »

Josefa s'éloigne en riant vers la cuisine. Paqui intervient. « Maman, comme la plupart de ceux de sa génération, n'a jamais quitté Conil. Elle s'est mariée très jeune et, n'ayant pas fait d'études, est restée analphabète. À la mort de notre père, mes frères et moi nous sommes occupés d'elle, mes sœurs étant mariées depuis longtemps. Un jour, je me marierai aussi, bien sûr, mais je ne partirai pas, je continuerai donc à prendre soin de ma mère. J'ai un fiancé qui, par chance, vit ici à Conil, et nous avons tous les deux des professions intéressantes : il est hôtelier et moi secrétaire dans une entreprise de construction. Nous aimons notre travail et le village est en pleine renaissance ; nous croyons qu'il faut rester ici, s'accrocher. Le futur, c'est nous. Personne ne doit le faire à notre place. C'est un beau village, Conil, nous en sommes fiers, il doit donc vivre ! »

LA FRAÎCHEUR
DU PATIO

Un doux fumet se répand dans la pièce, Silvia et Pépé entrent à leur tour dans la salle à manger. Ce sont des amis au statut un peu particulier : habitants de Conil à mi-temps, ils louent chaque été la même maison, directement voisine de celles de Josefa et d'Antonio, depuis huit ans. Ils prennent donc place autour de la table en habitués, bises sonores et compliments inclus.

La petite pièce aux murs recouverts de papier à fleurs vertes, entièrement occupée par la grande table ronde et par un petit buffet — décoré de toutes sortes de Saints et de Vierges dont celle de la Macarena, la plus belle, patronne de Séville et de tous les Andalous — résonne rapidement des fortes voix de tous les convives. Josepha et sa fille apportent une grande marmite d'un superbe ragoût de poisson et pommes de terre, une gigantesque salade et une pleine assiette de petite friture de poisson. Exclamations et bises de Josepha aux derniers arrivés. Emiliano, le petit garçon de Silvia et de Pépé, entre le temps d'un drôle de « Bonjour tout le monde ! », avant de retourner jouer avec les enfants d'Antonio dans le patio. Ils mangeront des sandwiches, tout à l'heure, sur la plage : aujourd'hui, c'est le tour de Pépé de se « sacrifier » pour les emmener.

Les autres feront la sieste juste après le repas, et tout sera silencieux pour un moment. Plus tard, tout le monde s'assoiera dans le patio que partagent les trois familles, jusqu'au dîner. Après le dîner (plutôt léger : pain et fromage, ou fruits) on s'assoiera encore dans le patio, pour profiter de la bise et des jeux tardifs des enfants.

« J'aime ma vie ici », dit Josefa, à la fois lucide et un peu absente. « Bien sûr, je n'ai jamais connu autre chose, mais que pourrais-je trouver de mieux ? Je ne me souviens pas d'avoir rêvé quitter le village et maintenant ce temps-là est passé : j'ai 68 ans et de l'arthrose. À cause de cela et de l'humidité qui règne ici, mes enfants ont essayé de me convaincre de partir, mais ma place est au village. Ma pension de veuvage est bien maigre, mais grâce au ciel, j'ai mes enfants ! »

Elle avoue seulement regretter la tranquillité d'autrefois. Conil ne la retrouve que pendant les mois d'hiver. Alors, beaucoup de jeunes s'en vont vers les villes, faire les saisons, là où le travail peut se trouver. Ils rejoindront leurs familles à Conil l'été suivant. Avec les touristes et... les devises.

——— *MARIANA EICHELBAUM* ———

MAURICE LEMOINE

DE LA TERRE

ET DU PAIN

CES DERNIÈRES ANNÉES, LA PRODUCTION AGRICOLE ANDALOUSE A CRÛ À UN RYTHME SUPÉRIEUR À CELUI DE L'AGRICULTURE ESPAGNOLE. POURTANT, PLUS DE 400 000 JOURNALIERS N'Y TRAVAILLENT QUE TRENTE-CINQ JOURNÉES PAR AN.

La machine est là ! Et c'est comme si le ciel leur tombait sur la tête. Une machine dans les champs de coton. Les plus grossiers ont juré, les silencieux ont serré les poings, des femmes se sont pris la tête entre les mains, les yeux de Diego Cañaremo ont jeté des éclairs meurtriers. Les ruelles blanches d'El Coronil vibraient des ondes fortes d'une colère mal contenue. Ailleurs, elle travaillent déjà, les machines, *eso si*. Mais ici, à El Coronil, non. Depuis qu'ont été effectuées les semailles, le *dueño* de la finca a été prévenu. Quand il leur a annoncé, à cette occasion, qu'il utiliserait une machine pour la récolte, l'unique pain dont ils disposent encore, ils lui ont dit que non. « A El Coronil, elle n'entrera pas ».

Certes, on objectera que ce *señor* est un pauvre comme eux. Quatre-vingt-cinq pour cent des terres qui entourent le village appartiennent à sept ou huit latifundistes, deux cents petits et moyens paysans se partagent le reste. Et ce *señor* fait partie de ces derniers. « Mais ce *desgraciado* est poussé, soutenu par le patronat... »

Ainsi donc a commencé le conflit. Dès que les ouvriers agricoles ont appris que le type allait, coûte que coûte et malgré leur opposition, utiliser cette quincaillerie, ils se sont réunis une première fois et lui ont lancé un avertissement sans frais : « ici, il n'y a rien à récolter à la machine. Faites ce que vous voulez, mais nous allons l'empêcher ». Et effectivement, lorsque pour la première fois l'engin s'est présenté, ils l'ont stoppé. Quatre-vingt-dix pour cent des habitants d'El Coronil vivent du travail des champs, quelques quatre mille personnes sur cinq mille résidents. Ils l'ont stoppé. Durant quinze jours, faisant de leurs corps un obstacle, ils ont empêché toute récolte. Le semaine passée, la Garde Civile a appréhendé soixante-dix d'entre eux. Vendredi dernier, à nouveau soixante interpellations. Mais pas question de céder.

Et aujourd'hui, lundi 14 novembre, le souffle au bord des lèvres, quelqu'un vient d'annoncer : « la machine est revenue ! »

« Assemblée générale ce soir », a simplement jeté Diego Cañamero. Cette machine effectue en une heure le travail de cinquante personnes en une journée. « S'ils mettent des engins cette année, l'année prochaine, ceux qui récoltent encore à la main récolteront mécaniquement. Et si nous n'obtenons pas ces jours de travail, nous n'avons plus rien ! » Déjà, les cinq à six mille hectares d'olives qui leur donnaient trois mois de travail ont été arrachés.

IL FAUT
MODERNISER

« *L*'Andalousie fut l'un des greniers des Romains. Mais l'apparition des latifundia remonte à la reconquista, lorsque les très catholiques rois d'Espagne chassant les Arabes, s'emparèrent de Grenade, Cordoue, expulsèrent les cultivateurs de la terre pour distribuer celle-ci à leurs seigneurs de guerre[1]. C'est à cette époque que se développent en Andalousie les grandes propriétés appartenant aux nobles et à l'Église. Des révoltes populaires éclatent sporadiquement tout au long du XIXe siècle, tandis qu'émerge peu à peu le mouvement ouvrier espagnol, dominé par les anarchistes. Il faut cependant attendre l'arrivée au pouvoir du Front Populaire, en février 1936, pour que 100 000 familles paysannes, arrachées à la misère séculaire, soient installées sur 500 000 hectares de terre.

L'armée a décidé de rétablir l'ordre en Espagne », lance depuis le Maroc un certain Francisco Franco, capitaine général des Canaries. On sait ce qu'il en advint. Le 28 mars 1939, les troupes franquistes font leur entrée dans Madrid écartelée. Après une résistance acharnée, le taureau républicain gît dans l'arène de l'histoire, assassiné. Tous les acquis de la réforme agraire sont remis en question, les terres distribuées aux petits paysans restituées aux latifundistes, la structure féodale reconstituée.

Après guerre, tandis que le reste de l'Europe se relève lentement des décombres, s'industrialise, dans une Andalousie en apparence écrasée de lumière, un obscurantisme moyennageux se prolonge interminablement. Du lever au coucher du soleil, les ouvriers agricoles triment comme des esclaves, suant, peinant, avec pour toute pitance un morceau de pain garni d'une sardine ou d'un hareng. Nettoyer les oliveraies, biner autour des arbres, effectuer la récolte. Début octobre les olives de table, puis les olives noires qui seront transformées en huile. Parqués comme du bétail dans des tentes et de vieilles étables, ces journaliers travaillent en famille, ajoutant à leur dur labeur la force de travail de leur femme et de leurs enfants : on les paye au poids récolté.

Quand ils le peuvent, s'échappant, furtives silhouettes découpées sur un horizon couleur de dénuement, ces pauvres gens vont glaner les champs moissonnés. S'ils sont surpris par le propriétaire, « on les frappe, on leur fait nettoyer les écuries, les étables, et ensuite on les emmène à la garnison de la Garde Civile où ils sont à nouveau frappés »[2].

De 1960 à 1975, un grondement puissant, démultiplié, déferle sur les vastes étendues troublées jusque-là par le seul son rauque des voix s'interpellant : le nombre des tracteurs passe de 50 000 à 400 000. Les grands propriétaires qui jusque alors n'avaient trouvé aucun intérêt à innover, jouissant d'une main-d'œuvre abondante et bon marché, de prix protégés pour leurs produits, semblent soudain pris d'une véritable frénésie : « Il faut moderniser ! » L'armada déferlante des tracteurs et des moissonneuses chasse une première vague de journaliers qui, fuyant le chômage, la faim et la misère, quittent l'Andalousie, temporairement ou définitivement. Dans ce laps de temps, 780 000 d'entre eux partent en Catalogne, 50 000 au Pays Basque, 250 000 à Madrid, 170 000 à Valence, tandis qu'un million deux cent mille s'expatrient, essentiellement en RFA, en France et en Suisse.

Si les cultures traditionnelles — olivier, vigne, betterave à sucre — sont encore importantes, elles régressent cependant, progressivement remplacées par les cultures industrielles — tournesol, coton, blé — nécessitant moins de main-d'œuvre, plus rentables pour les latifundistes. L'Europe s'organise, il s'agit de la concurrencer. Franco monte bonne garde face à toute tentative de contestation, les journaliers s'en vont, ils émigrent en silence, tête baissée.

La mécanisation de la récolte des « cultures sociales traditionnelles » et l'emploi massif d'herbicides jettent ceux qui restent à la merci de l'« emploi communautaire », formule imaginée en 1970 pour prévenir l'explosion de ces centaines de milliers de travailleurs agricoles, chômeurs permanents, pour qui il n'existe aucune indemnité chômage. En échange d'une aumône, les mairies distribuent des sortes de travaux d'intérêt général, chantiers, entretien des routes et des chemins, etc., le moindre de ces intérêts n'étant pas de détourner la lutte des journaliers pour la terre.

Franco meurt enfin. L'« emploi communautaire » aussi. Mais aujourd'hui encore, en Andalousie, soixante pour cent des terres cultivées demeurent entre les mains de 2 500 familles latifundistes — douze pour cent des propriétaires, moins de deux pour cent de la population rurale — qui cultivent parfois par téléphone, depuis la capitale. Cent cinquante mille petits paysans survivent sur trois ou quatre hectares de terrain. Des multinationales s'emparent de domaines entiers. Depuis dix ans, soixante pour cent des oliviers ont été arrachés, remplacés par des céréales et du tournesol, cultures hautement mécanisées. Quatre cent mille journaliers demeurent les bras ballants.

C'est dans le sud de l'Europe que commence le tiers-monde. Dix pour cent de la population andalouse a faim.

Un vol de pétrolettes et de petites motos se dirige en pétaradant vers la finca incriminée, vrillant l'air sec et froid du petit matin.

Il a été décidé en assemblée d'occuper une nouvelle fois et pacifiquement la terre pour empêcher la machine de récolter. En toile de fond, dans les lointains, on discerne les grises silhouettes des sierras de San Juan et Margarita. Ils parviennent près de leur objectif, les moteurs se taisent un à un. Et ce n'est plus le ciel qui leur tombe sur la tête, mais l'univers entier. Sur la rondeur des collines qu'ils contemplent à présent, effarés, il n'y a pas une machine mais toute une armada.

Quatre-vingt-dix pour cent du coton espagnol est produit en Andalousie, dans de petites et moyennes propriétés. Face à la concurrence du coton israélien, qu'ils soient petits ou grands, les propriétaires doivent devenir performants ou disparaître. « S'il est si pauvre qu'il le dit, comment peut-il supporter vingt jours de grève, une machine arrêtée payée chaque jour 300 000 pesetas[3], qu'elle travaille ou non... ». La colère monte d'un cran. Un hectare de coton représente cent dix journées de travail manuel. Et maintenant, face à eux, il y a vingt machines... « Le patronat les aide pour nous faire plier ! »

En 1982, le gouvernement socialiste a remplacé l'« emploi communautaire » par un « Plan d'emploi rural » et des allocations chômage. Le journalier perçoit vingt jours d'allocation par mois, 24 000 pesetas (1 200 francs), s'il peut prouver une activité d'au moins soixante jours de travail aux champs pendant l'année qui précède. La fraise dure entre un mois et quarante jours, les pêches entre vingt et trente jours, le coton... En 1984, année expérimentale, seuls trente pour cent des journaliers remplirent cette condition[4]. « Les soixante jours, on ne les a pas. Le mieux qu'on puisse faire, c'est trente *péonadas* par an. En travaillant quasiment de force, une récolte de betteraves, n'importe quoi... Et voilà maintenant qu'ils veulent nous enlever le coton... »

Ils sont une centaine, décemment vêtus de survêtements sans âge, de pantalons élimés. Ils se dispersent dans la parcelle, s'assiéent pour empêcher la machine de pénétrer. À peine ont-ils le temps de percevoir l'humide fraîcheur du sol, déjà les *grises* sont là. La Garde Civile. Accompagnée par des propriétaires des environs armés de bâtons et de fusils. La Guardia encercle les manifestants, ils ne peuvent plus sortir, demeurent assis, sont brutalement arrachés à la terre nourricière qui les nourrit si peu. Deux gardes attrapent Conchita Ramirez par les cheveux, la traînent brutalement, elle hurle en se débattant. Rodrigo Aguilar, son époux, se lève pour la défendre. Mal lui en prend. Il est méchamment frappé. Certains s'enfuient, d'autres se cachent, presque tous sont rattrapés.

« C'est le Vietnam », s'étrangle un vieux, « ils sont au moins trois mille... » La colère l'aveugle, il n'y a qu'une centaine de Guardias. Face à une centaine de paysans non violents, c'est suffisant. Sans ménagements, femmes, vieux, adultes, mineurs, sont jetés deux par deux dans les seize étroites cellules des fourgons cellulaires Renault qui attendent en ronflant du moteur, orgueil du commerce extérieur français. L'Europe se construit chaque jour, sans que nous nous en doutions.

Le lourd convoi s'ébranle. Le premier qu'ils ont alpagué est un grand type au masque énergique et aux yeux bleus : Diego Cañamero.

« TERRE, TRAVAIL, LIBERTÉ »

*T*rente-trois ans, Cañamero n'est jamais allé à l'école et travaille depuis l'âge de neuf ans. Maire d'El Coronil, il est également secrétaire général du syndicat des ouvriers agricoles, le SOC, el *Sindicato de los Obreros del Campo*. Il a connu la prison sous Franco, sous Adolfo Suarez et sous... Felipe Gonzalez.

Fief du SOC, El Coronil possède une longue tradition de lutte. Le village a observé une grève de la betterave, pendant quarante jours, en 1983. Les journaliers exigeaient quatre-vingt-dix jours de labeur annuel pour tous. Le mouvement fut durement réprimé mais obtint des patrons 15 000 jours de travail. Cette même année, ils occupèrent la finca Navacerrada dans le village de Martin de la Jara. En guise de rétorsion, le gouverneur supprima l'allocation chômage de huit des participants à l'opération. Ceux-ci s'enfermèrent dans la mairie. La police dut faire sauter la porte au plastic pour les déloger. Sanction immédiate : dix jours de prison, dont huit en grève de la faim. Collectée grâce à une action de solidarité à l'échelle du pays entier, une caution de 160 000 pesetas permet de les faire libérer.

Entre El Coronil et la Garde civile, c'est une interminable histoire. Et qui en dit parfois long sur l'Espagne post-franquiste : trois jours après la tentative de putsch du commandant Tejero, en février 1981, comme dans tout le reste du pays, le *pueblo* organise une manifestation de soutien à la démocratie. La Garde Civile intervient et... arrête six manifestants.

« L'emploi Communautaire : du pain pour aujourd'hui, la faim pour demain ! » Dès les années soixante-soixante-dix, des groupes de journaliers se sont formés dans la clandestinité, à l'origine des *Commisiones Jornaleras* qui, à la fin du régime franquiste, organiseront les premières actions illégales. En 1976, à Antequera, un an après la disparition du caudillo, surgit le SOC, résultant d'une scission des Commissions Ouvrières, mouvement socio-politique proche du Parti Communiste. Les journaliers se sentaient floués dans les grandes organisations : « on nous y traitait d'anarchistes ! »

Le SOC naît donc, au cri de *Tierra, trabajo, libertad* ! Terre, travail, liberté. D'emblée sont revendiqués l'appropriation des terres mal cultivées par les *terratenientes* absentéistes et plus d'argent pour l'Emploi Communautaire. À partir de 1978, la lutte se durcit. Suivant de peu la renaissance des deux grandes centrales syndicales que sont l'*Union Générale de Trabajadores* (UGT, proche des socialistes) et les *Comisiones Obreras* (CC.OO., proches des communistes) le Pacte de Moncloa a entériné un accord de modération des revendications salariales, dans le but de démontrer aux milieux d'affaires que le gouvernement peut « gérer la crise » beaucoup mieux que ne le ferait un régime coupé des courants démocratiques.

« Il faut moderniser l'agriculture » devient l'un des mots d'ordre le plus souvent entendu. Les syndicats marquent leur accord : « nous ne pouvons nous opposer au progrès, il faut sauver l'économie du pays ». Le SOC fait bande à part. « Qu'est-ce qu'une modernisation qui ne nous donne pas à manger ? » Pour la première fois depuis la guerre civile, des terres sont occupées à Osuna, Moron, dans plusieurs autres villages. Des mairies, des églises, des Chambres d'Agriculture sont investies. Les machines à récolter le coton, la betterave, les olives, sont paralysées. Plus que jamais le thème de la réforme agraire est posé.

« Notre philosophie peut se résumer de la façon suivante : la terre, comme l'air et l'eau, est un don de la nature que personne ne peut s'approprier pour son profit individuel ou pour son enrichissement privé. La terre est un bien public, propriété du peuple, qui doit être à l'usage et à la jouissance de ceux qui y vivent et la travaillent ». La répression s'abat. Les procès se multiplient contre des dizaines d'ouvriers agricoles. Tous les dirigeants du SOC passent, à un moment ou à un autre, par la prison.

RÉFORME AGRAIRE

L'arrivée au pouvoir du *Partido Socialista Obrero Español* (PSOE) en 1982, provoque un immense espoir. » Nous pensions que nos revendications seraient écoutées et que la répression cesserait », nous confiera gravement Diego Cañamero. Il n'en est rien. Occupations de terres, grèves de la faim « contre la famine », barrages sur les routes se poursuivent. En août 1983, une grande marche sur Séville regroupe 10 000 journaliers. La répression demeure très dure. En 1985, plus de 300 membres du SOC sont en procès, passibles de peines de deux à trois ans de prison.

La Réforme agraire votée en juillet 1984 est longuement bloquée en raison d'un recours constitutionnel formulé par les partis d'opposition, de la grogne des propriétaires fonciers qui déclarent n'y voir qu'une relique d'un autre âge. Fin 1986, cependant, le gouvernement nationalise entre autres les domaines appartenant au grand holding RUMASA, lié à l'Opus Déi, confisque 30 000 hectares pour la seule duchesse d'Albe, 17 000 hectares pour le duc de l'Infantado. Pourtant... « La réforme agraire ? Ça nous fait rire », s'esclaffent sans joie deux journaliers d'El Coronil qui ont échappé au coup de filet des Guardias et que nous rencontrons en cette après-midi du

14 novembre 1988, pendus au téléphone pour tenter, en vain, d'alerter les médias.

« Pour nous, la réforme agraire n'existe pas. Elle se contente de distribuer de la pierre, les bonnes terres ne sont jamais incluses dans ce projet. D'ailleurs, cette terre, en réalité, ils ne la donnent même pas ! » En effet, le chapitre II, article 20c de la loi, prévoit : *l'expropriation consistera dans la privation singulière du droit d'usage et de jouissance à travers la location forcée à l'Institut de la Réforme Agraire pour une durée ne pouvant excéder douze ans.* « On nous confie la terre improductive pour la travailler, la remettre en culture, lui rendre sa valeur. Ensuite ? Eh bien une fois que nous aurons bien trimé, que nous l'aurons fait fructifier, on la rendra à ses propriétaires pour qu'ils en récoltent les bénéfices ! »

« Un gouvernement socialiste doit prendre en compte l'aspect social, la situation des plus pauvres, des plus marginalisés », nous déclarera quelques jours plus tard un responsable du département agriculture de la Junta andalouse du gouvernement, avant de préciser : « mais la réforme agraire est un thème très complexe. Souvent, pour quelqu'un extérieur à l'Andalousie, ou habitant en ville, c'est un concept très romantique. En réalité, ce n'est pas tout à fait ça. S'il existe une arme, l'expropriation pour mauvais usage de la terre, l'un de ses aspects principaux n'en demeure pas moins la modernisation des structures, le développement de l'irrigation, la construction de routes, de chemins... »

En fait, orientée pour éviter d'entrer en conflit avec les grands propriétaires et les banques, pour favoriser l'intégration dans l'Europe agricole à travers la concentration, l'appel à des entreprises performantes, espagnoles et étrangères, la loi de réforme agraire n'a pas pour principal objectif l'amélioration des conditions de vie des centaines de milliers de chômeurs des campagnes. Dès lors, deux thèses s'opposent frontalement. Distribution de la terre contre modernisation de l'agriculture.

Le conflit est-il d'un autre âge ? Oppose-t-il une société résolument tournée vers le futur à des adeptes de la lampe à huile et de la marine à voile ? « Nous ne sommes pas contre le progrès », s'est déjà expliqué Diego Cañamero. « Mais il y a plusieurs formes de progrès. Ce que nous voulons, c'est pouvoir vivre et manger. Nous sommes pour le progrès technique à condition qu'il soit contrôlé par ceux qui travaillent la terre, c'est-à-dire les journaliers et les petits paysans. Si un jour la terre cesse d'être la propriété d'une minorité qui accapare tout, nous ne verrons pas d'inconvénient à introduire les machines permettant d'éliminer les travaux des champs fatigants et qui rallongent sans nécessité nos journées de travail... »

Le SOC revendique pour sa part une réforme agraire radicale avec expropriation de tous les domaines de plus de 150 hectares en secteur forestier, de plus de 250 hectares concernant les terres sèches, de plus de 40 hectares pour les propriétés irriguées. Il préconise la création de coopératives, le reboisement des montagnes (4 millions d'hectares en quinze ans), l'extension de l'irrigation, l'installation d'industries de transformations des produits agricoles sur place, le contrôle de la commercialisation. « Des discussions, il y en a. Ce qui se passe, c'est qu'ils ne t'écoutent jamais. Ils n'écoutent que *don Dinero*[5] ! Celui qui n'a pas d'argent n'a pas le droit de s'exprimer ! »

Objectif 1992 : Marché Commun de la finance, des banques, des technocrates, des firmes et de l'égoïsme contre Marché Commun des pauvres ?

XIXe
OU XXIe SIÈCLE ?

*L*e convoi des fourgons cellulaires a traversé El Coronil sous la *bronca* des vieux, les cris réprobateurs des femmes, les annulaires insolemment dressés au ciel des enfants et, s'engageant sur l'étroite route qui vallonne entre les courbures des champs ocres, s'est dirigé vers la bourgade voisine, Utrera. Les détenus ont été parqués dans la cour centrale de la caserne de la Garde Civile, sans autre forme de procès.

En début d'après-midi, quelques automobiles empruntent le même itinéraire, se garent à proximité du casernement. Une dizaine d'habitants d'El Coronil se rassemblent devant le long bâtiment blanc d'un étage. Par le large portail demeuré ouvert et que surmonte un drapeau espagnol, lui même planté au-dessus d'une fière devise, *Tout pour la Patrie*, on aperçoit la petite foule des prisonniers. À l'intérieur comme à l'extérieur, commence une longue attente propice aux conversations.

Ils survivent. L'allocation chômage suffit à peine pour payer l'eau, l'électricité, le gaz, la sécurité sociale et les impôts locaux. Les femmes doivent faire des miracles pour joindre les deux bouts. « Nous manquons de tout : de vêtements, de chaussures, d'aliments. Nos enfants passent leur temps à regarder ce qu'on ne peut pas leur acheter. Nous nettoyons la merde des riches tandis qu'ils sont abandonnés à la garderie ». Trente pour cent de chômeurs en Andalousie, un taux de dix points supérieur à la moyenne nationale. « Les adultes, on ne les veut pas, on dit qu'ils ne rendent pas. Les femmes non plus. Les jeunes, on prétend qu'ils n'ont pas d'expérience. Mais comment acquérir de l'expérience si on ne vous donne pas de travail ? »

Le marasme n'affecte pas que les travailleurs agricoles. « On a des comptes dans les boutiques, on paye à crédit, d'un mois sur l'autre, parfois plus, moi je dois cinq mille pesetas ». Les commerçants ferment boutique, les villages se désertifient. Encore, El Coronil s'en tire-t-il plutôt mieux que bien des *pueblos* des environs. Solidement implanté, le SOC impose un rapport de forces, négocie avec les employeurs, fait respecter les horaires, les lois du travail, les salaires minima et répartit les tâches entre tout le monde, les hommes, les femmes, les jeunes, les vieux. Ce n'est pourtant pas suffisant. Que faire ? Comme tant d'autres, émigrer ? « Aller en ville, pour crever de faim ? Il n'y a plus de travail nulle part. Même plus à l'étranger. D'ailleurs ce pueblo n'est un pueblo de migrants ».

Bouger, il le faut cependant pour nombre d'Andalous. Les saisons, les pêches à Jaen, les fraises à Huelva. Embauchés comme main-d'œuvre précaire par l'oppulente industrie hôtelière de la Costa-del-Sol, les jeunes reviennent trop souvent au pays en y ramenant drogue, délinquance, trafics divers. Ils y retrouvent des adultes condamnés à l'oisiveté qui passent leurs journées à jouer aux cartes et s'ennuient.

Côté caserne, on s'ennuie aussi. La situation s'éternise, les quelques informations glanées ici ou là, auprès des Gardes Civils de faction, s'avèrent contradictoires, varient d'une minute à l'autre. « On les garde jusqu'à ce que les machines aient terminé la récolte ». Ou encore : « ils vont passer en jugement ». Le jour touche à sa fin et, de concert avec la nuit, l'indignation s'épaissit peu à peu. « Vous voulez travailler et on vous enferme ! Quand il y a du travail, on vous l'enlève ! C'est ça la démocratie ? Pour que nos possédants entrent sans problème dans le Marché Commun, il est nécessaire que nous cessions de travailler dans les campagnes et que nous allions nous croiser les bras sur la place du *pueblo* ! »

De l'intérieur, de la cour dans laquelle les journaliers piétinent depuis le matin, on entend à présent des cris, d'abord isolés — *Libertad ! Libertad !* — puis repris en chœur — *Libertad ! Libertad !* — à pleins poumons. Soudain, un chant s'élève, s'échappe par les larges portes du bâtiment, prend de l'ampleur, retombe sur les toits, ricoche dans la rue, envahit le quartier. « Andalous, levez-vous, demandez terre et liberté, pour vous, pour l'Espagne et pour l'Humanité... » Les prisonniers viennent d'entamer l'hymne officiel andalou. Le tumulte ne passe pas inaperçu, un attroupement se forme peu à peu devant l'entrée de la prison. Mus par les Gardes Civils, énervés, les lourds battants se referment sur les captifs, étouffant les sons.

Le petit groupe des habitants d'El Coronil qui fait le pied de grue à l'extérieur, entreprend d'expliquer la situation aux passants. « Il y a des gens qui doivent... Des gens qui n'ont pas leurs soixante jours pour obtenir l'aide, et qui ne les auront jamais. Ils vont devoir s'humilier devant le patron pour lui demander de signer la péonada, voire même le payer... » Effet pervers du système, une part non négligeable du patronat a en effet compris tout le parti qu'elle pouvait tirer de la situation. Fréquemment citée en exemple pour le dynamisme d'une agriculture tournée vers l'avenir, symbole de l'Andalousie « californienne », la région de Huelva voit fleurir des pratiques dignes du XIXe siècle.

Travaillant en famille, parqués dans des baraquements sans commodités, les journaliers sont de plus en plus souvent confrontés à un véritable chantage. « Le patron doit te payer 2 350 pesetas par jour. Il te dit : je ne t'en donne que 2 000. Puis il te fait payer le loyer du baraquement infâme dans lequel il t'a jeté. Finalement, il ne te paye quasiment rien. Mais tu dois le remercier : en te faisant travailler quasiment à l'œil, il te permet d'obtenir les soixante jours nécessaires pour l'indemnité chômage... »

Les hommes les plus pauvres d'Espagne continuent à habiter la terre la plus riche du pays.

NOUVELLE CALIFORNIE

Il était vingt et une heures trente lorsque les journaliers ont été transférés de la caserne au Palais de Justice. Plus de vingt-deux heures trente lorsqu'ils en sont sortis, enfin libérés. Lâchés en pleine nuit, à une quinzaine de kilomètres de chez eux. Avec la Garde Civile, seul l'aller est assuré, le retour jamais.

Quand pénètrent dans El Coronil les premiers véhicules du véritable convoi d'automobiles dépêché par les villageois jusqu'à Utrera pour en rapatrier leur maire et ses camarades, une salve d'applaudissements nourris jaillit de la foule de deux cent cinquante personnes spontanément réunies. Mais l'atmosphère n'est pas véritablement à la joie. Mâchoires crispées, Diego Cañamero saisit le micro d'une sonorisation improvisée. « Nous venons de perdre 1 500 journées de travail, mais pas la bataille... Je voudrais cependant dire ici une chose : si au lieu d'être cent là-bas, ce matin, nous avions été plus nombreux, si tous ceux qui sont là ce soir étaient montés avec nous, on aurait difficilement pu arrêter tout le monde, l'impact aurait été plus grand... »

Après le grand élan du début des années quatre-vingt, les positions radicales du SOC font moins recette dans les campagnes andalouses. Le syndicat s'accroche dans quelques bastions, six ou sept villages de la région de Séville et du nord de Cadix. La logique productiviste gagne peu à peu du terrain, la répression constante a sapé les énergies, l'allocation chômage, même si elle permet à peine de subsister, freine la mobilisation pour la terre. « Par ailleurs », analyse un responsable des Commissions Ouvrières, « occuper la terre n'a de sens que si le rapport de forces permet de la conserver. Derrière son volontarisme, le SOC doit évoluer, et il évolue. Il commence à venir aux coopératives créées en demandant des subventions gouvernementales, pratique que jusqu'à présent il nous reprochait ».

Perte de crédit ou non, évolution ou non, l'ambiance n'est pas ce soir à la conciliation. Dans la nuit froide qui raidit le village, Diego

Cañamero s'en prend avec virulence aux autorités. « Cent Gardes Civils ont pu arrêter soixante-dix d'entre nous, peu importe comment et quand, mais pas seulement appelés par un petit patron, en réalité, aux ordres du patronat, parce que pour payer tous les frais occasionnés pour nous casser, il a fallu un joli montage derrière ce petit propriétaire... Quant au gouverneur, el señor Garrido, ce fils à papa qui baisse son pantalon dès que l'AGASA[7] l'appelle par téléphone, qui agit immédiatement chaque fois que paraît l'éditorial d'ABC[8], qui n'a pas la dignité, ni l'honneur politique, d'observer un comportement neutre dans un conflit de ce genre, il ne peut se prévaloir de la sensibilité d'une personne qui, minimalement, se prétend socialiste... »

Il est tard maintenant. Un nouveau train d'automobiles est mobilisé pour remonter jusqu'aux champs où, interpellés ce matin, ils ont dû abandonner mobylettes, pétrolettes et motos. Pauvres entre les pauvres, lorsqu'à la lueur des phares ils retrouvent leurs engins, on entend des cris et, dans l'obscurité qui engloutit les visages, certains pleurent de découragement. Pendant leur absence forcée, d'anonymes mains ont crevé les pneus, arrachés les fils, défoncé les réservoirs, brisé les phares, cassé, brutalisé, vandalisé les modestes engins achetés au prix de grands sacrifices. Ce matin, ils ne possédaient rien. Ce soir, ils se retrouvent avec moins que rien.

Ailleurs, pas très loin de là, dans de confortables bureaux, dans d'optimistes médias, on parle de la « nouvelle Californie ». L'Andalousie cache bien sa misère.

──────── *MAURICE LEMOINE* ────────

1. « Terre et liberté : la lutte des ouvriers agricoles en Andalousie » ; CEDRI, BP 42, 04 300 Forcalquier ; brochure à laquelle nous avons emprunté de nombreux éléments d'information.
2. Idem.
3. 1 500 francs.
4. Compte tenu du nombre de journaliers n'atteignant pas les normes imposées, deux catégories supplémentaires ont été instituées : les ouvriers agricoles pouvant prouver une activité de 34 à 59 jours touchent 100 jours d'allocations par an ; de 34 à 59 jours de travail : trois fois les jours effectivement travaillés. Tous ceux qui demeurent sous la barre des dix jours de travail par an ne touchent rien (30 000 en 1985).
5. Littéralement : monsieur l'Argent.
6. Certificat de travail.
7. Association des Agriculteurs et Éleveurs Andalous.
8. ABC : journal conservateur.

BERNARD DUBOSCQ

ANDALOUSIE ET EUROPE

COMME SI L'EUROPE NE LUI SUFFISAIT DÉJÀ PLUS, L'ANDALOUSIE PRÉPARE LE PROJET D'UNE EXPOSITION UNIVERSELLE POUR 1992 À SÉVILLE. DERRIÈRE L'ANDALOUSIE DE TOUJOURS, LA RÉGION NOUS PROPOSE UNE NOUVELLE IDENTITÉ, BIEN DIFFÉRENTE DES IMAGES TRADITIONNELLES : UNE NOUVELLE AGRICULTURE SE DÉVELOPPE ET SURPREND. QU'EN EST-IL ALORS DE CETTE MODERNITÉ ?

C'est maintenant devenu une évidence : l'Europe est condamnée à s'agrandir, pour elle-même et pour sa propre économie, ainsi que pour faire poids dans l'ordre mondial. Or ces élargissements se font vers des pays méditerranéens dont les caractéristiques structurelles sont très différentes de celles des pays qui sont à l'origine du projet européen. Ces pays jeunes, où le poids des secteurs traditionnels et en particulier de l'agriculture est encore fort, trouveront-ils un bénéfice dans l'adhésion et seront-ils un atout pour la future Europe ?

L'Andalousie, région symbole de la Méditerranée, est au cœur du débat. Les images contradictoires se superposent : région archaïque où règne le latifundisme et le chômage, mais aussi région aux richesses inexploitées, future Californie pour certains. L'Europe n'est pas une découverte pour les Andalous, et depuis quelques années par exemple leur « nouvelle agriculture » tire partie des marchés européens. À l'inverse, certains investisseurs ont déjà fait le voyage vers le sud et reconnu les avantages de la région. Désormais il y a une nouvelle règle du jeu qui détermine les conditions de l'échange, de la concurrence et de la solidarité.

L'Europe et l'Andalousie se regardent depuis en chiens de faïence. Cette dernière fait pression pour pouvoir exporter ses produits avec le moins d'entraves possible. L'Europe quant à elle craint un nouveau concurrent, mais essaie tout de même de l'intégrer en aidant à réduire les décalages trop criants (l'Andalousie est la région espagnole la plus largement dotée en subventions européennes). Pour l'instant, la tendance serait au compromis, l'exception devenant la règle dès qu'il s'agit d'appliquer une directive européenne. Si la CEE propose d'inciter, par le biais de primes, à l'abandon de terres agricoles, des voix s'élèvent et obtiennent que l'Andalousie ne soit pas concernée.

Si l'on objecte à la réforme agraire qu'en favorisant une meilleure utilisation des terres et une croissance de la production elle rentre en contradiction avec les objectifs de réduction des surplus agricoles, on trouve là encore un compromis en évoquant les problèmes sociaux. Mais obtenir des concessions ne constitue pas une politique à long terme. La région revendique aussi une nouvelle image, un nouveau projet. Un projet qui donnerait à l'Andalousie une place spécifique dans l'Europe.

1992 : UNE ÉCHÉANCE AMBITIEUSE

*L*es responsables politiques régionaux et nationaux s'y emploient. Curieusement ce sont souvent les mêmes. L'Andalousie exporte ses dirigeants qui sont maintenant à la tête des principaux partis et du gouvernement (le président F. Gonzalez et le vice-président A. Guerra sont tous les deux Andalous). Avantage ou inconvénient, perspective de favoritisme ou au contraire de dépendance vis-à-vis de Madrid ? Le message sur l'Andalousie est passé en tous les cas. Il est bien vu d'établir des projets pour elle. Tout se passe comme si on la redécouvrait, non plus par ses archaïsmes mais par ses potentialités. Et puisque le reste de l'Europe semble partager cette vision, on donne dans la perspective grandiose : tout reste à faire, une nouvelle frontière à l'espagnole.

1992 devient alors la date clé et symbole : unification du marché européen et anniversaire de la découverte de l'Amérique. C'est l'échéance choisie pour créer un choc aux yeux de l'Europe et du monde : l'organisation d'une exposition universelle à Séville autour du thème des grandes découvertes. Il faut faire connaître l'Andalousie. 1992 c'est demain, et après-demain il s'agira de retenir les investisseurs. Déjà des émissaires du gouvernement autonome s'emploient à vendre la région dans le monde entier. Officiellement l'exposition sera le déclic.

Pour d'autres c'est un gadget et faire une exposition universelle renvoie au XIXᵉ siècle. À l'ère de la communication super-sophistiquée il n'est plus utile de se déplacer ni de voir pour connaître. Les grandes entreprises n'ont pas besoin de l'exposition pour établir leurs stratégies d'implantation. Tout au plus, l'exposition servira alors à améliorer les infrastructures régionales (routes, aéroports, capacité d'accueil...) trop sérieusement en retard par rapport au reste de l'Europe.

Entre ces deux perceptions, le but est peut-être ailleurs : lancer une dynamique de motivation au sein de la population, la débarrasser de ses complexes, lui faire croire en des lendemains proches qui peuvent sûrement chanter. Une méthode Coué du développement autour de deux chiffres 9 et 2 : 92. Les slogans fleurissent partout à Séville, « faisons ensemble de 92 une grande année » proclament tous les annonceurs publicitaires. Tout (et rien) est en rapport avec 92 : on en a mal aux yeux de tant le lire dans Séville. Le défi est là : faire rentrer l'Europe dans la tête des Andalous. Il suffit que quelques entreprises de haute technologie s'installent dans la région de Malaga pour qu'on parle aussitôt de « Silicon valley ». L'orgueil retrouvé pour oublier la lenteur, peut-être méditerranéenne, des mutations indispensables.

Quelle est la solution alors pour cette région schizophrène prise entre sa réelle et nécessaire volonté de bouger et son histoire, faite de contraintes mais aussi d'un certain art de vivre ? Peut-être s'inspirer du poète andalou Antonio Machado qui déjà prévenait : « *Caminante no hay camino, se hace el camino al andar* ».

LA NOUVELLE AGRICULTURE ANDALOUSE

*L*a route qui emprunte l'étroite bande côtière entre Malaga et Almería traverse des paysages agricoles que le voyageur européen n'a pas l'habitude de rencontrer : champs de canne à sucre à Motril, plantations d'avocatiers vers Almuñecar et Salobreña, toute une série de productions tropicales qui montrent la clémence exceptionnelle du climat dans cette région proche de la Costa del Sol.

Au cours du trajet, on remarque aussi les curieuses structures de serres à la couverture de plastique, où des cultures de primeurs mûrissent pendant les mois d'hiver. Et en arrivant sur Almería, capitale de la province la plus orientale d'Andalousie, la concentration des serres devient telle que le surnom donné à la région s'impose de lui-même à l'esprit étonné : *el mar de plástico*, la mer de plastique. Là, dans le Campo de Dalias, se trouve la plus forte concentration de cultures sous abri d'Europe : plus de 14 000 hectares de serres plastique, dans une petite plaine côtière qui en fait à peine 35 000. L'équivalent en surface de la moitié environ des serres hollandaises. Un exemple de développement agricole exceptionnel dans une région qui, il y a trente ans à peine, était à peu près désertique. Aujourd'hui pourtant, c'est de cette même région que partent plus du quart des exportations espagnoles de fruits et légumes de primeur à destination des marchés européens.

À 500 kilomètres de là, à Huelva, près de la frontière portugaise, ce sont à nouveau 4 000 hectares de terres qui sont recouverts de plastique. Cette fois-ci c'est de la culture de la fraise dont il s'agit : des fraises qui mûrissent dès le mois de janvier, et dont plus de la moitié est exportée vers les autres pays d'Europe. Les variétés utilisées proviennent des meilleurs centres de sélection californiens. La récolte, elle, se fait manuellement. En 1987, ils étaient plusieurs dizaines de milliers, courbés sur les rangs de plastique, à ramasser un par un les fruits rouges : des ouvriers agricoles, essentiellement, engagés et payés à la journée. Beaucoup avaient fait le déplacement depuis d'autres provinces. Les andalous leur ont déjà trouvé un nom : *las golondrinas*, les hirondelles, qui reviennent chaque printemps.

Almería et Huelva : deux exemples de ce qu'il est désormais convenu d'appeler la « nouvelle agriculture » andalouse. Un terme qui évoque une rupture avec l'image traditionnelle d'une Andalousie latifundiaire et sous-développée, un nouveau projet au moment de l'adhésion à l'Europe. Un terme ambigu pourtant, qui désigne une réalité complexe. Car si la sophistication et le caractère spectaculaire de certaines techniques agricoles évoquent une certaine modernité, la présence des journaliers agricoles à Huelva rappelle une des principales bases de cette « nouvelle agriculture » : le salariat agricole temporaire, l'emploi d'une main-d'œuvre peu qualifiée qui vit encore dans des conditions précaires.

DES RÉGIONS
EN EFFERVESCENCE

D ans une économie peu industrialisée comme celle de l'Andalousie, où l'émigration a longtemps été la principale alternative au chômage — rappelons-nous les cohortes d'Andalous qui ont émigré en France et en Allemagne dans les années soixante, ou ceux qui reviennent chaque année encore pour les vendanges —, les nouvelles possibilités de production agricole ont provoqué une véritable effervescence. Pour les paysans pauvres des montagnes de Grenade, pour des ouvriers qui avaient précédemment émigré à l'étranger, les cultures sous serre ont constitué une possibilité de continuer à travailler « au pays ». Les banques y ont cru, et leur ont fourni le financement. Dans le Campo de Dalias, une ville est alors apparue. Les villages de Huelva, à l'économie assez déprimée, ont également connu un regain d'activité.

Il y a autour de ces exemples de développement un mythe de l'argent facile. On commente le cas de nouveaux riches, ou l'histoire de familles de paysans qui se retrouvent à la tête de petites entreprises. Le fait est que les productions andalouses de primeurs exportées sur les marchés étrangers atteignent des prix de vente élevés. La culture de fruits et légumes a ainsi permis à des gens d'origine modeste de changer complètement leur mode de vie, sans qu'ils mesurent d'ailleurs toujours les aléas auxquels cette nouvelle activité les expose. Aussi entend-on commenter ici et là que les principaux bénéficiaires de cette croissance ont d'abord été les concessionnaires de marques automobiles et les banques, les premiers pour avoir soudain multiplié leur chiffre d'affaire et les secondes pour toucher des intérêts substantiels sur les crédits avancés.

Beaucoup redoutent ce qui pourrait se passer dans le cas d'une mauvaise récolte ou d'un effondrement du marché. À Huelva, l'euphorie créée par le boom de la fraise pourrait bien déboucher alors sur le désenchantement. Car encore faut-il savoir transformer une prospérité passagère en un véritable développement. Un problème qui se pose aussi à Almería, quoique le phénomène y soit plus ancien et la croissance mieux établie.

Au-delà de ces aspects parfois anecdotiques, mais qui traduisent aussi la fièvre qui règne dans ces régions, subsiste le fait que le développement de cette « nouvelle agriculture » a mis en place une dynamique très particulière. Rien à voir en effet entre ce qui se passe à Almería et à Huelva et le reste de l'Andalousie, dominé par des grands domaines désormais mécanisés et qui donnent de moins en moins de travail aux ouvriers agricoles.

Les cultures fruitières et maraîchères, très exigeantes en main-d'œuvre, créent de l'emploi : c'est là sans doute le principal enjeu de cette croissance, et c'est là où l'exemple des régions concernées prend valeur de symbole pour le reste de l'Andalousie. Un hectare de serres à Almería ou un hectare de fraises à Huelva requièrent de l'ordre de 500 jours de travail par an. Un chiffre à comparer avec les 3 ou 4 jours de travail seulement que demande la culture d'un hectare de céréales avec les moyens modernes.

Les petits exploitants y trouvent donc une activité qui leur permet de se maintenir et de faire vivre correctement leur famille, même avec peu de terres : la dimension moyenne des exploitations de Huelva ou d'Almería est inférieure à deux hectares. Mais beaucoup de ces exploitations ont quand même recours à de la main-d'œuvre salariée au moment des pointes de travail : c'est particulièrement vrai à Huelva pour la récolte de la fraise, et cela explique la présence des « golondrinas ». Il y a alors tout un monde entre l'agriculteur, propriétaire de son hectare de fraises et le journalier sans terre qui vient y travailler contre un salaire.

... ÊTRE JOURNALIER
AGRICOLE

L e problème des journaliers agricoles conduit à reposer la question de la « nouvelle agriculture » dans des termes différents. Des termes qui ne soient ni ceux du triomphalisme devant des exemples de croissance spectaculaires, ni ceux de la dénonciation en condamnant la logique brutale qui fait des bas salaires un des principaux atouts de la compétivité andalouse dans ce secteur.

Il faut à l'Andalousie une croissance économique — qui pourrait en douter ? —, et l'une des perspectives de croissance les plus réelles à l'heure actuelle est bien celle que signalent des exemples de développement comme ceux d'Almería ou de Huelva. Mais il faut aussi que cette croissance s'équilibre, et serve à réinsérer une partie au moins de la population rurale sans emploi dans un marché du travail digne de ce nom.

Le problème est immense et vient de loin. Car que proposer à cette population agricole qui, depuis plusieurs générations souvent, ne connaît comme statut social que celui de travailleur temporaire ?

On sera peut-être surpris de constater que le problème des journaliers agricoles se pose aujourd'hui en priorité dans des régions comme Almería et Huelva, qui ne sont pas des régions de grands domaines. Mais ces derniers se sont mécanisés, et la mécanisation, en chassant la main-d'œuvre, a conduit à dissocier le problème de l'emploi de celui de la production agricole. Les anciens latifundia sont désormais promus au rang d'entreprises, et font figure d'exploitations modernes. À condition quand même de ne pas être trop regardant, car les grands propriétaires n'en sont pas devenus pour autant des moteurs de l'économie régionale. Bien au contraire, ils se sont en général cantonnés aux secteurs les plus protégés, aux productions les moins exposées commercialement, qui demandent peu d'investissements et peu de main-d'œuvre. Rares justement sont ceux qui se sont lancés dans la « nouvelle agriculture » et ont cherché à développer les cultures d'exportation.

C'est pourtant à cela que voudrait les inciter le projet de réforme agraire : un projet où la structure de la propriété elle-même n'est plus vraiment remise en cause, mais qui prétend favoriser les exploitations les plus intensives, celles qui créent de l'emploi. L'emploi, préoccupation constante dans une région où le taux de chômage total atteint trente pour cent.

Nouvelle agriculture, nouveaux entrepreneurs, mais aussi journaliers agricoles, latifundisme, réforme agraire. Des éclairages différents qui finalement se superposent pour esquisser le portrait d'une Andalousie partagée entre le XIXᵉ siècle et son avenir européen.

BERNARD DUBOSQ

EL EJIDO

On a parfois comparé El Ejido, au centre du Campo de Dalias, à une ville du far-west : une longue rue principale (qui n'est autre que la route nationale), des bars, des banques et des immeubles plantés là au gré d'un développement anarchique. Derrières ces immeubles, d'autres encore forment une agglomération qui donne l'impression de ne jamais vouloir finir de grandir. Un chantier en ébullition permanente, entouré d'une immensité de plastique, le tout pris entre mer et montagne.

El Ejido évoque une de ces villes champignon du temps de la ruée vers l'or. Mais ici l'or se cultive sous plastique. Une bonne partie de l'Europe mange aujourd'hui sans le savoir des légumes primeur en provenance de cette région. Ce qui n'était il y a vingt ans qu'un quartier de 2 000 habitants est devenu une collectivité de près de 50 000 personnes. Un ensemble cosmopolite : ouvriers de retour d'émigration en Catalogne, familles de paysans modestes venus des quatre coins de l'Andalousie, gitans et même depuis peu travailleurs d'origine africaine, qui sont venus participer à l'essor de la région avec des fortunes diverses.

Ici 75 % de la population active travaille directement dans l'agriculture. Une agriculture qui conditionne aussi la plupart des autres activités : banques, coopératives, etc. Une situation unique en Espagne, sinon en Europe. 61 pour cent de la population a

moins de 30 ans, et le chômage est trois fois inférieur à celui du reste de la péninsule.

Tout a été très (ou trop) vite à El Ejido. La ville est à l'image de cette croissance effrénée : inutile de chercher la moindre trace de logique dans son organisation et ses formes. Comment en effet organiser un tel boom ? Alors on a laissé faire. Mais si toute cette population est venue là pour travailler, il faut maintenant penser à y vivre. Les responsables locaux essaient de combler un retard qui s'accumule dans tous les domaines : infrastructures, urbanisation, mais aussi niveau culturel. Le taux d'analphabétisme est incroyablement élevé (48 pour cent de la population ne sait pas ou à peine écrire). Il y a deux ans, l'Unesco a récompensé les efforts entrepris pour remédier à cette situation en distinguant la ville par un « prix d'alphabétisation ».

Le taux de suicides est tout aussi inquiétant : malheur ici à celui qui ne réussit pas comme les autres. Les gens de la région n'aiment pas que l'on parle de ces sujets, mais ne sont-ils pas significatifs de l'importance des tensions que vit la population ? En vingt-cinq ans El Ejido est devenu une référence en matière de croissance économique en Andalousie. Le nouveau pari est maintenant d'en faire une ville à part entière. Une ville dont la rue principale semble conduire directement à l'Europe.

BERNARD DUBOSCQ

—— CARMEN ELIAS IGLESIAS ET JOSÉ MARIA MONTERO SANDOVAL ——

CHÔMAGE CONTRE-NATURE ?

NATURE CONTRE CHÔMAGE

À PAMPANEIRA, LA NUIT, LES ÉTOILES BRILLENT DE PLUS PRÈS. L'AIR EST PLUS LIMPIDE. LES 358 HABITANTS NE SONT PAS « CONTAMINÉS », ILS SONT ISOLÉS DE LA FUMÉE DES USINES ET DU BRUIT DES VOITURES. PARADOXALEMENT, CE PARADIS LAISSAIT FUIR « LE TRAIN DE LA SURVIE », CONSTITUÉ PAR CHAQUE JEUNE HABITANT DÉCIDANT D'ABANDONNER LA CULTURE DE LA TERRE, L'ÉLEVAGE, OU LE TRAVAIL ARTISANAL, POUR ÉMIGRER À LA VILLE.

Au cœur des Alpujarras grenadines, à plus de 1 000 mètres au-dessus du niveau de la mer, la commune de Pampancira se glisse entre les rocs qui, sorte d'escalier, mènent à Mulhacen, le pic le plus élevé de la Péninsule ibérique. Un ensemble de chemins en forme de fer à cheval, parsemés de forêts de chênes, de chataîgniers, et de cultures en terrasse, souhaitent la bienvenue au *Barranco del Poqueira*, l'un des nombreux ravins, qui composent le monde déprimé des Alpujarras.

Pampaneira, Bubión et Capileira sont les seuls emplacements humains du ravin, avec une population qui n'excède en aucun cas les 600 habitants recensés, et on remarque une prédominance des « vieux du coin » sur la jeunesse. Celle-ci, traditionnellement, a émigré, traquée par le chômage. Jusqu'à ce qu'en 1986 soit créée l'École-Ateliers de l'Environnement pour redonner de la vigueur aux activités traditionnelles et en même temps, en créer d'autres, nouvelles, qui soient rentables et compatibles avec la conservation des valeurs naturelles de cette région.

Le but de ces Écoles-Ateliers est de former des jeunes de 16 à 25 ans, en alternance avec une pratique professionnelle, favorisant ainsi leur possible emploi dans les secteurs liés à la récupération, la réhabilitation et/ou la promotion du patrimoine historique, artistique ou naturel. Dans chacun de ces centres, de jeunes chômeurs de la région sont donc accueillis. Ils assistent à une première étape de formation générale, d'une durée de quatre mois, pendant lesquels ils perçoivent une bourse-salaire. Ensuite, dans une deuxième étape qui se prolonge durant les trois années de vie opérationnelle de l'École, on inclut des modules spécifiques d'apprentissage ; les jeunes reçoivent alors un salaire en qualité d'employés en apprentissage ou en stage pratique.

En Andalousie, l'Agence de l'Environnement, organisme du gouvernement autonome, a jugé intéressant d'appliquer ce programme dans des zones naturelles déprimées, qui avaient besoin de plans de développement socio-économique compatibles avec la conservation de l'environnement. On est ainsi en train de créer un réseau d'Écoles-Ateliers en espaces naturels, écoles dans lesquelles sont mis en œuvre des modules spécifiques d'apprentissage par thèmes liés à l'environnement.

— *Gestion du tourisme rural*: guides de la Nature ; animation socio-culturelle liée à l'environnement ; éducation liée à l'environnement ; création et gestion de campings ; hôtellerie ; gastronomie ; artisanats traditionnels.

— *Utilisation rationnelle des ressources naturelles*: cultures autochtones ; élevage ; travaux forestiers ; création et utilisation de pépinières et de serres ; nouveaux produits agricoles ; pisciculture.

— *Protection, conservation et utilisation du milieu naturel*: sylviculture ; reboisements ; prévention et lutte contre les incendies de forêt ; restauration des zones brûlées ; conservation et protection de la faune et de la flore ; évaluation de l'impact de l'environnement.

— *Jardinage*: jardinage industriel ; conception et création de jardins urbains et botaniques ; création et utilisation de pépinières pour jardinage ; culture et conservation de plantes autochtones.

Pampaneira et Pozo Alcón, cette dernière dans le Parc Naturel de Cazorla (Jaén), créées en 1986, furent les deux Écoles-Ateliers d'environnement pionnières en Andalousie. Quand nous avons visité la première d'entre elles, au tout début de l'automne, ses 60 élèves étaient sur le point d'entrer en dernière année d'apprentissage. Chacun d'entre eux a choisi, au début de cette expérience, l'une des spécialités prévues : gastronomie, céramique et artisanat, agriculture et élevage, guides de la nature et reboisement.

L'HÉRITAGE
ARABE

À partir de l'invasion musulmane, les Alpujarras ont servi de refuge, d'abord aux chrétiens fuyant la domination arabe, et ensuite, pendant la Reconquête, aux Maures, qui en firent leur dernière « forteresse ».

L'influence de la culture islamique survit encore aujourd'hui dans cette zone, à tel point que ses habitants défendent la singularité de ce qui est arabe, face à d'autres influences contemporaines. Dans le module d'artisanat de l'École-Atelier de Pampaneira, les élèves travaillent précisément à la récupération de la céramique mauresque.

L'un des défis qu'ils se sont lancés, est la reconstruction et la future commercialisation de ce qu'ils appellent eux-mêmes « vaisselle traditionnelle *alpujarreña*. » Il s'agit d'un ensemble complet de pièces, d'origine arabe, qui s'adaptent à la gastronomie de la région ;

selon José Antonio Ramos, moniteur de l'École, « le travail de récupération de cette vaisselle a commencé par une recherche dans les maisons des habitants, parce que toute personne vivant à Pampaneira a vu, ou possède, une pièce inconnue en dehors de ce ravin. Une fois qu'on a eu les éléments de base et qu'on a épuisé les sources d'information, on a décidé de dessiner nous-mêmes les éléments manquants, mais en respectant toujours la ligne mauresque qui les rend particuliers. »

Bien qu'il s'agisse d'un élément d'usage quotidien, les élèves de l'École sont parfaitement conscients des possibilités que leur offre cet artisanat pour trouver un mode de vie stable. Pour Juan Manuel Nieves, élève de ce même module, « avec ce travail et d'autres semblables, on prétend apporter une alternative nouvelle à la céramique traditionnelle alpujarreña, sans perdre ses racines, que ce soit en récupérant, en transformant ou en créant des formes et systèmes nouveaux. Pour ça, nous utilisons des matériaux de la région, tout en recherchant des argiles, des éléments de décoration, des colorants et des fondants, qui peuvent être la base d'une nouvelle industrie. »

L'un des autres artisanats étudié dans ce module est le textile, travaillé avec des schémas identiques. Il s'agit là de récupérer d'anciens métiers à tisser, des matières premières, des colorants, des dessins... oubliés ou tombés en désuétude, et d'orienter cette production vers la consommation touristique.

Lorsqu'on décide de stimuler le développement socio-économique d'une contrée, on oublie d'ordinaire la gastronomie. La cuisine est, sans l'ombre d'un doute, l'un des « charmes » principaux de l'Alpujarra. Des plats conditionnés par les produits de la région et influencés par les différents peuples qui se sont installés dans ces *sierras*, composent une cuisine riche, complexe, et surtout très savoureuse pour des papilles étrangères.

Le module « gastronomie » a pour but de former de jeunes spécialistes en la matière, afin de fournir une main-d'œuvre qualifiée aux installations hôtelières qui commencent à surgir dans la sierra. « Les cours théoriques, et surtout les cours pratiques, nous donnent la possibilité de découvrir et, dans certains cas, de perfectionner la cuisine que nous étions en train d'oublier ou que, simplement, nous pensions éloignée de l'intérêt du visiteur, alors qu'en réalité, celui qui arrive jusqu'ici, veut tout connaître de ces hauteurs, y compris notre façon de cuisiner », observe Maria Romero, bénéficiaire de cette formation.

Des plats comme la crème de crabes, les *migas* de semoule, les pommes de terre d'« abattage », ou les *roscos* frits, sont la base d'une activité rentable et, en même temps, d'un grand intérêt culturel et anthropologique.

DÉCOUVRIR
LA NATURE

*L*es espaces naturels d'Andalousie rassemblent une faune, une flore, et des paysages d'un grand intérêt scientifique et touristique. Autour de la ceinture des Alpujarras — comprises dans le futur Parc National de Sierra Nevada — on trouve la plus forte concentration de flore endémique du continent, ainsi que des espèces animales de grande valeur, comme la chèvre sauvage ou le vautour fauve, et des paysages superbes.

Fernando Roca, élève du module « Guides de la Nature », assure que l'enseignement qu'il reçoit lui servira plus tard pour expliquer aux visiteurs les caractéristiques de cette zone montagneuse, et les conduire sur les sites de plus haut intérêt. « Les curieux, dit-il, se montrent par ici au printemps ou à l'automne. Ils arrivent par grappes, de manière discontinue, et il n'y a personne pour leur apprendre comment est cette terre en réalité ; les gens ici vivent — plutôt mal — de l'agriculture et de l'artisanat, et il n'y a qu'une communauté hippy, installée ici depuis les années 60, qui connaisse à fond ces terres. Bon nombre de visiteurs viennent, influencés par les écrits de Gerald Brenan, un Anglais qui nous a découverts au début du siècle et qui est resté ici, rendant les Alpujarras universelles. »

Face à ce tourisme hippy, et à la vision littéraire qui sert de bagage à beaucoup d'autres, Fernando envisage de fonder une coopérative de guides l'an prochain, lorsque sortira la première promotion de l'École-Atelier. « La coopérative pourrait donner un souffle important au développement du ravin, mais pour la mettre en marche, on a besoin de l'appui de l'administration, et d'être d'accord entre nous. En fait, on est déjà en train de s'exercer et de tracer des itinéraires attrayants : la visite des lagunes de Sierra Nevada, ou de la chêneraie de Puente Palo font partie des parcours qu'on étudie. »

N'importe lequel de ces parcours montre au visiteur la richesse naturelle particulière de cette région. « L'une des choses qui attire le plus les touristes en général, explique Fernando, c'est le paysage singulier que forment les cultures en terrasse, typiques de cette zone. » Cette façon de travailler la terre fut introduite par les Arabes. L'eau arrive jusqu'aux terrasses par un système complexe de canaux d'irrigation, vieux de cinq siècles, construits de façon à recueillir l'eau du dégel et des pluies. Cette disposition suspendue et fragmentée permet d'éviter l'érosion et d'obtenir, si ce n'est de grands bénéfices, en tout cas une exploitation adéquate à la zone de sierra.

Les étudiants en agriculture essaient justement de relancer cette forme de culture — la seule possible dans cette région —, qui a été abandonnée par la majorité de la population. À Siete Hornos, la ferme où se déroulent les cours pratiques de l'École, on expérimente l'utilisation de différentes espèces sous serre, et des cultures biologiques, premier pas à exploiter ensuite sur les terrasses.

Selon cette ligne de recherche, on cultive des plantes aromatiques et médicinales, dans le but de créer une offre stable. D'après Juan Nogales, directeur de l'École, « dans nos sierras, il existe des variétés de plantes aromatiques et curatives aux propriétés exceptionnelles, et qui sont endémiques à la région ; comme la verveine royale qui subit actuellement une cueillette effrénée, ce qui risque de mettre sa survie en danger. »

UN MILLIER
D'ÉLÈVES

Les bons résultats obtenus dans les écoles expérimentales de Pampaneira et de Pozo Alcón ont provoqué la construction de 18 centres similaires dans toute l'Andalousie, lesquels fonctionneront en 1989. Un millier de jeunes, habitants des zones naturelles déprimées, recevront pendant trois ans la formation nécessaire pour exercer des métiers adaptés à leur environnement, évitant ainsi le dépeuplement de ces régions.

Le projet suppose un investissement global de 453 millions de pesetas, somme qui sera prise en charge par l'Agence de l'Environnement, le ministère du Travail et les mairies correspondantes.

Juan José Nogales, directeur de l'École de Pampaneira, est convaincu que cet effort en vaut la peine. « Nous parions sur le futur. Nos jeunes, à partir de maintenant, continueront à vivre dans l'Alpujarra, et leur travail sera la meilleure garantie de conservation de cette région exceptionnelle. Il ne reste plus beaucoup d'endroits où on peut fouler la neige ou apercevoir un troupeau de chèvres sauvages tout en contemplant la Méditerranée et les côtes africaines. »
(Traduit par Christine Dermanian.)

CARMEN ELIAS IGLESIAS
ET
— JOSÉ MARIA MONTERO SANDOVAL —
Journalistes

7

RETOUR AU SUD

IGNACIO RAMONET

MARBELLA

HAUT LIEU DE LA JET-SET EUROPÉENNE, MARBELLA CONCENTRE, À MI-CHEMIN ENTRE MALAGA ET GIBRALTAR, UNE DENSITÉ DE MULTIMILLION-NAIRES SANS ÉQUIVALENT SUR NOTRE CONTINENT.

Au début des années 60, la petite ville somnolait au pied de la Sierra Blanca. À mi-chemin entre Algéciras et Malaga, elle apparaissait au voyageur comme une sorte d'oasis après un trajet long, tortueux, sur une route côtière non entretenue, étroite et mortelle. Le nom était plaisant (Marbella veut dire, littéralement, *Mer belle*), inventé, aurait-on dit, par un office du tourisme.

Pourtant, on sentait à la majesté du site qu'elle était là depuis toujours, abritée des vents du nord par la masse dressée de la montagne blanche, et au fond de la vaste baie qui — de Malaga à Gibraltar — dessine un prodigieux arc de cercle. Entourée d'oliviers, de caroubiers et de lauriers roses (les palmiers viendraient plus tard), la cité se pelotonnait à la recherche d'ombre, autour d'une trop grande église et s'ordonnait à partir d'une place centrale, carrée, où trônait, pittoresque et fatiguée, la mauresque mairie.

Des murailles presque intactes fermaient encore la ville au Nord, surplombant ce qui n'était alors qu'un poussiéreux ravin, peuplé d'agaves et de figuiers de barbarie taquinés par des chèvres. Des murailles arabes en pisé rouge aux créneaux édentés, mais dont la base, faite de pierres monumentales, était romaine. On sentait, en se promenant dans les ruelles pierreuses, les strates du passé, les vestiges romains, les portes cloutées arabes, l'architecture grenadine, les vieux blasons chrétiens, les tourelles castillanes. Petite et belle, la ville avait le charme las d'une cité oubliée.

La plage était loin du centre, séparée par la route nationale, par le grand jardin ombragé des promenades du soir, et par une large lande — un palud — clairsemée d'arbustes piquants que dominait le phare. Plage c'est beaucoup dire. Peu de sable, d'une couleur gris sale, très étroite et que les marées — importantes en cette région proche de l'Atlantique — dévoraient presque entièrement. Des barques colorées, renversées, s'étalaient sur le rivage ; des pêcheurs étendaient leurs filets au soleil et les reprisaient. La plage était un lieu de travail aux odeurs de brai, de goudron, d'algues macérées et de poisson pourri.

Derrière la petite dune côtière, quelques chalets. Petits, coquets, sans étage, recouverts de verdure, enveloppés de bougainvillées et de liserons, cachés sous des néfliers ou des ficus immenses, ils clair-semaient déjà la lande.

La fièvre du tourisme arrivait à peine. Elle s'était peu à peu empa-rée de l'Espagne, à partir du milieu des années 50. Ce fut d'abord la Costa-Brava, puis les Baléares, ensuite Valence-Alicante et, dès le début des années 60, elle atteignait les environs de Malaga, que l'on allait depuis nommer la Costa del Sol. À Torremolinos, ancien faubourg de pêcheurs, se dressaient déjà les premières barres du front de mer et les hôtels se multipliaient pour accueillir le tourisme de masse. Marbella était trop loin de l'aéroport et presque inacces-sible encore par la route. Cela l'a préservée quelque temps.

Puis vint l'heure des prédateurs. Fief de quelques barons du fran-quisme, la région donna lieu à une spéculation foncière effrénée. Bien vite il fut établi que Marbella et ses alentours se destineraient à un tourisme d'élite, riche, dépensier. Et pendant que la ville s'aggrandissait sans cesse, le projet Puerto-Banus prenait forme, sorte de port de plaisance et bourg des plaisirs édifié à une dizaine de kilomètres du centre. Partout, des lotissements, des chalets, des hôtels, des golfs.

En vingt ans, ce qui n'était qu'un gros village allait devenir l'une des dix principales villes d'Espagne par sa population, passait de 5 000 à près de 300 000 habitants. Et comptant, au sein du territoire communal, trois grandes agglomérations (Marbella proprement dite, Puerto-Banus, Nueva-Andalucia, et San-Pedro-de-Alcantara).

CAPITALE
DES PLAISIRS

*T*out a littéralement explosé. Et d'abord le prix des terrains (dans les années 50, un mètre carré valait une peseta ; aujourd'hui il en vaut 15 000). Des fortunes se font alors en très peu de temps, qui confèrent à la ville un aura de Klondike ; des aventu-riers arrivent du monde entier comme pour une ruée vers l'or. L'affairisme enfièvre la ville qui connaît des scandales retentissants et des faillites d'ampleur internationale comme celles de la Banque Coca, ou de Sofico (250 millions de dollars de dettes).

La mort de Franco en 1975 et la victoire des socialistes aux élec-tions municipales ne change pas grand-chose. La frénésie de la spé-culation ne se ralentit pas ; d'autant que la guerre continuant de faire rage au Liban, de nombreux magnats arabes viennent s'y ins-taller et choisissent comme lieu de villégiature pour leur famille ce coin paradisiaque de l'Al-Andalus perdu.

Adnam Khashoggi, le roi Fahd d'Arabie Saoudite, Rifaat el Assad (frère du président syrien) et cent autres possèdent des domaines des mille et une nuits, à faire pâlir le faste hollywoodien (le palais du roi Fahd a trente mille mètres carrés de surface). Ces milliardaires côtoient d'autres célébrités mondiales qui y résident en permanence (Sean Connery, Steward Granger, Luis-Miguel Dominguin) ou y viennent pour de longs séjours (Julio Iglesias, Björn Borg...).

Les nouveaux appartements se vendent à deux millions de dollars les 200 mètres carrés. Il y a plus de cent cinquante succursales bancaires installées dans la ville — et la plus forte densité d'Europe en terrains de golf (une trentaine) ce qui explique que la coupe du monde 1989 se jouera à Marbella.

La drogue aussi circule beaucoup ; du Maroc proche parviennent le kif et le haschich ; et la cocaïne se répand fortement. Trop d'argent en circulation attire trafiquants et délinquants. Et l'affaire, en novembre 1986, de l'enlèvement de la petite Mélodie montre que la grande criminalité a trouvé là un lieu privilégié.

Cette ville désormais cosmopolite, mondaine, universellement connue est devenue la capitale des plaisirs en Espagne, le mythe de l'été, la nouvelle Sodome vers laquelle chaque année des centaines de milliers d'estivants espagnols accourent dans l'espoir d'entre-apercevoir les vedettes de cinéma, de la télévision, de la chanson, du sport dont parlent toutes les gazettes et qui, toutes, viennent se montrer à Marbella comme à la Croisette d'un Festival de Cannes qui durerait trois mois.

L'ENVERS DU DÉCOR

Luxe de plateau, vulgarité télévisuelle, ragots et potins, tous les malentendus s'accumulent sur une ville qui néglige, forcément, ses habitants permanents — ceux qui ne viennent pas y passer les vacances mais qui, à longueur d'année, travaillent à permettre le bonheur des autres. Employés de banque, et de l'hôtellerie, vendeurs des boutiques, serveurs, livreurs, toute cette humble armée travailleuse constitue la population stable de la ville proprement dite.

Venus des vastes poches de chômage de l'Andalousie intérieure, ils vivent dans de modestes appartements d'immeubles, entassés par un urbanisme sauvage et assurent de leurs voix l'élection, depuis dix ans, d'un maire de gauche.

Et pourtant ce sont eux que l'on oublie, car face aux délires grandioses des richards excentriques, ils manquent souvent de l'indispensable ; les autorités négligeant les équipements les plus élémentaires. L'an dernier, à trois reprises, l'unique canalisation qui alimente en eau la ville s'est brisée et a laissé, plusieurs jours durant, les citadins sans eau... Sans parler des routes, des rues, de l'absence de trottoirs ou d'équipements urbains, de transports...

Derrière la façade rutilante, le sous-développement et l'archaïsme demeurent, qui affectent en tout premier lieu, les humbles, le peuple commun. Dépouillée de son manque de carnaval du plaisir, la ville-merveille exhibe la grimace gangrénée de très vieilles douleurs. Et sous l'écume de tant de rires publicitaires, Marbella cache les plaies ordinaires — honteuses — du tiers-monde andalou.

———————— *IGNACIO RAMONET* ————————
Rédacteur en chef au *Monde Diplomatique*.

———— ALBERTO GONZALEZ TROYANO ————

LA CRÉATION
DU MYTHE ROMANTIQUE
MÉRIDIONAL

UNE CONSIDÉRATION ET UNE RÉFLEXION SUR LE RÔLE CULTURELLEMENT
JOUÉ PAR L'ANDALOUSIE DOIVENT INCLURE NON SEULEMENT LA PRODUC-
TION JAILLIE SUR SON TERRITOIRE — RÉALISÉE PAR DES HOMMES DE SON
ENVIRONNEMENT — MAIS AUSSI SA CAPACITÉ À SERVIR DE STIMULUS,
D'APPUI ET DE SCÈNE, AFIN QUE D'AUTRES ARTISTES, EXTÉRIEURS, MATÉ-
RIALISENT LEUR IMAGINATION.

Il faut situer la découverte de l'Andalousie en tant qu'espace culturel différencié dans un processus qui s'amorce à la fin du
XVIIIe siècle. Les altérations d'appréciation qui se produiront à partir
de ce moment-là n'induiront pas de changements internes en Andalousie même. Chaque moment historique, chaque mouvement esthétique crée ses goûts, ses prédilections, et le voyageur qui prend la
route — en quête d'une complicité lointaine, dont il soupçonne déjà
la possibilité —, reste toujours déterminé par les coordonnées culturelles en vigueur dans son lieu d'origine. Ces valeurs préalables
configurent en général l'endroit vers lequel il doit s'acheminer ; elles
imposent périodiquement des pays à la mode et en éloignent d'autres
de son chemin.

On pourrait dire qu'avec le Siècle des Lumières a surgi une
« physionomie » de voyageur *reconnaissable*. Le voyage était ressenti
comme quelque chose de méthodique, une sorte de discipline com-
plémentaire aux connaissances acquises dans les universités et biblio-
thèques. Ce caractère pédagogique exigeait, par conséquent, que le
pèlerinage se fasse à travers des pays qui, par leur histoire et leur
culture, *vérifient* l'idéologie éclairée. La France, l'Angleterre, la Hollande, l'Allemagne, l'Italie, se prêtaient à cela de façon modèle. Il
en existait d'autres, dont l'image extérieure, non contente de ne pas
cadrer avec les valeurs recherchées, pouvait encore exprimer leur
contraste le plus négatif. Et l'Espagne se trouvait parmi ces derniers,
grâce aux analyses et références — certaines très justifiées, d'autres
plus gratuites — de Voltaire, Montesquieu, Masson, qui avaient placé
en elle tous les symptômes de l'intolérance et du retard ; celle-ci
manquait en même temps de valeurs culturelles appréciables selon
une perspective éclairée.

À la fin du XVIIIe siècle et au début du XIXe siècle, les conventions se brisent, et surtout, un autre goût se forge, une autre sensibilité. La Péninsule ibérique elle-même subit la convulsion des invasions napoléoniennes, qui transforme non seulement les relations entre les Espagnols, mais aussi l'image de l'Espagne véhiculée en Europe. Les Anglais et les Français, surtout, se voient obligés de changer leur vision. Un effet littéraire réduit en aurait découlé si n'avait alors surgi une typologie de voyageur et d'artiste qui décident d'orienter leur pèlerinage culturel vers d'autres voies.

Cette typologie de voyageur qui se renouvelle tout au long de la première moitié du XIXe siècle et qui, dans ses traits les plus appréciables, coïncide avec la sensibilité imposée par le mouvement romantique, ne sera pas pour autant liée à une seule façon de *regarder* — il en était ainsi des éclairés — et d'interpréter. Le romantisme donne libre cours à une subjectivité débordante, et chacun croit avoir le droit de réinventer son paradis perdu, et de transférer sur une géographie proche ou lointaine, ou sur n'importe quelle culture, familière ou exotique, son but rêvé.

En fonction de ces critères, la revalorisation de la route méridionale vers la Péninsule ibérique — dont témoignent les bibliographies existantes — est compréhensible. Car cette Andalousie multiple et polymorphe favorisait tout un éventail de suggestions et de traits esthétiques, conséquence de l'aspect hétérogène de sa géographie, des va-et-vient de son histoire, avec sa superposition de peuples conquis et conquérants, du conglomérat et métissage de ses habitants, de la grande fragmentation de sa culture.

Mais cette image de contour historique, artistique ou racial peu défini, permettait aux sensibilités les plus dissemblables — celles d'un Custine, d'un Gautier, Mérimée, Byron, Lewis, ou Ford, par exemples — de reconstruire de façon picturale ou littéraire chacun des différents mondes que regrettait leur nostalgie. L'agonie de tant de cultures persistantes sur tant de ruines dispersées donnait à chaque subjectivité le moyen d'évoquer le passé médiéval, oriental ou latin qu'elle cherchait.

Il fut donc logique que bon nombre de voyageurs s'orientent vers cette Andalousie surabondante en vestiges de l'un et de l'autre de ces mondes, et que ce voyage méridional acquière les apparences d'un rite. Cette aventure initiale se voyait de surcroît épaulée par l'attrait exotique qu'impliquait le voyage. Aventure mesurée cependant : l'exotisme « sauvage » de l'Andalousie était de toute façon tamisé par une civilisation qui avait déjà limé toute possibilité agressive. Il y avait donc l'attrait de l'étrange avec à peine quelques risques.

Chaque voyageur apportait avec son bagage culturel une image littéraire de l'Andalousie qu'il voulait confronter à l'impression que lui produisait la terre qu'il visait. Et à côté de cette image préalable et intériorisée se trouvaient les carences du voyageur, son besoin d'évasion et de nostalgie, qui exigeaient un nom, un référent, sur lequel transférer tous ces affects et les projeter ainsi dans ses discours narratifs. Comme le fera le marquis de Custine : « Le seul mot Andalousie m'avait fait courir au-delà d'Andújar ; et même maintenant, en voyant les lieux que ce nom désigne, je ne peux l'écrire sans que mon cœur ne palpite » ; ou Gautier : « Nous approchons de Sierra Morena, qui fait partie de la limite du royaume d'Andalousie. Derrière cette ligne de montagnes se cache le paradis de nos rêves » ; ou Stendhal : « L'Andalousie est l'une des plus adorables résidences que la voluptuosité ait élues sur terre » ; ou Sobieski : « En entrant en Andalousie... après le désert de sable que nous venions de traverser, j'ai cru me trouver au paradis ». Si l'on compare ces citations, que l'on pourrait multiplier, aux manifestations des esprits éclairés, on remarque un changement évident : l'intolérance, le retard, et tant d'autres aspects négatifs ont été déplacés du premier plan des intérêts notoires.

INVENTÉE
PAR LES VOYAGEURS

*L*es passions et le tempérament dont faisaient étalage les hommes du sud contribuaient également à cette rencontre avec le monde rêvé. Leurs coutumes furent interprétées de façon à pouvoir illustrer des concepts tels que la sensualité, le primitivisme, l'honneur, la noblesse, la cruauté, le traditionalisme, nécessaires pour compléter chacun des mythes respectifs sur l'image méridionale.

Une certaine lecture — littéraire, picturale, culturelle — de l'Andalousie, fut ainsi inaugurée ; une Andalousie comme réveillée, découverte et *inventée* par les voyageurs romantiques. Et cette nouvelle évaluation finit par s'imposer, pas tant peut-être parce qu'une possible réalité objective coïncidait avec ce que les romantiques soulignaient, mais plutôt par le *pouvoir* de suggestion que les images mises en jeu contenaient. Plusieurs personnages qui jouissaient d'une considération iconographique et littéraire très marginale, furent extraits de cette position secondaire et élevés à une dimension extrêmement symbolique. Ainsi par exemple, des types comme celui du toréador, du Gitan ou du bandit de grand chemin — pour ne citer que les cas les plus extrêmes — tout juste traités avant par les artistes autochtones, ou introduits avec une pudeur honteuse, en viennent à jouer un rôle important dans les narrations les plus répandues et appréciées de Mérimée ou de Gautier.

Avec ce qui a été exposé ci-dessus, on a prétendu reconstruire, en ébauche, la genèse de cette connivence et adéquation entre l'Andalousie et la sensibilité romantique européenne qui se mobilise vers le sud. Cette complicité, cette prédisposition de l'Andalousie à servir de scène propice à l'adaptation des œuvres et des évocations les plus diverses — des plus gaies aux plus tragiques — devint possible grâce à un appui mutuel. Mais ce mécanisme peut également se détruire si on ne considère l'Andalousie que comme une occasion, sur laquelle se seraient projetés des désirs que certains écrivains avaient besoin de situer quelque part. Comme un reflet de cette répartition qui se fait symboliquement avec le corps — certains organes et zones employés par les uns, d'autres par les autres — les pays et les géographies s'adaptaient à l'imaginaire pour remplir certaines fonctions : le Nord est une enclave propice à certaines attitudes (rappelons l'atmosphère qui enveloppe le *Faust* de Goethe, ou *Hamlet*, ou les poèmes d'Ossiam) ; et, conséquence d'une certaine symétrie d'oppositions, d'autres attitudes, telles la spontanéité, l'instinctif, la sensualité précoce, la voluptuosité, peuvent avoir leur place dans un Sud plus ou moins méditerranéen (la Duchesse d'Abrantes par exemple, dans ses *Mémoires*, attribuait le caractère érotico-lascif de la femme espagnole à l'incidence des vents torrides d'Afrique).

C'est donc à l'Andalousie qu'ont incombé certaines tâches dans cette répartition, qui ont *surdéterminé* son espace et ses habitants. Il s'agissait d'une expression supplémentaire d'un phénomène fréquent qu'on a appelé le mythe méridional. Et cela, en principe, n'aurait pas dû provoquer davantage de problèmes interprétatifs : avec les romantiques européens se produit l'invention ou l'éveil d'une certaine image littéraire de l'Andalousie, ou qui a pour scène l'Andalousie, et qui se manifeste dans une série d'ouvrages de genre et valeur littéraires différents. Une fois connue la motivation qui les crée, leur lecture doit toujours tenir compte du fait qu'il s'agit de textes écrits dans la perspective de l'imaginaire.

Les difficultés commencent à surgir quand on introduit d'autres exigences, comme celle de demander aux textes de ces auteurs quel est le degré de véracité ou d'exactitude, par exemple, qu'ils transmettent. Et aussi quand on veut évaluer et vérifier l'incidence qu'ont eue ces œuvres, par la suite, sur la création d'une image qui n'a pas eu que des effets littéraires, mais qui a également été utilisée à titre d'identification culturelle.

Car la réaction, à l'intérieur du pays, vis-à-vis de cet usage littéraire, fut relativement immédiate, marquant ainsi une fois de plus la susceptibilité et la dépendance de l'Espagnol face au regard de l'« autre », de l'étranger.

Dans une certaine optique, on pouvait accepter qu'au-delà de la part d'invention dans les images et affabulations mises en jeu par les romantiques, il existe également l'effet révélateur, présent dans quelques œuvres, de la grande *singularité* du monde quotidien andalou. Le simple fait que le regard étranger ne soit pas contaminé par cette simplicité de celui qui est sujet et observateur de ses propres comportements, et soit par conséquent exempt de préjugés ataviques, lui accordait une capacité importante en tant que « révélateur ». Le regard de l'« autre » devint ainsi un moyen d'auto-reconnaissance chère à l'exploitation artistique de l'environnement lui-même.

Ainsi, dans de nombreux cas, de façon consciente ou inconsciente, les formules littéraires apportées se transmirent — plus ou moins élaborées — à la littérature locale, et finirent par devenir des symboles manifestes d'auto-affirmation andalouse. Face à ce regard de l'« autre » qui les évoquait, de façon éthique et esthétique, bon nombre d'Andalous se sentirent pour la première fois affirmés et satisfaits. On pourrait même soupçonner certains de ces personnages et images d'avoir servi, à postériori, à modeler certains comportements de la vie quotidienne andalouse. *(Traduit par Christine Dermanian)*.

—— *ALBERTO GONZALEZ TROYANO* ——

XAVIER-RUIZ PORTELLA

AU RYTHME D'UNE

MÉMOIRE OBSCURE

QUELQUE CHOSE DE SACRÉ BAT DANS L'ÉMOTION ANDALOUSE. MAIS SI LE SACRÉ NE SIGNIFIAIT PAS FORCÉMENT RELIGIEUX ?

C'était la première fois que j'allais en Andalousie. Nous étions à Grenade depuis déjà deux ou trois jours ; nous nous promenions paisiblement par un dimanche après-midi de début avril, quand l'irruption brutale de l'imprévu nous assaillit soudain : comme à l'appel d'un signal que personne n'avait donné, des centaines de gens commencèrent à surgir d'on ne sait où, des centaines de personnes qui avançaient par petits groupes, nul ne marchait seul dans cette marée humaine qui augmentait peu à peu. Ils étaient déjà des milliers, ceux qui sortaient dans la rue, sûrs d'eux, l'air de savoir très bien où ils allaient ; l'air et les atours des grands jours : apprêtés, élégants, ou effrontément endimanchés. Et ils avançaient : jeunes, vieux, enfants, adultes, papa, maman, le petit cousin Ramon, le grand-père José et la tante Matilde. Tous ensemble. Et les cloches sonnaient, la circulation s'interrompait, une étrange émotion frémissait dans l'air. La semaine sainte commençait.

Je n'oublierai jamais cette image — la première, et il y en aura beaucoup d'autres —, d'une foule, non, d'un peuple, qui, fidèle, inébranlable, s'élance tous les ans dans la rue à la date et à l'heure prévues. Pourquoi une telle détermination dans ce rendez-vous ? Pour suivre sans doute les cortèges et processions, les christs et les vierges qui, portés à dos d'homme, parcourront tous les jours, chacun de ces sept jours, les rues et places de la ville. Pour être émus face à leur grandeur et affligés face à leur douleur ; pour les prier, les adorer et les acclamer, pour acclamer surtout la Vierge, lui lancer même des mots galants en admirant ses bijoux scintillants, son riche manteau somptueusement brodé, sa jolie démarche de femme : quand la Vierge sort de l'église, l'hymne retentit, les pétards fusent et, sur les épaules vigoureuses des porteurs, elle avance en se dandinant sensuellement, presque voluptueusement.

Comment expliquer une telle ferveur, une telle foi ? Seraient-ce là peut-être les derniers râles folkloriques d'une religion déjà disparue du reste du monde dit civilisé ? Serait-ce qu'ici, sur cette pointe extrême de l'Europe, un peuple sombre encore dans la torpeur tiède de la religion qui, humiliation préalable des hommes, les console de leurs regrets et les délivre de leur angoisse ? Ne nions pas l'évidence : bien que bon nombre de manifestations de la semaine sainte aient un aspect indubitablement païen, quelque chose de sacré bat dans cette émotion. Mais, et si ce sacré ne signifiait pas forcément religieux ?

Si au contraire, toute cette ferveur était religieuse au sens propre du terme, comment aurais-je pu, quelques jours plus tard, buter contre cette même image d'un peuple qui s'élance avidement dans la rue, qui sort en quête de quelque chose d'obscur sans doute, d'imprécis, de confus : à tel point, qu'il ne porte pas même de nom ? L'occasion n'avait cette fois rien de religieux. Ou uniquement la dénomination, le prétexte. C'était le 3 mai, *Fiesta de la Cruz* (Fête de la Croix). Des centaines de croix tissées de fleurs, superbement décorées, se dressaient dans les différents quartiers, se disputaient le premier prix, accueillaient au milieu de la musique incessante, du bal infatigable, les allées et venues constantes de la foule.

La multitude était là à nouveau : hommes, femmes, enfants, chevaux, vin, rues... Que de rues ! Des rues où déambulent maintenant des femmes à la démarche accentuée par les cent mille pois et volants de leurs robes à falbalas ; des rues où avancent des hommes vêtus par contre du sobre costume boléro, coiffés du chapeau à large bord ; des rues où trottent des chevaux harnachés, presque aussi apprêtés que leurs cavaliers ; des rues que foulent aussi des gens portant leurs plus beaux atours et leur large visage de jour de fête. Dans la rue, en effet : tous dans la rue, dans la rue de tous, nous voilà, nous sommes comme ça.

LE TRAVAIL, VOUS CONNAISSEZ ?

Pas seulement pour la Fiesta de la Cruz : également — l'impulsion est en réalité la même — à l'occasion des multiples fêtes, foires, pèlerinages, célébrations et festivités en tout genre qui, tout au long de l'année, jalonnent le calendrier andalou. Ajoutons à cela les multiples festivals de flamenco (autre manifestation populaire cruciale), et les évidents après-midi de *corrida* : il se peut qu'au bout du compte, explose comme un coup de fusil l'inévitable exclamation : « Mais mon Dieu, quand ces gens travaillent-ils ? » A une Feria de Séville, j'ai entendu un visiteur le demander — d'un air à la fois étonné, dégagé et envieux — à sa compagne andalouse.

« En fait, lui répondit-elle, malgré les apparences de cette semaine de folie, ici aussi on peut travailler beaucoup et très dur : autant que dans n'importe quel endroit où il faut faire bouillir la marmite. Bien que, je le reconnais, de façon plus irrégulière ; par exemple, dans le secteur touristique, les gens sont capables de se tuer au travail pendant la saison pourvu qu'ils s'amusent le plus possible pendant le reste de l'année. De toute façon, pour avoir une vision plus

exacte de ce sujet, il faudrait se lancer dans de savants calculs socio-
logiques et économiques ; pour autant que je sache, ces calculs n'ont
jamais été faits, et ils ne m'intéressent d'ailleurs absolument pas.

Écoute, ce qui, toi, te surprend, n'a rien à voir avec la quantité
de travail socialement effectuée, mais — comme je l'aurais dit moi-
même quand j'étais marxiste — avec sa qualité ; c'est-à-dire, avec
l'esprit qui l'anime. Concrètement, qu'on travaille beaucoup ou peu
ici, la relation qu'on entretient avec le travail est, d'une certaine
façon, différente de celle sur laquelle est fondée l'Europe depuis
deux siècles. Et je ne parle pas uniquement du travail, de la tâche
au sens strict ; je parle de cet ensemble de valeurs et de symboles
qui s'appellent production, efficacité, rendement, utilité... On les res-
pecte, bien sûr, mais écoute, ce ne sont pas tout à fait les nôtres. »

J'ai alors été sur le point d'intervenir dans ce dialogue (et je
l'aurais probablement fait si j'avais été andalou). J'aurais précisé que
les valeurs de la — appelons-la ainsi — rationalité techno-utilitaire
sont bien présentes — heureusement d'ailleurs ! — dans la société
andalouse. Elles n'ont simplement pas la même force et ne jouent
pas le même rôle que dans le reste de l'Europe. Aucun Calvin n'est
passé par ici, et ce ne sont pas les valeurs propres du désir pro-
ductif qui guident les hommes dans ce monde. Ces valeurs ne représentent pas le nouveau Dieu qui, avec son visage joufflu et ennuyeux,
a évincé l'ancien. Ou, pour se montrer plus strict : un tel évincement
ne s'est produit que partiellement ici.

En effet, il reste encore en Andalousie des reliquats, des braises,
de l'ancienne spiritualité, de l'ancienne dimension symbolique du
monde. Nous en avons vu quelques-uns dans ce tumulte collectif ;
encore faudrait-il préciser que le terme « spiritualité » est des plus
mal choisi, parce qu'il fait penser à...

LOISIR
OU DIVERTISSEMENT

*M*ais il me fut impossible de poursuivre ma réflexion.
J'étais interrompu par la réplique que recevait de son
interlocuteur la jeune femme dont j'ai cité plus haut les paroles :
« Oui, tu as raison Carmencita. Dans ce pays, la culture du loisir
revêt une importance extraordinaire. »

« La culture du loisir... ! » m'exclamai-je intérieurement. Mon
Dieu ! Comme si tout cela avait un rapport avec le loisir. Comme
si loisir et travail n'étaient pas les deux faces d'une seule et unique
pièce de monnaie ; la pièce dont la valeur régit le monde
d'aujourd'hui et sur laquelle est gravé un impératif catégorique : soit
travail, soit loisir. Travail insipide, dénué de sens, ou dont le sens
s'épuise dans la rotation perpétuelle de la roue sur laquelle on produit pour consommer et on consomme pour pouvoir à nouveau pro-

duire. Rien ne palpite hors du cercle, rien ne nous signifie que nous sommes des hommes : des êtres guidés par les hasards de nos pas ; des êtres pleins d'inquiétudes, de stupeur, d'angoisses ; des êtres paralysés par l'émotion, la peur, la valeur ; des êtres faits pour vivre et « hameçonnés » à une mort sans laquelle il n'y aurait jamais de vie ; des êtres singuliers, uniques, qui devons impérativement affronter la nécessité de nous affirmer avec les autres, de chercher ensemble cette chose obscure que l'on appelle identité.

Il n'y a évidemment rien de cela dans le travail. (Pas si évident : il y avait un peu de cela, comme dans tout art, dans les ouvrages de travail artisanal.) Mais laissons ça. Supposons donc qu'il ne peut y avoir rien de cela dans le travail en tant que tel. Il nous faut alors constater avec terreur qu'il en va de même du loisir : l'autre dimension — et il n'y en a pas de troisième —, de la vie d'aujourd'hui. Le loisir : pure diversion, en effet, simple détente, réjouissance élémentaire ou repos paisible et bien mérité ; rien ne bouge authentiquement en lui, rien ne nous remue, ni peu ni beaucoup, avec le frémissement de ce qui est vrai ; sont oisifs dans le loisir, ces symboles qui nous donneraient un vague signe de ce que nous sommes et de l'endroit où nous allons.

Ici, on ne va nulle part ; rien ne s'affirme, rien ne se cherche ; il n'y a pas de projection, pas d'anxiété, pas — comme dirait Octavio Paz —, d'« autreté » : les uns se grillent, inertes et rouges comme des langoustes, sur les plages démultipliées qu'envahit le béton ; d'autres se trémoussent, chacun de leur côté, dans des discothèques où résonnent des rythmes spasmodiques ; d'autres par contre restent, abrutis, devant les écrans de télévision allumés : ils promènent tous sur leurs épaules leur triste et oisive solitude.

PROFONDEUR ET MULTITUDE SONT-ELLES CONTRADICTOIRES ?

De tels amusements ont-ils un quelconque rapport avec les fêtes andalouses évoquées plus haut ? Aucun, ou très peu (nous verrons plus tard lequel). Écoutons un *cante jondo* (chant profond), laissons-nous saisir par l'esprit de sa musique obscure, ou soyons attentifs à ce qui, dans n'importe quel festival flamenco, ou sur n'importe lequel des milliers de disques édités, chante par exemple « *El Camaron de la Isla* », sans doute le plus populaire des *cataores* actuels :

> *Dans ma solitude j'espère*
> *que changent les chemins*
> *de mes rêves confus.*
> *Parce que je ne sais pas où aller,*
> *si m'arrêter ou marcher,*
> *je veux partir vers une autre galaxie*
> *pour trouver ma liberté,*

je veux partir vers une autre galaxie
pour sentir ma liberté.

Ou rappelons simplement, sobrement, les célèbres paroles de tia Anica le Piriñaca : « Quand je chante avec plaisir, je sens un goût de sang dans la bouche. » J'ai bien sûr choisi un chant et des mots qui vont aussi bien au fait que la bague au doigt. Tous les chants ne sont cependant pas aussi éloquents. Tout n'est pas non plus cante jondo et, par exemple, les chants dénommés *chicos* (petits) n'ont qu'un lointain rapport avec la profondeur émouvante de celui-ci ; ces rumbas et *sevillanas*, assurément joyeuses, séductrices, qui résonnent inlassablement au long des jours et des nuits de toutes, de chacune des nombreuses fêtes profanes.

Et comment associer la profondeur, l'angoisse trouble d'un sens plein, à ces foules qui se pressent — massivement, comme des moutons, comme toute foule — dans les Ferias et autres multiples fêtes ? Ne sont-ils pas là à se piétiner, à se pousser grossièrement, tandis que résonne, étourdissante, leur clameur agressive ? Tout ne baigne-t-il pas dans l'odeur aigre de sueur d'aisselles, friture rance ? Et comment parler de profondeur quand, là, prédomine le désir de se montrer, de se parer, de pavaner ? Sans doute. Disons que, des choses telles que celles que nous croyions découvrir ici, des choses pareilles à ce vertige surpris face au merveilleux, ces choses-là, nous ne les trouvons plus que dans ce qu'on appelle le grand art, dans la culture cultivée. Et il ne s'agit pas ici de celle-ci.

L'art n'est pas pur, ici, pas plus que la culture, cultivée. Cette culture est populaire. Cet art — œuvres d'art et art de vivre — jaillit du peuple, et transperce les gens, les masses : les masses nécessairement massives, compactes, rustres. Les masses inévitablement grossières, triviales, massives. Et répétitives. Parce qu'il y a aussi répétition, et monotonie, et ennui, dans cette réitération constante, aux mêmes dates, tous les ans, cette année, et la prochaine, et l'autre encore, et toute la vie, les mêmes gestes, façons identiques, les mêmes rites.

Les mêmes rites... Il s'agit bien en effet d'un rite : d'une célébration collective — religieuse ou profane — à travers laquelle, de façon obscure, sourde, on commémore un fondement, on exprime une identité, on affirme un lien : la mémoire du passé rend celui-ci présent ; ce qui fut hier, l'est aujourd'hui et le sera toujours ; nous serons toujours là ensemble sur la place publique : assidus, inquiets, pétulants, criards, tristes, joyeux, montrant nos vertus, cachant nos vices, mais nous sommes-là. Nous sommes comme ça.

LA MÉMOIRE
MISE EN SPECTACLE

C̲ulture populaire : culture rituelle en effet ; culture dans laquelle bat le rythme d'une mémoire obscure. Rythme profond, et rythme répétitif, et rythme que la trivialité des masses trouble inévitablement. Dans la conjonction simultanée de ces trois dimensions (profondeur, monotonie, trivialité) se niche sans doute toute la grandeur et la faiblesse de l'art et de la culture populaires. De toute culture populaire. Tant de l'andalouse que de la... Non, d'aucune autre. Il n'y en a plus. Elles n'existent plus (dans notre Europe contemporaine, s'entend). Dans notre monde dont les piliers sont le travail et le loisir, dans cet univers « désymbolisé » et « déritualisé » qu'est le nôtre, il n'y a de place — semblerait-il — pour aucune culture populaire authentique. Il ne reste de sa vigueur d'antan que des fantômes spectraux, un cortège poussiéreux qui, de temps en temps danse ou se promène au cours de manifestations qui, sous le vocable « folklore », se célèbrent devant une assemblée importante ou pas.

C'est probablement pour cela que l'étrange vitalité de la culture andalouse attire et fascine autant. Phénomène sans doute unique (du moins à de telles dimensions), et phénomène crucial : à condition toutefois de ne pas sortir les choses de leurs gonds, de les considérer dans leurs justes proportions. J'ai déjà souligné à quel point l'image qui se détache ici de l'Andalousie est partielle. L'Andalousie des fêtes, des rites et des chants, cohabite en effet avec une Andalousie bien peu différente de n'importe quelle autre région d'Europe. La frénésie consommatrice augmente, les activités de loisir se répandent.

Ici aussi les piliers du loisir et de la production soutiennent la société. Mais il y a un troisième pilier — celui qui nous surprend et nous interpelle si fort —, qui vient s'ajouter aux deux autres. Provisoirement ? De façon durable ! Comme un « extemporain » greffé ? Parions qu'il n'en sera pas ainsi. Rêvons que c'est peut-être là le signal que c'est possible, oui, que dans une certaine mesure, les deux choses ne sont pas incompatibles, que nous ne sommes pas obligés de vendre notre âme pour acquérir notre confort infini, que, pour jouir d'un tel bien-être, nous ne sommes pas obligés de végéter avec un être aussi pusillanime. Rêvons qu'on peut (et qu'on doit) faire parler les gonds rouillés du monde ; qu'on peut, qu'on doit, arracher le monde à ses dieux omnipotents, à ses symboles compulsifs, aux lois inébranlables qui, hier, déterminaient les principes, jalonnaient les chemins, imposaient les identités.

Rêvons en un mot, qu'on peut assumer pleinement notre liberté glissante et inquiétante, sans pour autant perdre le chemin, écraser les symboles, oublier l'étoile, sans cesser d'affirmer avec force notre identité imprenable. *(Traduit par Christine Dermanian.)*

──────── *XAVIER-RUIZ PORTELLA* ────────

Philosophe ; auteur de *La Liberté et sa détresse* (à paraître).

JUAN GOYTISOLO

RETOUR

AU SUD[1]

Le retentissant dialogue Nord-Sud qui a fait l'objet de conférences internationales, de réunions d'experts, de commentaires radiophoniques, de reportages télévisés et d'articles de journaux, est, semblerait-il — compte tenu de ses résultats insignifiants — un simple prétexte, la panacée trompeuse destinée à endormir les bonnes consciences dans la croyance non fondée que l'on est en train d'agir. A force de manipuler la nouvelle, de se gargariser de proclamations altruistes et pétries de bonnes intentions, on escamote la brutale réalité des faits. D'un côté : moyens, pouvoir, développement industriel, colonisation économique, libéralisme politique. De l'autre, oppression, abandon, misère, chômage endémique, émigration massive.

Pendant les années de prospérité, la florissante Europe du Nord accueillera à bras ouverts dans ses entreprises et usines une main-d'œuvre soumise et prudente, provenant du bassin méditerranéen et de ses ex-colonies. Lorsque le miracle prendra fin et qu'il faudra s'adapter à la nouvelle conjoncture du marché, les travailleurs « invités » seront les premiers à en payer les conséquences : racisme, xénophobie, chômage, régression forcée vers la pauvreté ancestrale qu'ils fuyaient.

Dialogue Nord-Sud ? Parlons plutôt de soliloques parallèles, symbolisés par un double courant circulatoire : celui de l'illusion du futur et celui de la jouissance du présent ; de l'émigrant aux mains vides, chargé de rêves, et du touriste anxieux de trouver ce soleil garanti à bas prix. Le retard séculaire qui expulse le premier servira d'agréable refuge au second. Nous arriverons ainsi à la conclusion des experts, aussi séductrice qu'une formule magique : la création, mutuellement profitable, de deux économies complémentaires. Déracinement, aliénation, travail abrutissant de l'homme et de la femme du Sud dans ces tâches dures, serviles, méprisées par la classe ouvrière du Nord ; repos, détente, confort du bourgeois ou petit bourgeois du Nord, dans un cadre de lumière, hospitalité, beauté, typiquement méditerranéennes.

Ce processus de convergence inégale ne touche pas uniquement les États riches et pauvres ; il affecte également les pays-banlieue de la périphérie européenne qui, comme l'Italie ou l'Espagne, n'ont pas pu ou su aplanir à temps les différences existant entre régions industrielles et déprimées, entre zones d'émigration permanente et surfaces dont le dynamisme majeur permettait d'alimenter — jusqu'à il y a peu — des expectatives raisonnables d'emploi. A une échelle plus intime et réduite, le double courant auquel je faisais allusion fomentait dans la pratique des « économies complémentaires ». Pour citer un exemple, les revenus *per capita* d'Almería représentaient, il y a vingt-cinq ans, le quart de ceux de Barcelone ou de Guipùzcoa.

S'établir en Catalogne ou au Pays Basque équivalait alors pour l'habitant d'Almería à atteindre ce paradis imaginaire, que le travailleur madrilène ou valencien croirait lui aussi trouver dans des villes comme Genève ou Francfort. La négligence et l'iniquité qui régnaient à Almería ainsi que dans d'autres provinces méridionales condamnaient les fils de ces terres à l'exil interne et externe : saignée migratoire qui appauvrissait les régions pauvres et enrichissait les riches, aggravait les différences entre les uns et les autres, imposait en Espagne même des situations de dépendance réelle, sous le couvert d'une prétendue « complémentarité ».

CHOISIR
LA TERRE OUBLIÉE

Quel sens moral attribuer alors à une trajectoire comme la mienne, exactement inverse à celle de dizaines et de dizaines de milliers d'habitants d'Almería qui, la couverture sur la tête, ont émigré avant et après notre guerre vers ma région natale, en quête de dignité et de travail ? Quels sentiments et raisons peuvent avoir motivé le mouvement opposé : échanger une terre prospère et laborieuse contre une autre, traditionnellement inhospitalière et oubliée ? Répondre à ces questions m'obligera à m'immerger dans ma vie, à faire affluer à ma mémoire le concours de vicissitudes et de circonstances qui, lentement, sans âcreté, m'ont conduit à choisir le Sud.

Fils de la guerre civile et du régime oppressif qu'elle engendra, j'ai été dès l'enfance — comme l'a dit de lui-même Cernuda — un espagnol peu convaincu : ce qui s'est passé pendant ces années-là m'a marqué pour toujours et m'a fait concevoir de façon précoce, plus ou moins consciente, le désir d'abandonner un pays dont les réglements de compte, d'une incroyable cruauté, ont frappé mon enfance et ma famille. D'origine biscaïenne par mon père, et barcelonais de naissance, je n'ai jamais éprouvé l'envie de m'identifier à ce qui est basque ou catalan. M'étant finalement installé en France, mon espagnolité chancelante et fuyante courait le risque de se dissoudre dans cette nouvelle ambiance, si n'était alors survenu un voyage, avec un événement pour moi primordial.

Mon parcours dans la région d'Almería, en septembre 1956, fut en réalité un périple initiateur, baptismal, spermatique : la confrontation avec un monde, une réalité, un paysage dont la nudité, la violence, l'aspérité, m'attiraient de façon immédiate. Comme dans la réalisation d'un rêve ou d'un pressentiment, je découvrais la force imprégnante de ces montagnes et terres désertiques, d'une solitude dévastatrice ; une fascination intime pour des villages austères, cachés, blancs ; une solidarité instinctive avec des hommes et des femmes exploités de manière barbare, obligés d'émigrer pour gagner leur pain quotidien.

Mes premiers sentiments de parenté, de sympathie et d'affection à l'espagnole sont nés ici, dans ces champs, quand, à pied, en autobus ou en camion, j'ai entrepris — il y a de cela vingt-sept ans — le ratissage systématique de la région. A la recherche de quoi ? Il me serait difficile de répondre. Alimentation, enquête aléatoire d'un esprit devin, obéissance intuitive à une sourde impulsion magnétique ? Étincelle créatrice de toute façon, soudaine et fulminante, aussi belle que le fait de tomber amoureux ; chemin aventureux, flou, vers une possible filiation ; noyau, amande, graine de mes futures options politiques.

Ce que j'avais alors vaguement entrevu s'éclairerait et décanterait plus tard : mon détachement d'un univers, d'un milieu social, d'un cadre, que je n'avais jamais senti proches et dans lesquels, privé de stimulations vitales, je végétais et m'assoupissais. Le paysage d'Almería dans sa triple dimension : esthétique, physique et morale, m'ouvrait le chemin d'un monde plus excitant et chaleureux vers lequel j'orienterais bientôt ma vie.

Ce que je suis aujourd'hui, tout ce que j'ai fait et écrit, s'est déterminé immédiatement après mes itinéraires erratiques tout au long de cette province : conscience ardente d'appartenir, sans trop savoir comment, à l'univers à peine découvert ; impressions réitérées d'immédiateté et concomitance avec des lieux et des gens — que j'éprouverai à nouveau, quelques années plus tard, sur le sol nord-africain. Mon destin s'est probablement scellé à ce moment-là : féconde, germinative approche de la langue du peuple, cet Andalou d'Almería paisible, rude, chantant, dont se saisirait mystérieusement mon oreille, et qui ranimerait dans l'exil un amour de la langue combatif et orgueilleux. Ma décision, à l'âge de trente ans, de me livrer complètement à elle, de me battre avec elle dans un corps à corps engagé, est peut-être née en écoutant un parler dont la vivacité me surprenait, me fascinait.

Mon indignation contre l'injustice sociale et les déséquilibres régionaux de la péninsule naîtrait également à Almería, en constatant *de visu* la dépendance de cette région vis-à-vis des banques et industries du Nord ; son caractère inoffensif face au colonialisme intérieur et à ses injustices. Il faudrait aller et venir, s'imbiber encore et encore des réalités meurtrissantes du Sud. Quitter le Nord pour être du Sud. Assumer la nouvelle filiation avec joie, légèreté et modestie.

Aujourd'hui, alors que, pour le malheur de quelques-uns et le bonheur de beaucoup, l'Espagne a changé, et que l'exploitation et l'inégalité ont perdu de leur dramatisme antérieur ; que la ténacité et la valeur des fils de la province ont réussi à la relever de sa déchéance passée ; que la diversité culturelle et humaine reconnue dans notre Constitution a remplacé le centralisme oppressif et monochromatique, l'identification personnelle de tout individu par des valeurs, qualités et traits n'est plus imposée mais élective ; et les affinités, les penchants, les inquiétudes morales pèseront plus lourd sur la balance que le lien toujours hasardeux de l'origine familiale ou locale.

La générosité dont ont fait preuve les autorités de Nijar en m'admettant parmi les fils de la commune, je ne l'accepterai donc pas comme un geste simplement honorifique, pas plus qu'en termes d'hommage mondain ; je la prends bien au contraire comme une reconnaissance publique, diaphane, d'une indéniable réalité : mon appartenance morale et vitale à un monde, la conséquence logique de mon éblouissement le jour où, pour la première fois, j'ai foulé le sol de cette province et où j'ai été brusquement jeté à bas de mes certitudes, de mon identité, par un mélange asservissant de beauté, d'invalidité et de luminosité. *(Traduit par Christine Dermanian.)*

————— *JUAN GOYTISOLO* —————

Écrivain ; auteur, notamment, de **Chasse gardée** et **Les Royaumes déchirés**, collection Arthème, Fayard.

1. Texte paru dans la revue **Contracorrientes**.

LA DESSERTE DE L'ANDALOUSIE PAR AIR FRANCE

Air France relie directement Paris à deux villes andalouses : Séville et Malaga.

La desserte de Séville est assurée trois fois par semaine : les jeudi, samedi et dimanche. Les vols sont effectués en Boeing 737.

Malaga est également desservie trois fois par semaine : les vendredi, samedi et dimanche.

Les vols sont assurés en Boeing 727 ou Airbus A 310. Ces vols décollent de l'aéroport d'Orly Sud.

Air France propose, au départ de Paris, une série de tarifs promotionnels aller-retour permettant de séjourner à destination entre deux jours et trois mois, moyennant certaines conditions d'utilisation.

Ces tarifs sont identiques sur les deux destinations. Quelques exemples :
- 845 F l'aller-simple (tarif « Jeunes »),
- de 2 095 F (aller-retour tarif « Vacances ») à 3 150 F (aller-retour tarif « Excursion »).

Comme sur toutes les destinations européennes Air France propose un tarif couple, l'un des deux conjoints payant 50 % du plein tarif de la classe utilisée.

Les voyageurs utilisant les tarifs « Excursion » ou « Vacances » d'Air France peuvent bénéficier du forfait « Avion + hôtel et/ou auto ». Cette formule simple permet d'obtenir des tarifs préférentiels dans une sélection d'hôtels et auprès des loueurs de voiture. Les réservations pour le nombre de jours désirés se faisant au moment de l'achat du ticket d'avion jusqu'à 72 heures avant le départ.

En outre, les voyageurs peuvent utiliser la possibilité d'entrer par une ville et de ressortir par une autre, parmi les neuf villes espagnoles desservies par Air France (Madrid, Barcelone, Valence, Malaga, Saint-Jacques de Compostelle, Palma, Alicante) avec Séville et Malaga.

Jet Tours (l'une des marques « tourisme » du groupe Air France), propose une formule de week-end à Séville : il suffit de choisir uniquement son hôtel avant de partir en toute tranquillité à la découverte des richesses et du charme de cette ville.

autrement

SÉRIE MUTATIONS

N.	3 Finie, la famille ?	80 F	N. 63/64	Guide des technologies de l'information	145 F
N.	7 La fête, cette hantise	65 F	N.	67 École Plus	120 F
N.	10 Dans la ville, des enfants	80 F	N.	68 Les Médecins	70 F
N.	11 Culture immigrée	55 F	N.	69 Écrire aujourd'hui	70 F
N.	15 Panseurs de secrets et de douleurs	89 F	N.	70 Acteurs	85 F
N.	17 Libres antennes, écrans sauvages	35 F	N.	71 Opéra	80 F
N.	20 Si chacun créait son emploi ?	60 F	N.	72 Objectif bébé	85 F
N.	21 Jeunes 16/25 ans cherchent	60 F	N.	73 Armes	80 F
N.	22 Enfants et violence	55 F	N.	74 Technopolis	75 F
N.	24 Couples	60 F	N.	75 La scène catholique	75 F
N.	26 La santé à bras le corps	60 F	N.	76 L'ère du faux	85 F
N.	27 Technologies douces	42 F	N.	77 L'espace superstar	80 F
N.	29 Les révolutions des minuscules	60 F	N.	78 La culture des camarades	80 F
N.	30 L'explosion du biologique	60 F	N.	79 Europe-Hollywood et Retour	80 F
N.	35 Un enfant ?	85 F	N.	80 L'Amour foot	80 F
N.	36 La « télé », une affaire de famille	55 F	N.	81 L'intime	85 F
N.	37 Informatique, matin, midi et soir !	70 F	N.	82 La science et ses doubles	80 F
N.	40 Sauve-qui peut, la crise ?	55 F	N.	83 Villes en guerre	80 F
N.	41 Je t'aime d'amitié	60 F	N.	84 Créateurs d'images	80 F
N.	42 On le met dans le « privé » ?	55 F	N.	85 Autres médecines, autres mœurs	80 F
N.	43 A corps et à cri !	70 F	N.	86 L'Excellence	85 F
N.	45 Passions de joueurs	55 F	N.	87 La mort à vivre	89 F
N.	46 Tu habites chez ton père ou chez ta mère ?	60 F	N.	88 Passion du passé	80 F
N.	47 Le local dans tous ses États	60 F	N.	89 Noblesse oblige	80 F
N.	48 Les créateurs	75 F	N.	90 La Mère	89 F
N.	49 Black	70 F	N.	91 Fatale beauté	80 F
N.	50 Avoir 20 ans et entreprendre	60 F	N.	92 Odeurs	80 F
N.	51 Fous de danse	70 F	N.	93 L'éthique corps et âme	80 F
N.	53 La pub	80 F	N.	94 La délation	80 F
N.	54 913 973 inconnus : les étudiants	60 F	N.	95 Islam, le grand malentendu	80 F
N.	55 La bombe	99 F	N.	96 Abandon et adoption	85 F
N.	56 Animal mon amour !	65 F	N.	97 L'enfant lecteur	85 F
N.	57 Intelligence, intelligences...	85 F	N.	98 Faits divers	85 F
N.	58 Show-Biz	65 F	N.	99 L'orchestre	85 F
N.	59 Les héros de l'économie	70 F	N.	100 Le culte de l'entreprise	85 F
N.	61 Père et Fils	65 F	N.	102 A quoi pensent les philosophes	85 F
N.	62 Humeur de mode	70 F	N.	103 L'ère des médiums	89 F
			N.	104 Obsession sécurité	89 F
			N.	105 Mariage, Mariages	89 F

SÉRIE MONDE

EUROPE

HS.38	Andalousie (avril 89)	89 F
	Barcelone Création	120 F
HS.01	Berlin	89 F
	Bretagne Mode d'Emploi	49 F
HS.34	Budapest	85 F
HS.33	Écosse	85 F
HS.39	Grèce (mai 89)	89 F
HS.23	Irlande	89 F
HS.29	Istanbul	89 F
HS.30	Lisbonne	85 F
HS.06	Londres	89 F
	Londres Création	120 F
	Lyon Mode d'Emploi	59 F
HS.24	Madrid	85 F
HS.36	Marseille	89 F
HS.19	Munich	85 F
	Paris Création	140 F
	Paris en Marche	98 F
	Paris la Forme	49 F
HS.F2	Riviera	85 F
HS.32	Rome	89 F
HS.F1	Strasbourg	85 F
HS.25	Des Villes en Suisse	85 F
HS.31	Toscane	85 F
HS.14	Venise	89 F

AMÉRIQUES

N.44	Brésil	89 F
HS.22	Buenos Aires	89 F

N.31	Californie	89 F
HS.35	Cuba	89 F
HS.18	Mexico	89 F
N.39	New York	89 F
	New York Création	99 F
N.60	Québec	89 F
HS.20	Texas	85 F

ASIE/PROCHE-ORIENT

HS.28	Himalayas	89 F
HS.03	Hong Kong	89 F
HS.13	Inde	89 F
HS.04	Jérusalem	89 F
HS.17	Pékin	85 F
HS.26	Shanghaï	85 F
HS.27	Téhéran	85 F
HS.08	Tokyo	89 F
HS.16	Transsibéries	85 F

AFRIQUE

HS.15	Afrique du Sud	89 F
N.38	Algérie	89 F
HS.09	Capitales de la couleur	89 F
HS.21	Corne de l'Afrique	85 F
HS.05	Désert	89 F
HS.12	Le Caire	89 F
HS.11	Marrakech	89 F

OCÉANIE/PACIFIQUE

HS.07	Australie	89 F
HS.37	Australie Noire : les Aborigènes	89 F

Tous ces ouvrages sont disponibles en librairie (diffusion Le Seuil)
ou directement aux Éditions Autrement, 4, rue d'Enghien, 75010 Paris.

Directeur de la publication : Henry Dougier, Revue publiée par Autrement
Comm. par. 55778. Corlet, Imp. S.A., 14110 Condé-sur-Noireau. N° 11217. Dépôt légal : mars 1989
Liste des annonceurs : Air France, p. 222.
ISBN : 2-86260-279-5 - ISSN : 0336-5815. *Imprimé en France*